Für Rainer Herrn

Karsten Witte

Lachende Erben,
Toller Tag

Filmkomödie im Dritten Reich

Vorwerk 8

Die Deutsche Bibliothek – CIP-Einheitsaufnahme
Witte, Karsten: Lachende Erben, Toller Tag : Filmkomödie
im Dritten Reich / Karsten Witte . - Berlin : Vorwerk 8, 1995
ISBN 3-930916-03-7

100248409

© 1995 Verlag Vorwerk 8, Berlin
Gesamtgestaltung, Satz:
Michael Roggemann, Michael Schmidt
(osthafen-DESIGN 1995)
Druck: Kupijai & Prochnow
Bindung: Buchbinderei Stein
ISBN 3-930916-03-7

Inhalt

Filmkomödie im Dritten Reich

Vorwort

Karsten Wittes Arbeit ist in einem literarisch bewußten Stil verfaßt, der sprachlich an die Ausdrucksweise von Texten der Kritischen Theorie anknüpft. Es scheint mir dabei ein Glücksfall, daß
Karsten Witte ein Spezialgebiet gewählt hat, in welchem er einen
für Dritte nicht nachholbaren Kenntnisvorsprung besitzt; dies unterscheidet seine Texte von solchen, die im Umkreis der Kritischen
Theorie oder von deren Anverwandten zum Thema Film verfaßt
worden sind und die nicht auf einer Tatsachen- und Argumenta-
tionsfülle beruhen, über die der Verfasser auf seinem Arbeitsge-
biet verfügt; dieses Gebiet: Film im Dritten Reich, unter besonderer Berücksichtigung der Filmkomödie im Faschismus, kann in
der Bundesrepublik als die kritische Domäne von Karsten Witte,
unabhängig von der akademischen Bearbeitung, gelten.

Der Text gibt einen spannend zu lesenden und knapp, aber de-
tailliert ausgeführten Überblick über die im Dritten Reich produzierten Filmlustspiele: *Lachende Erben; Fräulein Hoffmanns Erzählungen; Die schönen Tage von Aranjuez; Wenn ich ein König wär';
Mein Herz ruft nach dir; Die Töchter der Exzellenz; die Zirkusfilme;
Amphitryon; Die englische Heirat; April, April; Wenn wir alle Engel
wären; Das Veilchen vom Potsdamer Platz; Paradies der Junggesellen;
Hurrah, ich bin Papa; Bel Ami; Sommer, Sonne, Erika.* Die von Karsten Witte nachgezeichnete Linie solcher Filme enthält ein in sich
geschlossenes, höchst disparates Lebensgefühl, das nach 1945 nur
eklektisch wieder aufgenommen werden konnte. Witte hütet sich
vor einer interpretativen Einreihung dieser Genre-Filme in ein de-
finiertes Faschismusbild. Man könnte dann keine der filmge-
schichtlichen Wurzeln dieser Komödientexte rekonstruieren; man
verstünde auch nicht das Übergreifen (von außen) und die Nachahmung (von innen) der amerikanischen Vorbilder, die ja selber
kaum unter den Begriff des Faschismus zu subsumieren wären.
Das Genauigkeitsideal des Verfassers zeigt sich in dieser Hinsicht
in der Interpretation des Spielfilms *Das Veilchen vom Potsdamer Platz*
(1936), Regie: J. A. Hübler-Kahla, die auf Montagetechniken und

Filmerzählformen, wie sie sich in *Kuhle Wampe* (1932) finden, hin-
weist; ohne irgendeine Gleichsetzung werden gleichförmige film-
sprachliche Ellipsen in einem sozialistisch orientierten und einem
nationalsozialistisch fundierten Film verglichen. Ähnlich genau
und abgrenzend gegen den ideologischen Schnell-Schluß ist der
Verweis auf die Filmarchitektur des *Amphitryon*, die als Parodie
oder aber bloße Gleichzeitigkeit zu den Architekturen des Nürnberger Parteitags, also als Parodie oder als Zeitgefühl gedeutet wird.
Da unser gesamtes 20. Jahrhundert die künstlerischen Ausdrucksvermögen in E- und U-Teile einteilt, Lebenserfahrung also in einen immer genauer aufgetrennten seriösen und läppischen Ausdruck in sämtlichen verfügbaren Medien aufgegliedert wird, ist
eine solche auf Tatsachen bezogene Analyse von hohem Wert.
Der künstlerische Ausdruck ist im 19. und in den frühen Phasen
des 20. Jahrhunderts an die Rezeption durch eine gebildete und
besitzende Schicht geknüpft. Diese Rezeptionsform von kreativem Ausdruck gliedert zugleich, populär und durch die gleichen
gebildeten besitzenden Schichten, eine Sphäre des Trivialen aus.
So geschieht es für die Oper durch die Operette, das Gleiche wiederholt für sich die artikulierte Literatur durch den Groschen-
roman. Im Film haben beide Tendenzen von Anbeginn koexistiert.
In der zweiten Hälfte des 20. Jahrhunderts entschwinden die
gesellschaftlichen Voraussetzungen für eine stabilisierte, kritische
Rezeption von kreativem Ausdrucksvermögen durch eine gebildete oder besitzende Schicht. Gleichzeitig mit einer Überwälzung
angelsächsischer Produkte findet eine Erosion von kritischer Rezeption überhaupt, teils unter dem Vorwand von Demokratisie-
rung der Rezeption, in unseren europäischen Breiten statt. Für
sämtliche klassischen Künste enthält dies eine eminente Herausforderung; hier wiederholt sich etwas, das in den 30er Jahren in
nuce, zugleich innerhalb eines besonderen Gewaltverhältnisses,
seine Vorprobe hatte. Die Kombination einer gewalttätigen Politik mit einer einschmeichlerischen, aber für Sinnentätigkeit und
Bewußtsein kaum weniger gewalttätigen Unterhaltungsindustrie,
ist der genauesten Aufmerksamkeit wert. Sperrt man die hier ent-
haltene Problematik in das Kategoriensystem: Faschismus, Nationalsozialismus, so entfällt die Trennschärfe für dasjenige, was

den 30er Jahren insgesamt und unserem Jahrhundert zugehört, von den nationalsozialistischen Machthabern auf dem Film- oder Kulturgebiet nur eine besondere Prägung erhalten konnte. Dies etwa scheint mir die Aufmerksamkeit im Erkenntnisinteresse von Karsten Witte auszumachen. Seine Analyse der Komödien, wie sie im Dritten Reich verfertigt wurden, hat in dieser Hinsicht keineswegs nur Bezug auf den Zeitkern jener Jahre. Vielmehr entwickelt Karsten Witte eine Fragestellung, die zum Zeitpunkt des Aufkommens neuer Medien und zum Fin de siècle unseres Jahrhunderts Herausforderungen setzt. Was eine »Paradiesvorstellung« unter spießigen politischen Bedingungen sein kann, was »Monopolisierung alten Glücks« heißt, daß die »Kunst ins Freie« will, der »eingedeutschte Amerikanismus« – all dies sind Fragestellungen von höchst aktuellem Bezug. Sie betreffen die Konstruktion von Texten, die Struktur mitteleuropäischen Ausdrucks insgesamt. Man kann auf Grund dessen, wovon Karsten Witte berichtet, folgende Fragen stellen: Wie entgehen wir, wenn es um die Verbindung von Ausdrucksvermögen und Rezeption geht, der Schlampigkeit, dem betrügerischen Element, das schlechten Komödien anhaftet? Wie kann man die Erzählform der Komödie je dem Gegner überlassen? Wie kann sich kreativer Ausdruck gerade der ungeheuren Akzeptanz des komödiantischen Prinzips bedienen?

Diese Fragen sind fast nur durch Produkte, kaum durch Vorsätze, gar nicht durch Subsumtionen unter ›faschistisch‹, ›republikanisch‹, ›links‹, ›rechts‹ zu beantworten. Die Ausdrucksvermögen, also die Texte, haben hier andere Regeln als die gesellschaftlichen Definitionen.

Es ist literarisch von Interesse, wie Karsten Witte die politischen Bedingungen (er beschreibt sie auch ökonomisch-politisch), die Zwangsmaßnahmen, die der Zwangstauschgesellschaft des Faschismus entsprechen, und die Glücksvorstellungen »alten Glücks« schon im Anfangskapitel paraphrasiert. Ich hätte gerne zum Kontext des »alten Glücks« mehr erfahren. Auch der Begriff der »Monopolisierung«, die ja eine Zentralisation enthält, falls sie sich auf Glück bezieht, hätte mich äußerst interessiert. Dies hätte sich jedoch vom gewählten Thema »Filmkomödie im Dritten Reich« entfernt. Das Dritte Reich gibt hierauf insgesamt nur negative

Auskünfte: Glück läßt sich nicht verwalten. Ich folge aber der Neugier des Verfassers, und ich möchte die Relevanz seiner Arbeit dadurch beleuchten, daß ich auf die Schlager jener Jahre verweise: »Auf dem Dach der Welt, da steht ein Storchennest, da liegen 100.000 Babys drin«; »In 100 Jahren wird wieder so ein Frühling sein«; »Schöner Gigolo, armer Gigolo«; »Dort droben auf dem Berge, dort unter den schimmernden Sternen, da weiß ich ein Haus . . .«; »Das gibt's nur einmal, das kommt nicht wieder, das ist zu schön um wahr zu sein . . .«. In dieser zeitgenössischen Version der Unterhaltungsmusik wiederholen sich die Konstellationen, die Karsten Witte bei der Filmkomödie verfolgt, z.T. entlastet um die Irrtümer und Verluste, die die Schwerfälligkeit der Filmherstellung einbringt. Die Kompetenz des Autors hinsichtlich einer Fülle von Tatsachen, die sich auf etwa tausend Filme als Horizont und eine sehr große Zahl von Filmen im unmittelbaren Themenbereich bezieht, kommt zum Ausdruck.

Alexander Kluge

Was noch fällig ist

Ein Orkan tobt durch Straßen. Winter will es nicht werden. So hält der Herbst an. Alte Leute klammern sich, um nicht umzufallen, an Ampeln fest. Bei Grün schieben sie sich gebückt über den Zebrastreifen. Hut und Handtasche pressen sie an sich, als sei, mit ihnen, alles verloren. Endlich ist die Eingangstür zum Kino im Europacenter erreicht. Aber wie pfeift es in diesem Haus aus Stahl und Glas! Halten Sie Ihre Karte fest, sagt die Kassiererin. Eine Tür ist uns schon rausgeflogen. Unbeirrt lassen sich die Rentner auf der Rolltreppe zum Lustspiel befördern. Unheimlich, nicht wahr, sagt eine Frau zur Nachbarin. Ein Gefühl wie vorm Fliegeralarm, entgegnet die und knistert aggressiv mit dem Bonbonpapier. Tränen des Entzückens, als nach dem Kulturfilm die Sache losgeht. Sieht die junge Magda nicht ganz wie Romy aus? Aus dem Gemurmel klingt Einhelligkeit. Vom Studium der Rechte kehrt Hans Söhnker heim in die Rosengasse. Ein Bauspekulant droht den Mietern Rausschmiß und der Gasse Abriß an. Schluß mit dem verwunschenen Giebelglück, sagen sie. Es hilft nichts, wir müssen an die Amerikaner verkaufen. Der reiche Onkel kauft und verschenkt, aber Söhnker lenkt. Denn der Spekulant hat eine Tochter. Söhnker schmeißt den Laden und schaukelt das Kind.

Sein Charme verschafft allen Recht. Mit Siegermiene begrüßt er das jubelnde Volk. Kleine Mädchen, die ihm Blumen bringen, hebt er huldvoll an die Wange. Er schmettert die Krise ab. Denn: in der Hoffnung liegt die Seligkeit! *Musik für dich*, versprach der Film aus Österreich von 1937. Das Drehbuch stammt von Hans Gustl Kernmayr, einem der wenigen Duzfreunde Hitlers. Der durfte sich freuen, die Musik war für ihn. Hier streute man Blumen für seinen Einmarsch in Wien. Beschwingt läßt sich das Publikum aus dem Saal ins Foyer herabrollen. Einige summen die an sie ergangene Frage nach: Wem gehört Ihr Herz am nächsten Sonntag, Frollein? Die Glassplitter der im Sturm zerborstenen Tür sind fortgefegt. Sorgenvolle Blicke tasten sich am Europacenter empor zum Mercedes-Stern. Wer weiß denn, was noch fällig ist.

Zu schön, um wahr zu sein: Lilian Harvey

Lilian Harvey sah immer so aus, als müsse sie schon zu Beginn ihrer Karriere das Comeback wagen. Stets wurde dem früh gealterten Gesicht eine eiserne Maske des Charmes aufgebunden, die in Momenten der Bestürzung Risse zeigte, die von keiner Schminke zu verdecken waren. Die Regie der Ufa, die mit ihr weder einen Vamp noch eine Dame, sondern »das süßeste Mädel der Welt« lancieren wollte, ließ an diesem Gesicht nur einen Ausdruck zu: mechanisierte Fröhlichkeit. Immer wollte Harvey wie eine Fee übers Parkett schweben, aber ihre trippelnde Gangart ähnelte mehr einer aufgezogenen Puppe. Diese Sirene sang nie, sie plärrte von einer eingebauten Sprechwalze. Ihre Gesten waren gestochen, ihre Tanzschritte eingedrillt, und wenn sie, ganz auf Betörung eingestellt, Willy Fritsch entgegeneilte, dann schwang sie ihre Hüften nicht, sondern schwenkte sie, wie eine Fahne, abgetrennt vom Körper. Lilian Harvey, ewig blonder Traum und Glückskind, war die perfekt synthetische Darstellerin, deren menschliche Züge konsequent die Mechanik des Zeichentricks aufgriffen. Nicht von ungefähr wollte sie in der grotesken Nonsense-Einlage der *Glückskinder* (1936) als Traumrolle Mickey Mouse spielen.

Die Ufa-Produktion *Der Kongreß tanzt* (1931) gilt als Inbegriff sozialromantischer Filmideologie. Lilian Harvey singt sie bei ihrer Kutschfahrt um den Brunnen voll heraus: »Das gibt's nur einmal, das kommt nicht wieder, das ist zu schön, um wahr zu sein...«, und während dieses Glücksversprechen des status quo ante erklingt, geraten die kostümierten Kabelschlepper ins Bild. Noch von den Filmarbeitern verlangt Harvey Huldigung, noch der Kunstfehler ist auf sie bezogen. Als die Bombe auf das Zarendouble geworfen wird, entpuppt sie sich als Blumenbouquet einer begeisterten Verehrerin. Nicht, daß unter diesen Blumen die Kanonen der Revolution hörbar wären (wie Schumann zu Chopin befand), ist bezeichnend, sondern daß die Krisen von Weimar unter diesen Film-Bouquets erstickt wurden. *Der Kongreß tanzt* ist ein durchaus raffinierter Ufa-Film, dessen Witz noch von der

Lubitsch-Schule zehrt: Weltgeschichte im Schlafzimmer. Aber der Sehnsucht der Massen, Geschichte zu vermenschlichen, wird mit dem Interesse der Produzenten begegnet, Geschichte zu verdinglichen. Der Harvey kommt hier eine Schlüsselszene zu; in Erwartung von Fritsch, dem Zaren, zerstreut sie sich zur Teestunde und gibt ihrem Affen Zucker.

Als größten Produktionswert von Lilian Harvey beutete die Ufa ihre Süßigkeit, ihre Adrettheit und den Schuß überdrehter Keßheit aus. In Harvey wurde die Herausforderung der amerikanischen Konkurrenz, die Kindfrau Shirley Temple, mit dem deutschen Gretchen sozusagen versöhnt. Sie kokettiert und klappert mit den Wimpern, aber wenn der coup de foudre einschlägt, senkt sie schicklich die Lider.

In *Quick*, einem zu Recht wiederentdeckten Film von Robert Siodmak von 1932, liegt sie zur Kur im Schlammbad. Hans Albers, ihr stürmischer Verehrer, bricht wie ein Berserker durch alle Türen, um dann als Gentleman vor sie zu treten. Harvey heuchelt sittliche Empörung aus den angezogenen Schmollwinkeln heraus, wird aber Komplizin dieser Attacke, indem sie langsam ihren kleinen Finger vom Schlamm reinigt und Albers zum Handkuß hinstreckt. Das scheint gewagt, wirkt doch nicht lasziv und überrumpelt durch Naivität – deckt folglich ein breites Spektrum an Zuschauerinteressen ab. Die Eingangssequenz des Films, die fremd wie aus einer Science-fiction-Sphäre anmutet, führt sehr knapp und präzis die Schauplätze ein, jedem Alltag entrückt, Orte der Exotik, an denen die Krisenerfahrung von 1932 sich entspannen darf: im Kurhaus, im Varieté. Im Handumdrehen stiehlt Hans Albers als der Clown Quick der Harvey die Show, die auch für ihn entworfen scheint. Die Dialoge leben von einer gewissen, aber ausgedünnten Schnoddrigkeit, die mal eine elegante Frechheit, mal einen deftigen Witz einstreut und in jedem Fall sich über die bekannte Ufa-Ware erhebt. Für Filmausstatter ist *Quick* ein reines Art-Déco-Museum, für Historiker ein seltenes Beispiel, wie früh amerikanische Revuefilme in Deutschland kopiert wurden.

Der interessanteste Harvey-Film ist *Schwarze Rosen* von 1935 (mit Willy Fritsch und Willy Birgel). In diesem manifest politischen Melodram, das für den Widerstand der Finnen gegen die russischen Besatzer Partei nimmt, zeigt sich nämlich, daß auch Harvey dem Zweckbündnis mit der Politik nicht ganz entrückt war: und zwar in jener schockartigen Szene, in der zaristische Soldaten ins Publikum zielen. *Schwarze Rosen* arbeitet noch ein Stück vom *Panzerkreuzer Potemkin*-Trauma der Faschisten auf.

Capriccio von 1938 ist ein in jeder Hinsicht ausgefallener Film des Regisseurs Karl Ritter, dessen Bedeutung für die Festigung des militanten Nazifilms die von Harlan oder Steinhoff weit übertrifft. Es ist kein üblicher Ritter-Film, der dem Heldentod faschistischer Flieger gilt, sondern dessen Ferne zum Produktionsalltag, selbst dem der Phantasie-Produktion, bemerkenswert ist. Dieses Potpourri von Volksmusik und Oper ist nicht sehr gewagt, was aber an Kulturporzellan zerschlagen und als Schuttberg aufgebaut wird, hat streckenweise eine Verve, die kein anderer deutscher Film der Zeit erreicht. Harvey hat hier die Hosen an und entfaltet ein frivoles Verwirrspiel um Geschlechterrollen. Die Staatstheater-Garde der deutschen Schauspieler darf endlich einmal ihr katastrophales Schmierentalent ohne Zügel ausagieren und in jedes Fettnäpfchen der Hochkultur eintappen. Die Grenzen des guten Geschmacks werden gründlich verletzt.

Capriccio provoziert durch den völligen Mangel an Sinn, der nicht einmal mehr durch die Rollenüberschreitung der Harvey zu stiften ist. Das Mädel wollte keine Dame werden und schlug sich, zeitgemäß, auf die Seite der Männer. Immer übersprang sie Altersstufen, blieb wie der ewige Junge: Hans Albers, hoffnungslos unreif.

Wiener Brut

In Wien geboren, in Wien gestorben, sein ganzes Leben lang Wien verfilmt: solche Regisseure gab es selten. Willi Forst nahm den blauen Mythos jener Stadt in Dienst, ohne ihn bloß zu bedienen. In seinen Filmen müssen die Leute einfach Walzer tanzen, wo sie auch gelassen schlendern könnten. Sie dürfen aber nicht. Denn die Firma Forst-Film entdeckte den innersten Bezirk der Stadt, den Höllenkreis des Walzers. Vom Hofball zum Prater, von der Schwanengondel zum Séparée drehen sich die verkuppelten Paare im unerbittlichen Tanzmarathon. Da ist nichts mehr von der »weichen Anmut alter Lanner-Walzer«, die von Hofmannsthal beschworen wurde. In der Forst-Filmproduktion, verliehen von der Wien-Film, herrscht eine dröhnende Endlos-Walze.

Man betonte bisher das maßgeschneidert Liebenswürdige an Forst, so, als habe er sich in der deutschen Filmgeschichte ein Bürgerrecht auf Sympathie erworben. War das nicht eher eine Blendung derer, die sich gern zur Harmlosigkeit verführt glaubten, die böse endete? War es nicht vielmehr so, daß Forst aus jedem verschenkten Herzen eine Mördergrube machte? Seine helle, ironisch biegsame Stimme schweifte immer in Richtung Abgrund aus. Die bodenlosen Frechheiten äußerte dieser Schauspieler mit einem süß erstarrten Gesicht, geradewegs so, als habe er es beim Hofbäcker Demel glasieren lassen. So schenkt man ihm leichter Glauben, mit dem er, ob als Leutnant oder als Komponist oder als aufgestiegener Minister, Schindluder trieb.

Mimisch war Forst ein Meister der sachlichen Untertreibung. Bei Lubitsch hätte er sich großartig entfalten können, dessen unvergessene Lektion der Doppelbödigkeit er in seinen eigenen Filmen wachhielt, dann allerdings in der Nachkriegsproduktion auch erstarren ließ. In *Maskerade* (1934) ist Wien eine Art Erregungszustand. In *Wien, du Stadt meiner Träume* (1957) ist der Traum zum touristischen Abziehbild verkommen. Die Kamerafahrten von Franz Planer in *Maskerade* üben zerstreute Aufmerksamkeit ein, Adolf Wohlbrück spielt den überreizten Dandy kalt, und Paula

Wessely entäußert sich ihrer Hysterie leise, fast abwesend. Hier glückte Forst ein Melodram, das Gefühle nicht zu Arien vergrößert, sondern ihnen bloß einen gehörigen Raum verschafft.

Als der Regisseur versuchte, in den fünfziger Jahren die Postkartentopographie Wiens abzugrasen, mußte er enttäuscht von seiner einstigen Betörungskraft entdecken, daß auf seinen Bildern nurmehr ein heftiges Rot von Agfacolor Platz fand. *Wiener Mädeln*, 1944 im besetzten Prag gedreht, erst 1949 als sogenannter »Überläufer« in die Kinos gelangt, ist ein Film, in dem die Farben den Krieg der Gefühle ausfechten müssen: Österreichische Uniformen in Schwarz stechen bei einem Walzerkrieg der Musikanten gegen den blanken Himmel eben besser ab als weiße Paradefetzen der swingenden Amerikaner, die klein beigeben und in die Versöhnungsmelodie des Walzerkomponisten aus Wien einfallen.

Forst war in jeder Rolle der Mann, der Indifferenz gegen seine Buhlerei um Liebe nicht ertragen konnte. Der Gunst der Gleichgültigen mußte er sich aufdrängen. In *Wiener Mädeln* springt er ein als Dirigent. Das Orchester spielt zu seiner Mißachtung ziemlich falsch. Kaum liegen *seine* Noten auf dem Pult, fressen die Geiger den musikalischen Zucker vom Blatt und skandiert der ganze Saal: »Bra/vis/si/mo!« Forst zieht seinen Hut vom Kopf und einen neuen Walzer aus der Tasche. So unerträglich scheint die Wirklichkeit seines Filmtraums zu sein, daß sie zwanghaft der Verwandlung zum Dreivierteltakt bedarf.

In diesem Film, der jeder Zoll ein Überläufer ist, mußte Forst seinem Helden vom Jüngling zum reifen Helden nachaltern. Da sieht er mit seinen Stirnfalten und den Dauerlocken erschreckend aus, wie der alternde Chaplin als *König in New York*, dessen Träume von einer tanzenden Welt längst versteinert waren.

Das Vorspiel zum Film *Wiener Blut* (1942) zeigt es unverhohlen vor: Jene berüchtigte Essenz, die ewigen Schwung verspricht, ist ein synthetisches Gebräu, im Reagenzglas zusammengekocht. Wien, der tanzende Kongreß und das Gelände der Extravaganz. In diesem Film treffen zweierlei zusammen: Erstens der Einbruch der deutschen Idee vom Mann (Willy Fritsch läßt sich herab), der durch Verführung seitens der österreichischen Frau (Maria Holst) befördert wird; zweitens der Mythos Wien und seine vollständige Umformung von Politik in Kunst, von Macht zum Ballett. Der Minister Metternich wird zum Regisseur ernannt, und die Diener der großdeutschen (Theo Lingen) wie der kleindeutschen Idee (Hans Moser) machen eine gute Miene zum bösen Spiel. Sie haben die Rechnung ohne den Wirt gemacht. Da nämlich herrscht nicht nur Harmonie, sondern das Gebot zur Einstimmigkeit, mit anderen Worten: die filmische Uniformierung der Gedanken und Gefühle. Die erwies sich in diesen selten gelungenen, oft mechanisierten Inszenierungen deshalb als so erfolgreich beim deutschen Publikum, weil ihm die Geisterbahn des Glücks bei Forst in Wien erlaubte, ja erfüllte Sinnlichkeit vorgaukelte.

Adieu, Bel Ami

Am schlimmsten sei, schrieb Benn, »nicht im Sommer sterben, wenn alles hell ist/und die Erde für Spaten leicht«. So gesehen kam Willi Forst, um den immer Helle ohne Glanz, Charme ohne Süße und schlackenlose Eleganz war, aus diesem Leben gut davon. Sein Fach war das Leichte, seine Stadt war Wien, und aus dieser Kombination hat die Filmindustrie ein Medaillon gefertigt, in dem Forst seicht und herzig strahlte. Sein Bild aber, nahm man es in die Hand, changierte. Das faltenlose Gesicht konnte eisige Verachtung zeigen und auf die Gemütlichkeit Frostbeulen setzen. Unter der Maske des Kavaliers höhnte der Lebemann, der den Karneval antrieb und das schäumende Leben, von seiner Regie entfesselt, zu Tode hetzte. Er war gut angezogen und bewegte sich schnell. Im Studio sprach er leise und behend. Er hätte Horváth inszenieren sollen. Nie klebte die Stimme am Wienerischen, sondern huschte am Tonfall vorüber, ohne ihn als Markenzeichen wie Hans Moser auszuspielen. Forst insistierte nicht, er tippte die Probleme, wo er sie wahrnahm, mit dem Spazierstock an. Das gilt als oberflächlich. Die Maske des Klischees, die er sich aufband, war sein Schutzschild. Harlan, der hinter dieser Maske Tieferes vermutete, wollte ihn für die Hauptrolle im Film *Jud Süß* (1940) verpflichten. Forst lehnte ab. Alle anderen Schauspieler, die in Frage kamen, behaupteten später, niemand hätte sich Goebbels entziehen können. Der bestätigte zugleich das Klischee und lehnte Forst, den »Operetten-Fatzke«, als zu ungefährlich ab.

Willi Forst, 1903 in Wien als Sohn eines Porzellanmalers geboren, stand schon als ganz junger Mann auf der Bühne. Ab 1925 spielt er im Berliner Metropol-Theater. Der Film wird auf ihn aufmerksam. An der Seite von Marlene Dietrich spielt er seine ersten Rollen: als Mörder und Zuhälter, als »eleganter junger Windhund«, wie Lotte Eisner damals schrieb. Die Filme hießen *Café Electric* (1927) und *Gefahren der Brautzeit* (1929). Beim Debüt des deutschen Tonfilms: *Atlantik* (1930), machte Forst im Frack gute Figur und in jeder Lage eine heitere Miene zu bösem Spiel. In den deutschen Depressions-Komödien der Jahre vor 1933 vertritt er nie den mannhaften Typ, der mit Disziplin und Frohsinn auf die Beine kommt, sondern eher den Bruder Leichtfuß, der sich gewitzt und gelassen durchschlägt. Diese Rolle spielt er, gegen Willy Fritsch und Lilian Harvey konkurrierend, in der Arbeitslosen-Operette *Ein blonder Traum* (1932).

Der Schauspieler wird Regisseur, der zudem im Verein mit den damals besten deutschen Komödien-Autoren Walter Reisch und Jochen Huth sich seine Drehbücher schreibt. Den Schubert-Film *Leise flehen meine Lieder* (1933) produziert Forst, nachdem die Nazis die Macht übernommen hatten, lieber im vorläufig sicheren Wien. Er liebt Risiken und nimmt sich der verachteten Konfektion wie ein Autoren-Filmer an: das heißt, er kontrolliert seine Produkte und prägt sie mit seiner Handschrift. Paula Wessely gewann er für den Tonfilm (*Maskerade*, 1934) und Pola Negri für ein heftig ausagiertes Comeback (*Mazurka*, 1935).

Als 1974 in London seine Filme im British Film Institute liefen, war Forsts Kunst der Nuancierung, der leichte Umgang mit dem Melodram, seine »undeutsche« Art die Entdeckung der Kritiker. Die Komödie *Allotria* (1936) schielte zwar auf die besseren Beispiele des Genres aus den USA, kann aber in ihrem Nonsens-Geplänkel und dem brillanten Spiel der Akteure durchaus neben ihnen bestehen. Nicht nur die Dialoge leisten eine Überwindungsarbeit, die den Figuren ihre Angst nimmt, auch die visuellen Gags, an denen die deutsche Komödie ständig krankt, beflügelten ungeahnte Wünsche.

Bel Ami war die Rolle, mit der sein Ruhm verwuchs, er schrieb, spielte und inszenierte diese Pressekomödie mit dem 1939 gebotenen Zwielicht. Die Rancunen um den rücksichtslosen Aufstieg eines Journalisten der Belle Epoque, wie ihn Maupassant entlarvte, dämpfte Forst. Er übersetzte die politischen Abenteuer in amouröse und pfiff sich auf die Anspielungen (Frankreichs Kolonialabenteuer in Algerien: der Polen-Krieg stand vor der Tür) ein eigenes Lied. Wo andere Schauspieler tobten, pfiff er, besonders sein Lied »Bel Ami, Du hast Glück bei den Fraun«, dessen untergründige Popularität sich in späteren Filmzitaten erwies.

Forst hat den Faschismus, den er mit keinem Zentimeter Zelluloid verlängerte, wie so viele seiner Kollegen, in Wien überstanden. Er hielt sich auch nach dem Krieg, als alle munter weiterproduzierten, zurück. 1950 ließ er sich mit seinem Star Hildegard Knef vom legendären Produzenten Pommer in einen Skandalfilm hineinreißen: *Die Sünderin*, der die Knef als Maler-Modell auch mal nackt zeigte. Die Presse der Restauration, die zur Rehabilitierung alter Nazis schwieg, ereiferte sich.

Forst, gedemütigt, überwinterte und versuchte sich noch mit dem jungen Autor Simmel an Drehbüchern und verließ dann das Filmgeschäft. Allen Nostalgiesendungen des Fernsehens zur schönen, schrecklichen Ufa-Zeit blieb er fern. Kein Team hat ihn wieder gefilmt. Es blieben von ihm aber im Reißbrett der Gefühlsverwirrungen Komödien zurück, deren Schlagfertigkeit, Tempo und Zuneigung zum Scheitern hochfliegender Träume zu entdecken sind. Willi Forst, Charmeur ohne Anflug von Unterwürfigkeit, das wiegt als Epitaph für einen Regisseur aus seiner Zeit schon schwer. Vielleicht zu schwer für diesen leichten Herrn.

Major Tellheim nimmt
Minna von Barnhelm in Dienst

Die Literatur ist das Gnadenbrot der Filmindustrie, das sie immer dann annehmen muß, wenn ihr Interesse an den Stoffen der Gegenwart, und damit junges Publikum, zu schwinden droht. Die Literaturverfilmung hingegen verspricht, sofern sie sich an Leser wendet, aus dem Kanon der Tradition Bekanntes zu zeigen. Notwendig verrät sie es, wie jede der Übersetzungen, die seit der Renaissance den trügerischen Titel der »belles infidèles« tragen. Das klassische Erbe verpflichtet den Leser als Zuschauer. Indem der Zuschauer aber den Leser in sich vergißt, verflüchtigt sich auch dieses Erbe. Es bleibt ein Appell, der wenig Raum zum Gegenfragen läßt. Man folgt ihm einfach, wenn der Ruf zur Ausrichtung erfolgt.

Als Joseph Goebbels 1941 seine Rede zur Eröffnung der Filmarbeit der Hitlerjugend hielt, die er »Der Film als Erzieher« nannte, sprach er umstandslos von der strategischen Zielsetzung, wie er sie für die schon verstaatlichte deutsche Filmindustrie selber setzte: »Eine nationale Führung, die Anspruch auf diesen Ehrentitel erheben will, muß es sich zur Pflicht machen, das Volk nicht nur in seinen Sorgen, sondern auch in seinen Freuden, nicht nur in seinen Belastungen, sondern auch in seinen Entspannungen liebevoll und hilfsbereit zu begleiten. In dieser Beziehung ist der Film einer der wertvollsten Faktoren zur Verschönerung der wenigen Stunden, die dem einzelnen Deutschen heute neben seiner Arbeit für die Wiederauffrischung seiner seelischen Kräfte übrigbleiben. Darüberhinaus aber ist der Film in seiner modernen Entwicklung ein nationales Erziehungsmittel erster Klasse. In seiner Breitenwirkung kann er fast mit der Volksschule verglichen werden.«[1] Goebbels sprach nicht allein wie ein Hausvater zum deutschen Film, er war es.

Übersetzt man seine Rede aus der Sphäre familiärer Einbindung in die Alltagsrealität seines Publikums, dann stehen für »Sorgen und Belastungen« der Weltkrieg, den er verschweigt, als nach dem deutschen Überfall auf die Sowjetunion der russische Winter einzubrechen droht. Die Filmkunst wird nicht länger etwa als »moralische Anstalt« wie Schillers Theater beansprucht, sie ist unterdessen – »Wiederauffrischung seelischer Kräfte« – eine Intensivstation zur Regeneration soldatischen Kampfgeistes geworden. Der Filmkünstler, ob Regisseur oder Schauspieler, wird unter Goebbels' Appell eine Art Krankenpfleger, der die Kinogänger »liebevoll und hilfsbereit« zu begleiten habe. Die Filme stehen nun allesamt im Dienste der »Verschönerung« der »wenigen Stunden«, die den Soldaten an der Front wie auch dem zivilen Publikum geblieben sind. Nicht etwa fordert Goebbels eine ästhetische Anstrengung bei der Herstellung des Filmprodukts; er fordert gleich dessen Funktionalisierung in der Freizeit, die es zu »verschönern« gilt. Es kann ja, liest man Goebbels' pharisäerhaften Appell, nicht um die freie Programmauswahl und ästhetische Bildung des Publikums gehen. Dieses soll die Zeit im Kino nicht totschlagen, sondern nutzbar machen. Denn, so lautet das Resümee, der Film ist »ein nationales Erziehungsmittel erster Klasse«, eine »Volksschule«. Wenn also die Volksschule schon das Erziehungsmittel erster Klasse ist, dann kann der Propagandaminister eine höhere Schulbildung in den Massenmedien vermutlich wenig favorisiert haben. Schließlich spricht er zur Hitlerjugend. Auf diesem Rezeptionsniveau wollte er die Produktionsideologie des Films halten. Das gelang.

Was nicht gelang, ist die Camouflage seiner Rede, die in Zuschauern und Fremden lauter Mangelphänomene beschwor. Denn seit 1939 ging die Produktion von Unterhaltungsfilmen von 50 % Anteil an der deutschen Gesamtfilmproduktion auf 36 % zurück. Die politischen Propagandafilme dagegen, deren Produktionsanteil im Durchschnitt bei 10 % lag, schnellten 1942 – im Jahr der größten militärischen Expansion der Nazis in Europa – auf den beträchtlichen Satz von 25 %. Direkte Propaganda lehnte Goebbels ab, indirekte Propaganda ließ er fördern. Goebbels' Appell: »Mehr Unterhaltung!« war 1941 eine mittelbare Produktionsanweisung, die wie immer von einer schleppend und langfristig planenden Industrie erst 1943 sichtlich befolgt wurde. Nach der Kriegswende – der Schlacht von Stalingrad – sinken die politischen Filme auf einen Anteil von 8 % der Jahresproduktion, während die Unterhaltungsfilme, als »staatspolitisch« von besonderem Wert anerkannt, sich weit über dem Durchschnitt bei 55 % Jahresanteil behaupten.

Bedenkt man diesen beträchtlichen Ausstoß der Industrie, die zwischen 1939 und 1945 jährlich knapp einhundert Spielfilme auf den deutschsprachigen und europäischen Markt warf, ist der Anteil an Literaturverfilmungen daran verschwindend gering. Stärker in der Unterhaltung war die Tradition der Wiener, nicht der Pariser Operette, die ein breites Publikum im voraus kalkulierbar machte. Das Gros der NS-Komödienfilme kam kaum über die Dramaturgie der Operette hinaus, deren Handlungen den gesellschaftlichen Glanz von gestern in Filmstudios nur aufputzten: lauter, teurer, kaum aber aktueller. Einzig die Übergangsphasen 1933-34 und 1944-45 spiegeln eine Kritik am Operettenklischee, deren Verengung auf nationalistische Ziele schon 1944 vorsichtig »verschönert« wird. Literaturverfilmungen im Dritten Reich sind die Ausnahme vom Produktionsalltag, die selber oft so durchschnittlich gerieten, daß ihnen – gemessen an Filmsprache, medialer Umformung und Kritik am Traditionskanon – exemplarische Bedeutung nicht zuwuchs. Gewichtigkeit erhalten sie nur, ermißt man ihre Produktionsideologie, d.h. ihr Stoffinteresse und den Grad der Anverwandlung an den Zeitgeist.

Nordische Autoren überwogen. Henrik Ibsen war der Favorit. Vier NS-Filme berufen sich auf seine Dramen: *Peer Gynt* (1934), *Stützen der Gesellschaft* (1935), *Ein Volksfeind* (1937) und *Nora* (1944). Daß der *Volksfeind* von einem Film-Minister rehabilitiert wird, daß *Nora* die Film-Tür von innen schließt, anstatt ihrem Puppenheim zu entfliehen, deutet hinlänglich an, wie die Drehbuchautoren ihre Lesart gegenüber Ibsen reklamieren. Man modernisierte den Naturalismus, nicht aber dessen ästhetischen Rahmen, denn oft genug blieb die Spielweise der Schauspieler in jenen Filmen in der Vorstellung eines theatermäßigen Naturalismus befangen. Mit der Vorliebe für nordische Stoffe waren zugleich ein »rassisches« Menschenbild und dumpfer Fatalismus vorgegeben, die in der Masse der Filme dem Publikum sodann zur Handlungsanweisung gerannen. Hilfe aus dem Fatalismus, in den sich blinde Individuen verstrickten, kam in der Produktions-Regel von oben, durch staatlichen Eingriff, dessen Wirken als politisches Happy-End empfunden wurde.

Auch Selma Lagerlöf und Knut Hamsun lieferten Vorlagen, die deutsche Sehnsucht nach einem Mythos übermächtiger Natur bedienten. Diese Sehnsucht riß 1945 nicht jäh ab, sondern wurde zum Hauptstrom, in dem sich der »Heimatfilm« der jungen Bundesrepublik entwickeln konnte. Zu den »nordischen« Autoren wäre auch Hermann Sudermann zu zählen, dessen *Katzensteg* (1937), *Heimat* (1938), *Reise nach Tilsit* und *Johannisfeuer* (beide 1939) verfilmt wurden.

Unter den Engländern kam Oscar Wilde, den die Nazis gewiß als Ketzer geächtet hätten, zu Filmehren: *Ein idealer Gatte, Lady Windermeres Fächer* (beide 1935), *Eine Frau ohne Bedeutung* (1936). Diese Filme hielten als Konserve nur fest, was mit den gleichen Darstellern einen Bühnenerfolg im Berliner Staatstheater-Stil bedeutete. Dazu ist auch die Komödie *Pygmalion* (1935) zu rechnen, die gegen den Willen des Stückautors G. B. Shaw zustande kam. Am weitesten entfernte sich der Film *Amphitryon* von seiner Vorlage. Mit ihr hat dieses Film-Musical (1935) nur so viel gemeinsam wie Kleists Stück mit der Version des Stoffes von Plautus. Aufschlußreich ist, wie und inwiefern es sich aus literarischen Traditionen löst und auf genuin filmische zurückgreift, wie sie das Hollywood-Musical zu jener Zeit anbot.

Mit Kriegsbeginn war ohnehin Schluß mit den Literatur-Verfilmungen. Unser Beispiel, *Das Fräulein von Barnhelm*, ist die Ausnahme, die sich leicht für die psychologische Kriegführung mobilisieren ließ. Für den durch Hitlers Krieg enorm expandierten Markt der deutschen Filmindustrie waren standardisierte Produkte gefragt. Literaturverfilmung, die sich an ein spezifisch literarisch interessiertes Publikum wandte, war im ideologischen Rahmen des Großdeutschen Reiches, das auch die Phantasieproduktion seiner ihm unterworfenen Gebiete und Länder übernommen hatte, inopportun geworden.

Am 9. Oktober 1940 passiert *Das Fräulein von Barnhelm* die Zensur als »jugendfrei«, am 18. Oktober war die Uraufführung in Wien, der die Berliner Aufführung am 22. Oktober 1940 folgte. Produzent und Verleiher war die Bavaria-Filmgesellschaft. Das

Drehbuch – »nach der Komödie von Lessing« – schrieben Peter Francke und der Chefdramaturg der Bavaria Ernst Hesselbach. Der Regisseur des Films, Hans Schweikart, war zugleich Produktionschef der Bavaria, wozu ihn Goebbels nach der Zwangsverstaatlichung der Filmindustrie 1938 persönlich bestellt hatte. Als er nach dem Krieg Intendant der Münchner Kammerspiele wurde, verschwieg er jenes hohe Amt, das er in der Bewußtseinsindustrie der Nazis bekleidete. Auch von seinen Filmen in eigener Regie war keine Rede mehr.[2]

Immerhin hatte Schweikart Erfahrung schon gesammelt: *Das Mädchen mit dem guten Ruf* (1938) war sein Debütfilm, dem *Befreite Hände* (1939: eine Bildhauerin entsagt ihrer Neigung aus Pflicht zur Kunst), *Fasching* (1939), *Das Mädchen von Fanö* (1940), *Kameraden* (1941: Befreiungskrieg zu Napoleonischer Besatzung), *Der unendliche Weg* (1943: ein pro-amerikanisches »Bio-Picture« über Friedrich List), die Spionagegeschichte *In flagranti* (1944) und schließlich die Komödie *Frech und verliebt* (1945) folgten. Seine Nachkriegsfilme trugen Titel wie *Das kann jedem passieren* (1952) oder *Ein Haus voll Liebe* (1955).

Die alliierte Filmkommission, die 1945 die NS-Filmproduktion überprüfte, stufte *Das Fräulein von Barnhelm* als zur »Vorführung in Deutschland verboten« ein. Heute ist der Film Bestandteil des Seniorenprogramms städtischer Kinos wie des Fernsehens. Sogar die FRANKFURTER RUNDSCHAU hatte an der Fernsehausstrahlung nichts auszusetzen. Im Gegenteil, der Korrespondent bescheinigte dem Regisseur des Films, er habe sich »streng an die Theatervorlage« gehalten, ein »ansehnliches Lichtspiel« und eine »im ganzen gelungene Adaption« geschaffen.[3] In dieser Einschätzung hätte sich der ahnungslose Korrespondent durchaus auf eine Filmgeschichte zum Nationalsozialismus berufen dürfen, die 1969 in den USA erschien. David Stewart Hull schrieb dort, in manifester Unkenntnis: »Hans Schweikart's *Das Fräulein von Barnhelm* (The Girl from Barnhelm) represented an exceptionally happy attempt to adapt a literary classic, in this case Lessing's comedy ›Minna von Barnhelm‹, to the screen. It is an attractive and sympathetic film, with a young cast full of enthusiasm for their roles. Despite the opportunities for propaganda inherent in the setting of the Seven Year's War, the battle scenes are effective and simple, and the sequences of returning troops pacifistic.«[4] Wie Schlacht-Szenen effektiv *und* pazifistisch auf die Rezeptionsidentität ein- und desselben Zuschauers sollen wirken können, bleibt Hulls Geheimnis.

Von den Nazis erhielt der Film das Prädikat »Künstlerisch wertvoll« und der Regisseur, was öffentlich nicht bekannt werden durfte, vom Führer (auf Goebbels' Vorschlag hin) eine steuerfreie »Ehrengabe für künstlerische Verdienste«, die sich auf 40 000 Reichsmark belief – Veit Harlan bekam RM 10 000 mehr, Wolfgang Liebeneiner RM 10 000 weniger.[5] Soviel zu Schweikart im Jahre 1940.

Lessings Lustspiel gehörte zu den meistgespielten Stücken in jenen Jahren, in der Spielzeit 1934/35 z.b. wurde es 280mal an deutschen Theatern aufgeführt. »Als Minna von Barnhelm nahm Emmy Göring in einer Festvorstellung im Staatstheater am 20.4.1935 (Hitlers Geburtstag) Abschied von der Bühne. Sie blieb aber – in Konkurrenz mit Magda Goebbels – weiterhin als First Lady des Staates mit der Theaterwelt des Dritten Reiches verbunden.«[6]

Auch Minna von Barnhelm blieb mit der Theaterwelt des Dritten Reiches verbunden: vorzugsweise als Kulturbotschafterin im okkupierten Ausland. Das Hamburger Schauspielhaus gastierte damit in Oslo 1941; in Zagreb erlebte das Stück 1943 seine kroatische Erstaufführung; in Griechenland gelangte es 1944 ins Repertoire. Schweikarts Filmversion fand seine »Abspielbasis« zwischen Narvik und Tripolis, zwischen Brest und der Krim, wo sie dazu beitragen sollte, den Okkupationsgeist deutscher Truppen zu stärken. Im Film gibt es einen Kriegsrat, der dem zaudernden Prinzen Heinrich von Preußen einreibt, als es im Siebenjährigen Krieg um den Konflikt Preußen versus Sachsen ging: »Solange uns unsere Gegner zum Krieg zwingen, müssen wir unsererseits zu Zwangsmitteln greifen.« Das Zwangsmittel des Films hieß Analogiezwang in historischen Kategorien zur Legitimation des Weltkrieges. Nicht dem Klassiker Lessing ist der Film verpflichtet, sondern der Indienstnahme durch die Gegenwart, die dem Film »Verrat« abverlangt, damit der Stoff Gegenwartsinteresse behaupten darf.

Lessings Komödie ist ein Nachkriegsstück, dessen Entstehungs-
jahr – »verfertiget im Jahre 1763« – als Unterzeile betont zum Titel zu gehören scheint. Schweikarts Film beginnt im fünften Jahr
des Siebenjährigen Krieges, als der preußische König Friedrich II.
das benachbarte Sachsen überfällt, das zur ihm feindlichen Koali-
tion Österreich und Frankreich zählt. Motiv des von Preußen
entfesselten Krieges war die Ruhmsucht seines Königs wie sein
Machtkampf um Preußens Aufstieg zur europäischen Großmacht.
Ökonomische Interessen spielten mit: die Kolonisierung des Oder-
Bruchs, die Einverleibung der Provinz Schlesien, der Aufschwung
der Eisen- und Leinenweberindustrie durch Expansion auf neuen
Märkten. Preußens Griff nach der Hegemonie in Europa fand in
der militanten Geschichtsphilosophie und kriegerischen Praxis
seine Erfüllung. Die militärische »Neuordnung« Europas, wie sie
Hitler anstrebte, suchte und fand ihre Legitimation im magischen
Paralleldenken von alten preußischen, aber nie eingelösten Versprechen.

Der Film eröffnet mit einer Totale auf eine Landschaft, in der
kriegführende Truppen aufeinandertreffen. Die Preußen sind
schwarz, die Sachsen weiß gekleidet. Diagonal werden die Soldaten durch den Bild-Kader geführt; ihr Antagonismus ist durch
Farbe und starre kontrastive Linienführung betont. Ein Drittel
der Filmzeit gilt der »Vorgeschichte«: Die Preußen okkupieren
Sachsen, und der Major Tellheim nimmt mit seiner Truppe Quar-
tier auf Minna von Barnhelms Landgut in Schloß Bruchsal. Erst
in der Halbzeit des Films, nach 45 Minuten, reisen Minna und ihre Bedienstete Franziska dorthin, wo Lessings Spiel beginnt, nach
Berlin. Der Film gibt keine Rückblenden. Er behauptet die Linearität einer konsequent erzählten Geschichte, zu deren insgehei-
mem Spielleiter, allerdings schon früh, nicht Minnas Vernunft,
sondern Tellheims Ehre avanciert.

Wie um Tellheims Drama der Degradierung im Berliner Hotel
(die Zwangsräumung der Zimmer) wettzumachen, sind es im Film
die sächsischen Frauen, die preußischen Offizieren ihre Quartiere
überlassen müssen. Minna, anfangs als »Preußenfresserin« apo-
strophiert, damit ihre Entwicklung zur Geliebten eines Preußen
als heroische Selbstüberwindung gedeutet werden kann, sind in

den Eingangsszenen Umsicht und Härte, Unerschrockenheit und Sachlichkeit, also »männliche« Eigenschaften verliehen. Sie harrt, als Feinde ihr Schloß requirieren, auf ihrem »Posten« aus, ja, zum Entsetzen der sächsischen Edelfräulein kollaboriert sie mit der Besatzungsmacht. Dieses Entsetzen wird demonstrativ in Szene gesetzt. Nicht genug damit, daß Minnas Standesgenossinnen als alte Jungfern erscheinen, als leibhaftiger Anachronismus, wird, als sie im Chor »Skandal« rufen, eine Bildmetapher nachgeschoben, die ihre Bedenken als »niedrig, tierisch« denunziert: Fünf Ferkel am Schweinetrog sind »analog« den fünf Edelfräulein gruppiert, die ihre Köpfe zusammenstecken; dann schwenkt die Kamera auf das schnell einverständige Paar Tellheim (Ewald Balser) und Minna (Käthe Gold).

Das Paar betreibt eine Komplizen-Wirtschaft auf dem Landgut. Das Fräulein von Barnhelm versorgt preußische Verwundete, Major Tellheim kommandiert seine Soldaten als Landwirtschaftshelfer nach Bruchsal ab. Nicht mehr Lessings Bündnis von Vernunft und Skepsis treibt die Komödie voran; hier übernimmt die Kollaboration von Adel und Militär die Führung der Geschäfte.

Die Kollaboration auf privatwirtschaftlichem Sektor wird gespiegelt in der Zusammenarbeit auf dem politischen Sektor. Tellheims Entschluß, den sächsischen Ständen die 10 000 Taler vorzuschießen, die noch zur Summe der von Preußen erpreßten Kriegskontribution fehlen, wird – der Geschichte weit vorausblickend – als gleichsam »großdeutscher« Akt vorgestellt, mit dem Tellheim sich eigenmächtig über die seinerzeit noch herrschende Kleinstaaterei in Deutschland hinwegsetzt. Das Argument, mit dem Major Tellheim beim preußischen Kriegsrat sich für die Sachsen verwendet, lautet: »Sie sprechen unsere Sprache. Wir sind *ein* Volk.« So setzt sich diese Figur über alle politischen Grenzen hinweg, um – unausgesprochen – den Staat als die Nation des deutschen Sprachraums zu definieren. Und so holte Hitler die »Wolga-Deutschen« und die »Banater Schwaben« aus der Sowjetunion und Rumänien »heim ins Reich«. Tellheim diente als sein Teleologe.

Preußen droht, Tellheim vermittelt. Hätte er nicht Sachsen das fehlende Geld ausgelegt – was später zum Motiv seiner »gekränkten« Ehre wird –, hätten die Preußen drei sächsische Dörfer in

Brand gesteckt. Ein Vergeltungsakt; eine 1940 alltägliche Kriegs-handlung, geübt von deutschen Truppen in Polen und Frankreich. Schon zittern die sächsischen Flüchtlinge im Hof des Schlosses Bruchsal um ihre Häuser, harren weinend auf ihrem Notgepäck aus. Die Tonspur untermalt die Szene mit chorischem Weinen und heulender Katastrophenmusik. Hier wird eine Spannung erzeugt, die erst durch Tellheims »Gnaden-Akt« ihre Abfuhr erhält und so diesen Akt ins Unermeßliche erhöht. Andererseits antizipiert die Szene das Kriegselend deutscher Flüchtlinge. Das Publikum wird dies mit gemischten Gefühlen, induzierter Sympathie, aufge-nommen haben. Denn mit dieser Szene wird auch ziviles Luft-schutzmanöver eingeübt, das auf Bombenangriffe der Alliierten vorbereiten sollte. Im gefilmten Elend, wenigstens, gab es noch ei-nen Erlöser, den Major Tellheim, während Minna wie ein Lager-Engel unter den Vertriebenen Brot verteilte.

Tellheims erster Satz im Film lautet: »Der Krieg ist hart. Er will ertragen sein.« Das ist eine ungewöhnliche Hypostasierung des Krieges. Nicht ein vorgesetzter General erteilt hier den Befehl zum Durchhalten, sondern der Krieg selbst als eine fatalistische Instanz, von der preußische Soldaten – ohne den Umweg über organisierte Heeresstrukturen – ihren inneren Befehl empfangen. Einen armen Marodeur und Uhrendieb aus Tellheims Truppe läßt der Major umstandslos aufhängen, nach der Devise: »Ein Soldat, der ehrlos handelt, hat kein Recht zu leben.« Die »Ehre« avanciert zum Kriegsrecht, Tellheim zu ihrem Vollstrecker. Das stärkt die »Mo-ral« der Besatzungsmacht und statuiert für die Zuschauer, die sel-ber als Okkupanten zwischen Paris und Warschau wirken, ein war-nendes Exempel. Franziska, Stellvertreterin des niederen Standes, protestiert gegen Tellheims Maßnahme. Ihre Herrin, deren Ver-nunftbegabung im Film zur Einsicht in preußische Notwendig-keit depraviert, weist diesen Protest zurück: »Tellheim muß so [hart] sein.«

Nach 60 Filmminuten verlassen die Preußen das sächsische Schloß, um in die Schlacht gegen Österreich zu ziehen. Ein ge-waltiger Kampf – wieder linear im großen Panoramaschwenk entfaltet – tobt zwischen österreichischer Kavallerie und preußi-scher Infanterie. Tellheim kommandiert einen kleinen Truppenteil. Durch die Untersicht der Kamera erscheint er aber als Schlachtenlenker. Sein Freund, der Offizier Marloff, fällt. Ihn gab es bei Lessing nicht. Dafür läßt der Film die Witwe Marloff fallen, eine 1940 wohl negativ anmutende Nebenrolle. Um Tellheims Großmut zu erweisen, wird sie nicht mehr gebraucht, denn dessen Heroik wurde schon in kriegerischer Aktion entrollt.

Eingerahmt ist die Schlacht-Sequenz von der Szene, in der Minna am Clavecin das populäre Liedchen »Willst du dein Herz mir schenken, so fang es heimlich an« intoniert. Ihr Herz ist bei Tellheim. Minna musiziert im Schloß und »ist« gleichzeitig am Ort des Kriegsgeschehens. Flammen umwabern ihren ahnungsschweren Kopf. Die Überblendungstechnik bewirkt die Transposition. Die Frau hat einen eigenen Ort: für den Ton. Der Mann hat seinen Ort: das Bild. Minna von Barnhelm wird an den Ort des Mannes transportiert. Das besagt, daß ihre Töne und Gefühle, ihre Wünsche einen eigenen Ort sichtbar nicht abbilden. Noch ihr Wunsch, eine Musik für den Frieden zu behaupten, wird zum Handlanger des Krieges.

Die preußischen Truppen kehren siegreich heim. Tellheim trug, das ist bekannt, eine Armverletzung davon. Die Frauen in den Straßen jubeln. Die Musik spielt den »Präsentiermarsch«. In der Charlottenburger Schloßkirche – nun endlich trifft auch der Film in Berlin ein – erklingt ein »Te Deum« zum Dankgottesdienst. Aber bevor die Gemeinde der Sieger im Kirchenschiff zu sehen ist, fällt ein monumentaler Schatten von der Treppe durch den Gang. Den Schatten soll der wahre Sieger werfen, dessen Bild zuvor an der Wand in den Räumen der »Kriegskasse« zu sehen war, die Tellheims Forderung (der »sächsische« Wechsel) bearbeitet: Leibhaftig ist der preußische König hier nicht zu sehen; aber sein Schatten schafft einen Auftritt für den Mythos vom einsamen Führer Fridericus Rex. Der joviale Kauz, als den der Schauspieler Otto Gebühr in einer Serie von Fridericus-Filmen schon vor 1933 den preußischen König darstellte, hatte 1940 als Figur abgemustert. Jetzt waren Tod und Verklärung gefragt.

Damit die Autoren des Drehbuchs den Stoff der Lessing-Komödie nicht ganz zu einem Melodram à la Veit Harlan umdeuteten, bauten sie die Nebenrolle des Riccaut (Theo Lingen) aus: Sie wird negativ aktualisiert. Bei Lessing bringt Riccaut die Nachricht vom Kriegsministerium, es stünde gut um Tellheims Sache; bei Schweikart antichambriert er im Ministerium auf schmierigste Weise, um Tellheim, dessen Zerrbild des nach dem Kriege nutzlosen Offziers er ist, zu erpressen. Bei Lessing ist Riccaut, wie die Witwe Marloff, eine anachronistisch gewordene Komödienfigur. Bei Schweikart avanciert Riccaut zum Militärlieferanten. Das Motiv entsprach der Lage von 1940: Frankreich hatte kapituliert, Paris war besetzt, man brauchte Kollaborateure. Riccaut wird fest im Klischee des französischen »Erbfeindes« umrissen, bedroht er doch persönlich das Glück seines preußischen Kollegen. Denn Tellheims Ring, von seinem Bediensteten Just an den Wirt des Hotels versetzt, wird hier Riccaut in die Hände gespielt. Der Söldner Riccaut, in preußischen Diensten, schlägt aus dem Elend Tellheims Profit, den der versetzte Ring teurer zu stehen kommt als zunächst veranschlagt.

Die erste Wiederbegegnung von Minna und Tellheim findet im Berliner Caféhaus statt. In dieser Sequenz hängt Minna mit ihren Augen an Tellheims Lippen. Stets ist die Perspektive der Kamera so gewählt, daß Minna einen Kopf kleiner als Tellheim erscheint. Diese Proportion besiegelt ihre Liebeshierarchie: Tellheim ist weniger ihr Geliebter als ihr Vorgesetzter. Minna selbst ist nicht, wozu sie sich bei Lessing noch bekannte, eine »Liebhaberin von Vernunft«, sondern nur Liebhaberin eines Majors.

Wo immer Tellheim Zweifel an seinem Tun, seiner Identität als Militär und Mann hervorbrachte (wie im Monolog V, 5), sind diese im Film gelöscht. Stehenbleibt von diesem Monolog die Liebeserklärung an Minna: »Sie sind das süßeste, lieblichste Geschöpf unter der Sonne!« Auch bei Lessing ist die Liebe kein Privatereignis, entscheidend für den Film ist, daß sie nicht verbal artikuliert, sondern in der Tat manifest wird. Tellheim darf keine Niederlage hinnehmen. Er ist nicht länger ein durch die Kriegserfahrung gebrochener Skeptiker, den Minna, seine geliebte Frau, zur Vernunft bringen könnte. Er wird zur Siegernatur, die sich kurzfristig in eine Liebeskomödie verrennt, als der Krieg sich, zwangsläufig, von ihm verabschieden mußte. Der Krieg brachte ihn zur Räson.

Das königliche Angebot, ihn nach voller Rehabilitierung wieder in Dienst zu nehmen, schlug Tellheim aus. »Ihrem Dienst allein sei mein ganzes Leben gewidmet!«, schwor er Minna (V, 9). Tellheim wollte »ein ruhiger und zufriedener Mensch« werden, Eigenschaften erlangen, wie sie Lessing nur einem Zivilisten zuschrieb. Diese Resignation schien dem deutschen Film 1940 fehl am Platze. Hier reitet Tellheim, soeben vom König gnädig in seiner soldatischen Ehre rehabilitiert, hoch zu Roß seinem Regiment zu klingendem Spiel voran. Blumen, jubelnde Frauen, Kinder auf den Straßen – die Kamera baut sich in Zentralachse auf, um ein militärisches Schauspiel am Schluß des Films als tönende, wirbelnde, überwältigende Apotheose des Preußentums aufzunehmen. 1763 war mit dem Friedensschluß von Hubertusburg der Siebenjährige Krieg beendet. In welchen Krieg sollte Tellheim ziehen?

Bei dem 1940 an allen Fronten Europas expandierenden Weltkrieg schien die Reaktivierung eines in Ungnaden entlassenen Offiziers ein Wink an jene Ex-Reichswehroffiziere zu sein, die sich den Kriegsschauplätzen des Großdeutschen Reiches noch entzogen. *Das Fräulein von Barnhelm* rief auch sie. So wie Minna Tellheim bei der Spazierfahrt durch Berlin erklärte, »dort« sei das »sogenannte Brandenburger Tor« – das Langhans erst dreißig Jahre nach dem Siebenjährigen Krieg fertigstellen sollte –, so wies sie mit dem Finger in die Zukunft. Dem Publikum von 1940 stand mit dieser Vision, die noch die bescheidenste Geschichtsfälschung des Films darstellt, sogleich das Brandenburger Tor als Ort der Nazi-Siegesparaden vor Augen.

Lessing politisch gesehen? Dieser Frage stellte sich Ernst Suter in einem Beitrag für die ZEITSCHRIFT FÜR DEUTSCHKUNDE, 1938: »Wir suchen nicht nach Nationalsozialisten der Literaturgeschichte. Die zahlreichen geschichtlichen Romane, in denen Cäsar, Cromwell, Hannibal oder wer sonst als verkleideter Adolf Hitler vor uns aufmarschiert, sind der Wissenschaft kein Vorbild. Nein, auch Lessing war kein Nationalsozialist, und wer ihn dazu machen möchte, der treibt nicht nationalsozialistische Wissenschaft, sondern einen gesinnungstollen Mummenschanz.«7 Wenn die Wissenschaftler die Suche nach Nazis in der Geschichte leugneten, erklärte dann die Filmindustrie sich offener in ihrer Absicht? Bereits 1933 gab Goebbels, der selbsternannte »Schirmherr« des deutschen Films, die Parole aus, die einem Abbildungs-Verbot von Nazis im Film gleichkam: »Wir wollen durchaus nicht, was ich schon an anderer Stelle ausgedrückt habe, daß unsere SA-Männer durch den Film oder über die Bühne marschieren. Sie sollen über die Straße marschieren.«[8]

Das war Goebbels' Interpretation zur Kunst der Machtergreifung, wie er als Regisseur der Massen sie verstand. Der Film sollte jene Machtergreifung nur konsolidieren, nicht etwa sie als Kunst von neuem darstellen. Wie dieser Prozeß der Umwandlung in den Medien Literatur und Film für unser Beispiel legitimiert wurde, ist in einem Zeugnis zur nationalsozialistischen Filmdramaturgie zu lesen. Edmund Th. Kauer, der 1943 eine Textpassage von Lessing mit einem Drehbuchauszug aus *Fräulein von Barnhelm* verglich, schrieb: »Wir bieten somit dem Leser durch die Gegenüberstellung der gleichen Szene in der Lessingschen Urform und in der filmischen Fassung das Beispiel einer freien Einfilmung eines vom Klassiker vorgeprägten Themas.«[9]

Es lohnt sich, diesen Hinweis genauer zu lesen. Einander gegenübergestellt werden »Lessingsche Urform« und »filmische Fassung«, sodann das »vom Klassiker vorgeprägte Thema« und die »freie Einfilmung«. Literatur ist laut der hier gefaßten Antinomie die Urform, die noch einen Urheber (Lessing) hat, während im Film Urheber und Medium identisch werden. Der Regisseur Schweikart, die Produktions- und Vertriebsgesellschaft und die Drehbuchautoren werden hier anonym, gleichsam zu nicht nennenswerten Technikern eines Industrieproduktes degradiert. Ist dieser Schritt erst einmal getan, verwischen sich die Konturen des Autors – er ist zum »Klassiker« geworden. Jetzt muß die Bindung an die »Urform« ganz gelöst werden, die nur noch ein »Thema« lieferte, das der Klassiker »vorprägte«. Ergebnis dieser radikalen Lossprechung von der Literatur ist die »freie Einfilmung«.

Auf Lessing wird sie sich nicht berufen, aber auf den Klassiker mag die Ideologie-Operation nicht verzichten. Die Radikalität ist eine halbe, denn zur Legitimation dieser filmischen Aneignung und politischen Indienstnahme ist eine Autorität bürgerlicher

Ästhetik, die Lessing zweifellos bot, vonnöten. Daß man Lessing im Nationalsozialismus um den humanistischen Anteil seiner Aufklärung amputierte, ihn mithin verfälschte – sein Drama »Nathan der Weise« wurde mit Aufführungsverbot belegt, das Stück »Miß Sara Sampson« nach Kriegsbeginn 1939 in »Clarissa« umgetauft –, war da nur konsequent. Er wurde seiner Autorenschaft enthoben, so wie Tellheim von seinem Skeptizismus entbunden wurde. Tellheim, von Lessing als individuierte Kunstfigur und Beispiel der Kritik an seiner Zeit entworfen, wurde im Film von 1940 entindividualisiert, als beispielhafter Offizier gesehen, der sich für Preußen wieder mobilisieren läßt. So übte der Film historische Kritik nicht mehr an der historischen Wirklichkeit, sondern an Lessings Kunst gewordener Kritik. Denn Lessings Kunst der Komödie gewordene Form wurde weder erkannt noch respektiert; sie wurde benutzt als ein »vorgeprägtes Thema«. Thema aber war der Siebenjährige Krieg und die Unbill, die er nach sich zog.

Dieses Fräulein von Barnhelm ist der affirmative Gegenentwurf zu Lessings Minna von Barnhelm. Nicht mehr die individuierte Kunstfigur interessierte, sondern allein die sozialtypische Standesvertreterin: das Edelfräulein. Minna wird als »Liebhaberin von Vernunft« enteignet und mit preußischem Pflichtethos belehnt. Sie muß die Minna »in sich« vergessen machen, um als künftige Herrin dazustehen. Sie heiratet den Major von Tellheim, so wie dieser sich sogleich der preußischen Armee, die ihn im Affekt der Eifersucht auf Sachsen »sitzen« ließ, wieder verheiratet. Es ist nur folgerichtig, daß Minna als Adelige aufgewertet wird, wie Tellheim als Militär. Er wird Minna in Dienst nehmen, damit er nicht länger ihrer Vernunft zu Diensten sein muß. Lessings abgründig komische Schlußwendung des Stückes: »Über zehn Jahr ist Sie Frau Generalin oder Witwe!«, die Minnas Bediensteter Franziska galt, ist eine Konsequenz, die in der Filmfassung von 1940 in der Tat viel eher dem Fräulein von Barnhelm drohte.

Schließlich soll der Regisseur des Films mit Überlegungen zur Ästhetik der filmischen Adaption von Literatur zu Wort kommen, die er 1963 äußerte, ohne allerdings auf sein sich anbietendes *Fräulein von Barnhelm* zu verweisen. »50 Jahre Film haben nicht ausgeschlossen«, schrieb Hans Schweikart, »daß immer wieder

Bühnenstücke verfilmt werden – manchmal sogar gut.« Aufschlußreich ist der Versuch, die Transformation von einem Medium in das andere zu legitimieren: »Ein dramatisches Werk ist nur scheinbar abgeschlossen; es lebt weiter, es entwickelt sich oder es läßt nach.«[10] Wiederum ist der Autor eines dramatischen Werkes belanglos gemacht, wird dem Werk der Kunstcharakter abgesprochen. Der Veränderungsprozeß in der Geschichte, dem jedes Werk unterliegt, hat ebenfalls keine Autoren, nennt keine Aneignungsinteressen, Bearbeiter zur historischen Aktualisierung. Das Werk selbst lebe und entwickle sich. In dieser Hypostasierung der Kunst steckt ein evolutionistisches Weltbild, das dem Werk seinen Kunstcharakter nimmt, in der Absicht, ihm einen gleichsam natürlichen, vegetativen Charakter zu verleihen. Autor eines Werkes wäre somit das, was Kauer 1943 die »Urform« nannte, die aus eigener Kraft Kunstgeschichte »macht«, indem sie neue Formen annimmt (»weiterlebt, sich entwickelt«) oder, wenn sie diese Kraft nicht hat, abstirbt (»nachläßt«).

Als, dieser Theorie zufolge, Schweikart 1940 Lessing verfilmte, zerbrach er den »Schein«, der auf diesem lag, belebte ihn wieder und entwickelte ihn: vom Kunstschein zur Natur-Wirklichkeit. Kürzer könnte man die Filmästhetik der Nationalsozialisten nicht fassen. Sie suchten in allen Manifestationen den status quo ante zu befestigen. Schweikart nahm das Fräulein von Barnhelm in Dienst wie dieses ihn. Er blieb bis zuletzt in ihrem Bann.

Filmkomödie im Dritten Reich

Vorbemerkung

Im Gegensatz zur landläufig erfahrenen, nicht immer Literatur gewordenen Ansicht, nach der die Unterhaltungsfilme aus dem Dritten Reich ihrer Theorie kongruent als faschistisch gelten, gehen die folgenden Überlegungen von der Frage aus, was vermittels dieser Produkte als unterhaltend im Faschismus gilt. Das Augenmerk ist weniger auf tautologische Entlarvung der Produktionsideologie als auf deren Vermittlung durch ihre ästhetische Technik gerichtet. Keineswegs beruht die faschistische Filmästhetik auf der Kongruenz von Propagandaintention und Kunstmitteln, sondern vielmehr auf der rigorosen Überformung, Standardisierung und schließlich Korrosion topischer Muster, die allesamt in eine Hypertrophierung des Massenornaments münden. Die Filmkomödie ist ein Genre, das sich für die Durchdringung mit manifester Propaganda als wenig durchlässig erweist. Daher wird die Analyse ihrer ästhetischen Strukturen (Dramaturgie, Darstellung, Dialog, Kamera, Musik) nur Korrespondenzen zur sozialen Normstruktur ermitteln, deren idealtypische Abbildung hingegen in den ernsten Filmen zu finden wäre. In Fragen der Interferenz von Ideologie, Politik und Filmkunst teile ich die Ansicht des Politologen Jean Pivasset: »Der Film ist offensichtlich kein ›automatisches‹ Produkt des ›sozialen Bewußtseins‹. Ein solcher Schematismus ist alles andere als klärend. Ohne Zweifel aber ist der Film eine Konkretisierung auf dem Gebiet, das ›denkbares Bewußtsein‹ einer Gesellschaft oder das Bewußtsein vom je Denkbaren zu nennen wäre und nicht das kollektive Bewußtsein, wie es wirklich existiert, über das soziologische Techniken Rechenschaft geben können.«[1]

Ein Grund dafür, daß eine Untersuchung der Ideologieproduktion des Massenmediums Film nie einen Kanon des kollektiven Unbewußten etablieren kann, liegt in der methodischen Schwierigkeit, über die Produktionsideologie der Kapitalgeber, Filmproduzenten, Regisseure, Drehbuchautoren hinaus die Rezeptionsideologie des Kinopublikums zu analysieren. Dies wäre in

demokratischen Gesellschaften möglich. Der Faschismus aber hat
mit der Ausschaltung von Kommunikationskonkurrenzen sein
Programmonopol erzwungen, in dem auch die Zeugnisse der Rezeption nach der offiziellen Abschaffung der Kritik (1936) nur zur
Tautologie der Propagandalinie taugen. (Ausgenommen hiervon
sind die »Meldungen aus dem Reich«, die der Sicherheitsdienst
über die Wirkung von Filmen durch Spitzel erstellte.) Ulrich
Reyher hat Thesen über den Zusammenhang von »Massenmedien
und subversiver Sehnsucht« formuliert, denen zufolge der deutsche Faschismus nur akutester Ausdruck des Massengeschmacks
bürgerlicher Gesellschaften war. Der Kern dieses Massengeschmacks wäre in drei Kategorien aufzulösen, die am Spielfilm
gewonnen sind: 1. *Arbeit*, die das Lebensschicksal der Massen strukturiert, spielt in ihm keine Rolle. 2. Das Bedürfnis nach Orientie-
rung in den als blind erfahrenen Gesetzmäßigkeiten der Ökono-
mie ist ein *ökonomietranszendierendes* Bedürfnis. 3. Der Mangel an
subjektiver Entfaltung erzeugt bei den Massen die Sehnsucht nach
der Dimension des Handelns, den *Praxiswunsch*. Reyher resümiert:
»In der faschistischen Bewegung haben sich diese Bedürfnisse
tatsächlich in repressiver Weise praktisch entladen.«[2] Reyhers
Thesen zum Massengeschmack bürgerlicher Gesellschaften finden
zwar in der faschistischen Filmindustrie ihren akuten Ausdruck,
sind aber strukturell übertragbar auf die Hollywood-Produktion
der Jahre 1930-1946, die gleichfalls ökonomietranszendierende Bedürfnisse der Massen aufgreift. Empirisch ist dies an den Präfe-
renzen des amerikanischen Publikums abzulesen, die sich im
Gegensatz zu den deutschen Verhältnissen innerhalb von Kommunikationskonkurrenzen herausbilden konnten. »Anfang der 40er
Jahre ist der Film – mit aktiver Unterstützung der Filmwirtschaft
– tatsächlich eine Ventilinstitution. Dies wird an der durch alle
Schichten und Alterskategorien sich hindurchziehenden Bevorzugung von Unterhaltungsfilmen und der ebenso einhelligen Ab-
lehnung von Filmen deutlich, die vom Leitbild einer Ventilsitte
abweichen. [...] Die beliebtesten Filme (Lustspiele, Liebes-
geschichten, Musicals, Komödien und seriöse Dramen etc.) lassen
sich unter der Rubrik ›leichte, bzw. dramatische Unterhaltungsfilme‹ einordnen. Die von den meisten Befragten abgelehnten

Filme lassen sich in die Kategorien ›phantastische Filme‹ und ›sozialkritische Filme‹ einordnen: amerikanische Slapstick-Komödien und Gangsterfilme (um 1942) sind ›sozialkritisch‹, Horrorfilme, geheimnisvolle Geschichten sind ›phantastisch‹.«³

Die Bevorzugung von Unterhaltungsfilmen wäre an der Produktionsfrequenz wie den Einspielergebnissen zu messen. Das Gesamtangebot an Spielfilmen im Dritten Reich ist in Gerd Albrechts Untersuchung auf alle meßbaren Größen hin erfaßt. Albrecht unterscheidet vier Gattungen: 1. Filme *aktionsbetonter* Grundhaltung mit nur latenter politischer Funktion (A-Filme), 2. Filme *ernster* Grundhaltung mit nur latenter politischer Funktion (E-Filme), 3. Filme *heiterer* Grundhaltung mit nur latenter politischer Funktion (H-Filme) und 4. Filme mit manifester *politischer* Funktion ohne Rücksicht auf ihren sonstigen Inhalt und ihre Grundhaltung (P-Filme). Im Gesamtangebot von 1094 Spielfilmen im Dritten Reich steht die Produktion der H-Filme mit 47,8 % an der Spitze, gefolgt von den E-Filmen (27 %), den P-Filmen (14 %) und den A-Filmen (11,2 %). Untersucht man die Anteile der vier Gattungen am Jahresangebot, ergibt sich eine relative Konstanz für die H-Filme um die 50 % und für die P-Filme um die 10 %. Hieran läßt sich erkennen, daß die Publikumspräferenzen von einer Industrie bedient werden, die zum Zeitpunkt ihrer schärfsten finanziellen Krise 1933-36 auf eine Behauptung ihrer Amortisationsbasis angewiesen ist und dies mit der verstärkten Produktion populärer Genres wie Komödie oder Musical zu erreichen sucht. Andererseits erweist sich die Komödie im Vergleich zu anderen Gattungen gegenüber allen Zensurzwängen als besonders durchlässig. 1939 markiert der Kriegsbeginn einen entscheidenden Rückgang auf 36,1 % an H-Filmen der Jahresproduktion. 1942, dem Jahr der größten militärischen Expansion, sinken die H-Filme auf 34,6 %, steigen die P-Filme am beträchtlichsten auf 25 %. Das signalisiert ein starkes Selbstbewußtsein der Produktionsideologie. 1943, nach der Wende Stalingrad, sinkt die Produktion der P-Filme noch unter ihre Durchschnittsgröße auf 8,1 %, während die der H-Filme überdurchschnittlich auf 55,4 % ansteigt. 1945 ist, angesichts der Niederlage des Faschismus, ein Abfallen der H-Film-Produktion auf 25 % und ein signifikanter Anstieg der Produktion von E-Filmen auf 58,3 % zu verzeichnen. Die Interpretation dieser Tabelle gibt Aufschluß über die politischen Bedingungen zum Funktionswechsel der Filmgattungen.[4] Das Selbstverständnis faschistischer Unterhaltung sollen drei zentrale Zitate illustrieren:

1. die strategische Zielsetzung:»Dabei wollen wir gar nicht verkennen, daß der Film natürlich als große und in die Tiefe dringende Massenkunst in stärkster Weise auch der Unterhaltung zu dienen hat. Aber in einer Zeit, in der der gesamten Nation so schwere Lasten und Sorgen aufgebürdet werden, ist auch die Unterhaltung staatspolitisch von besonderem Wert. Sie steht deshalb auch nicht am Rande des öffentlichen Geschehens und kann sich nicht den Aufgabenstellungen der politischen Führung entziehen.« (Goebbels);[5]

2. den Begriff des Politischen als Politik transzendierenden Begriff:»(Der deutsche Film) ist politisch im Sinne jener geistigen Verbindlichkeit zum Wirklichen und zur zeitlichen Existenz, die der Krieg ihm aufgab. Es bedeutet kein Ausweichen vor dieser Verbindlichkeit, wenn er jene Themen aufgreift, die man, mit einer Gefahr der Mißverständlichkeit, ›menschlich‹ zu nennen pflegt. Denn menschlich bedeutet hier nicht privat, abseitig, liebenswürdig-spielerisch. Das menschliche Thema (…) ist einbezogen in jenen umfassenden Bereich des Politischen, der nicht als abgegrenzter Bezirk verstanden werden kann« (Petersen);[6]

3. die strukturelle Verwandtschaft in den Filmgattungen (H-Filme und P-Filme):»Da sind jetzt zwei Gattungen Film, zwischen denen es manche Variation gibt: 1. das leichte Lustspiel, 2. das gewichtige politische Werk. Beide sind klar und direkt. Beide sagen aus. Keines von beiden fragt den Zuschauer. Keines stellt Probleme. Keines will den Filmbesucher zum Nachdenken bringen – im Gegenteil. Bewußt wird bei diesen Filmen eine fix und fertige Welt gezeigt (eine lustige Phantasiewelt, oder das naturalistisch gebotene Abbild der Wirklichkeit). Mit guter Absicht ist alle Problematik vermieden. Der Beschauer soll gar nicht selbst nachdenken« (Karbe).[7]

Ich lasse mich weder auf eine Interpretation des Selbstverständnisses faschistischer Filmdramaturgie ein, die Kurt Denzer 1970 mustergültig vorlegte, noch auf eine systematische Kritik der Nachkriegsliteratur über den Film im Dritten Reich, die einem fälligen Forschungsbericht vorbehalten bleibt. Hier geht es vielmehr um Befunde zur ästhetischen Struktur der Filme, die bislang nur am Rande berührt, wenn nicht ganz durch den Primat der Produktionsformen wie Organisationsstrukturen der Industrie, der Propaganda, des Staatskapitals, der Distribution usw. verdeckt wurde. Mit der Ausnahme des Käutner-Films *Kitty und die Weltkonferenz* aus dem Jahr 1939 (A-Film) sind alle Beispiele von Albrecht als H-Filme eingestuft und zum großen Teil durch Fernsehausstrahlungen wieder bekannt geworden. Die Auswahl versucht, die Autoren, Regisseure, Darsteller und Produktionsfirmen, die für die Filmkomödie im Ditten Reich repräsentativ waren, zu berücksichtigen. Die Untersuchung geht chronologisch vor und überprüft an diversen Komödientypen den Prozeß der Normverfestigung und Normauflösung zwischen 1933 und 1945. Es folgen zehn Thesen, deren Indizienbeweis sodann an den Filmen angetreten wird.

1. Die Übergangskomödien stehen im Bann der Tradition des Weimarer Gesellschaftsfilms und der Wiener Komödie. Die komischen Mittel basieren noch auf visuellen Gags, befördern aber schon im Sinn einer nationalsozialistischen Propaganda systemkonforme Lösungen.

2. Die Propagandainhalte treten in der Komödie nur verdeckt auf. Zur Sympathielenkung auf Staatsmonopol und Autarkie wie zur Diskreditierung von Markt und Konkurrenz zum Beispiel wählt die Dramaturgie ›allgemeinmenschliche‹ Fabeln, aus denen spezifische Konflikte zwischen Geld und Arbeit im Sinn eines ökonomietranszendierenden Bedürfnisses ausgeklammert werden. Die komischen Mittel verfolgen eine Doppelstrategie: zunächst eine Abweichung von der Propagandalinie (durch Ironisierung des Zeitgeschehens z.B.) zu mobilisieren, um dann durch Komik gewonnene kritische Energie zu immobilisieren.

3. Die Komödienstruktur basiert auf diversen Topoi wie Verwechselung, Aufstiegsillusion, Glücksversprechen, ständische Versöhnung, die zu standardisierten Lösungen in der Serienproduktion verarbeitet werden. Die Ständeklausel, der Geschlechterkampf und das Rollenbild von Männlichkeit/Weiblichkeit werden rigoros verfestigt.

4. Die Formen der ästhetischen Aneignung von Stoffen unter-
liegen bestimmten Strukturzwängen der Produktionsideologie.
Die Imitation der amerikanischen Komödie ist beherrscht von der
Ausklammerung von Sexualität, die nur in repressiven Formen zu-
gelassen wird. Die Vorlagen werden entsprechend eingedeutscht.
Der Witz der visuellen Montage verlagert sich auf verbalen Witz.
Der Parameter Bild wird verengt zum Parameter Dialog, der allein komische Wirkung erzeugt. (Das beruht nicht allein auf einem Willensakt politischer Ästhetik, sondern rührt auch vom
Amortisationszwang der Filmindustrie her, die seit Beginn der
dreißiger Jahre ihren Maschinenpark auf den Tonfilm umrüstete.
Diese gewaltige Investition hatte sie folglich auch als Schauwert,
in expansiver Übernahme des US-Patents vom »All Talking, All
Singing Picture«, auf der Leinwand auszustellen.) Die Prätention
der Filme auf Natürlichkeit wird infolge des Entzugs an Realismus durch eine hochartifizielle Entwirklichung des Bildes unterlaufen. Das klassische Erbe der Literatur wird zunächst werkge-
treu verfilmt (z.B. Ucickys *Der zerbrochene Krug*, 1937), dann als
filmischer Propagandaträger in Dienst genommen.

5. Mit wenigen Ausnahmen spielt die Komödie im realitätsfernen
Raum der höheren Gesellschaft, der kostümierten Historie, der
Revue, des Varietés. Das Unterhaltungsgewerbe stellt seinen ei-
genen Schauplatz dem Publikum als Schauwert aus.

6. Ab 1939 beherrscht der Krieg die Dramaturgie. Auch wo das
Genre sich gegen dessen Thematisierung sperrt, dient die Komödie der Motivation strategischer Kräfte. Die komischen Mittel der
Bildgestaltung werden zugunsten der Parameter Musik, Gesang
erneut reduziert. Je stärker die Realität des Krieges in die Filmproduktion einbricht, desto realitätsferner werden deren Film-
produkte.

7. Der Krieg verändert die soziale Wertigkeit und den ästhetischen Kanon des Komischen. Nicht mehr die Ordnung der Herr-
schaftsverhältnisse wird als komisch bloßgestellt, sondern deren
Unordnung. Vertreter abweichender Meinungen werden zur Räson gebracht und diskreditierenden Situationen ausgesetzt.

8. Die Komödie nach 1943 (Stalingrad, Alliierteninvasion in
Italien usw.) weicht die Rigidität der Rollenbilder auf. Sie wird im

Material durchlässig für ästhetische Oppositionen. Der Strukturzwang, der den Bildparameter zugunsten des Tonparameters unterdrückt, wird revoziert.

9. Die ›Überläuferkomödien‹ vom Kriegsende thematisieren die faschistische Phantasieproduktion. Die Kongruenz von Propagandaintention und Kunstmitteln zerbricht. Das Drehbuch, Garant der Produktionsideologie, wird manieristisch überformt. Sein defaitistischer Charakter verrät den totalen Verfall des Genres.

10. Die Filmkomödie im Dritten Reich garantiert einen sozialromantischen status quo ante (exemplifiziert am Ufa-Slogan aus dem Film *Der Kongreß tanzt*, 1931: »Das gibt's nur einmal – das kommt nicht wieder«). Durch ihre Doppelfunktion von Ausgrenzung und Integration konditioniert sie das Publikum für einen emotionalen Konsens mit der Propagandalinie.

Die Monopolisierung alten Glücks

I

Niemand siegt, wenngleich dies ein Wunschtraum der neuen Machthaber war, zugleich an allen Fronten. Man hatte die Macht, aber noch keine ausgereifte Vorstellung, ob die Kultur sich mit gleichen Mitteln ergreifen ließ. Die Nationalsozialisten waren die Herren der Politik geworden; die des Bewußtseins, der Allgegenwärtigkeit wollten sie noch werden. Als Goebbels am 28. März 1933 vor den im Kaiserhof versammelten Vertretern der deutschen Filmindustrie seine erste Rede über »die zu vermutenden Zukunftsaufgaben des deutschen Filmschaffens« hielt, definierte er als erste Aufgabe die Radikalität einer Reform: »von der Wurzel aus«.[1] Das wäre adäquat nur in einer Revolution im deutschen Film erfüllbar gewesen. Goebbels wollte aber eine Reform und radikalisierte nichts als die Rhetorik seiner Forderung. Damit hatte er sich weniger in einen der zahlreichen Widersprüche verstrickt, die zu entlarven wären; Goebbels hatte von Anbeginn seiner Herrschaft – die Gründung des »Reichsministeriums für Volksaufklärung und Propaganda« (RMVP) erfolgte knapp zwei Wochen vor dieser Rede – eine Doppelstrategie zur Befestigung der gerade erzwungenen Herrschaft im Auge: das radikale Argument galt der »Bewegung«, das reformistische dem »Volk«. Aufputschung und Beschwichtigung sollten zu einem Topos seines Wirkens in Tat und Theorie werden. Die Gleichzeitigkeit dieser Strategie zu erkennen ist dienlicher, als sie zur Janusgesichtigkeit ihres Strategen zu dämonisieren.

Goebbels forderte in seiner Rede ausdrücklich »Mut« zur scheinbar radikalen Reform. Er hatte ihn wohl noch nicht: er machte sich Mut. Deshalb drohte er der Versammlung: »Jetzt sind *wir* da.« Kein Zweifel, aber waren die Nationalsozialisten denn schon »da«, wo Goebbels sprach? Noch gab es – im überlieferten Sinne – weder Künstler, die als nationalsozialistisch anerkannte Kunstprodukte lieferten, noch Vorstellungen dessen, was das, die

»Bewegung« und das »Volk« gleichermaßen überzeugend, sei. Goebbels machte sich Mut durch Drohgebärden. Er entwarf Zukunftsaufgaben, weil sich der deutsche Film noch reserviert und ungelehrig verhielt. Noch lag über den Ateliers das lastende Klima der Weltwirtschaftskrise, über den Filmen der Depressions-Komödien das zynische Aufatmen derer, die sich noch einmal »davon« gekommen wähnten. Dieses Aufatmen sollte in dem Zyklon, den Goebbels beschwor, recht bald die Luft anhalten, wo ihm nicht ganz die Luft, in Freiheit zu atmen, abgepreßt wurde. Die Windstille war ein Übergang. Jetzt spitzten sich, als Goebbels seine Direktiven ausgab, die flexiblen Ohren, woher der Wind kommen sollte. Bis man die Richtung geortet hatte, sollten die bewährten Muster der Filmfabrikation sich fortsetzen: als gleichsam anonyme Kraft, die inhärent aus den Gesetzen der Industrie, den Kunstregeln der Genres, dem Geschmack des Tages und der Attraktion ihrer Stars sich addierte. Abgesehen von einigen Streifen im nationalsozialistischen »Geiste«, die selbst und gerade Goebbels als puren Opportunismus, d.h. »äußere Tünche« ablehnte,[2] war das Gros des Durchschnittsfilms noch nicht so »weit«. Verständlich aus wirtschaftlicher Spekulationserwägung heraus (Abwarten als Devise) wie auch der Schwerfälligkeit einer Industrie, die ihre Stoffe ein Jahr vor Produktionsbeginn suchen und entwerfen muß.

Das Jahr des Übergangs war also in der Rezeption der Filme einerseits von anachronistischen, andererseits von antizipatorischen Filmen, aber eben noch nicht von jenen Filmen gekennzeichnet, die der Ekstase des Tages entsprachen. Augenblicke des unbeirrbar Obsoleten, die dem Wiener Operetten-Schema anhingen, durchkreuzten sich in der öffentlichen Wirkung mit solchen, die in der Wunschproduktion kommende Realisationen vorwegnahmen, die außerhalb der ästhetischen Sphäre liegen würden. Ganz ratlos oder gar rebellisch war jene Versammlung in ihrem Produktionsverhalten nicht. Die Richtung, die Goebbels ansprach, sprach in gewissem Sinne auch sie an; entsprechen wollte sie ihr später.

Eine der ersten Filmkomödien, die schon »da« war, bevor Goebbels seine Forderungen verlauten ließ, war *Lachende Erben* (6.3.33). Der Film wurde später unter dem Titel *Der lachende Erbe* (eine programmatische Verengung: der Frau sollte die Erbschaft nicht zufallen) neu eingesetzt und 1937, wohl wegen seines unterdessen längst exilierten Regisseurs Max Ophüls, verboten.

In seiner Biographie spricht Ophüls vom schlechten Produktionswetter, dem Termindruck durch die Ufa und seinem nationalsozialistischen Architekten, von »seinem« Film spricht er nicht.[3] Auch Autoren der Ophüls-Literatur tun *Lachende Erben* als belanglos ab, was gelten mag, liest man den Film als Handschrift eines ausgeprägten »auteur«. Hier aber schrieb die Ufa den Text, und Ophüls lieh ihr nur seine Hand. Und das war sein Abschied vom deutschen Film.

Heinz Rühmann, noch biegsam, schon zackig, noch schmächtig und naßforsch, schon dreist, aber noch nicht konformistisch, macht Reklame für die Sektfirma Bockelmann. Er ist, ohne Unterton in der Planungsphase des Films, aber mit einer Nebenschwingung in seiner Wirkungsphase, der »Propagandachef« der Firma, die am Rhein, »der Heimat der Fröhlichkeit« liegt. An diesem Ort, an dem die tiefsten mit den seichtesten der deutschen Mythen zusammenfließen, hatte die Ufa in den Jahren 1930-32 so viele Lustspiele angesiedelt, daß man versucht ist, von einem Subgenre Rhein-Komödie zu sprechen. *Lachende Erben* reiht sich mit allen gängigen Topoi hier ein.

Die Fröhlichkeit hat ihren Preis: Rühmann soll dann Alleinerbe der Firma werden, wenn er die Konkurrenz der Firma Bockelmann in Aßmannshausen zur Firma Stumm in Biebrich beendet und außerdem einen Monat lang abstinent lebt. Die erste Prüfung besteht er, indem er sich in die Erbin der Stumms verliebt, die zweite Prüfung besteht er mit Hilfe seines wachsamen Hundes, der von Anfang an mehr zu »sagen« hat als seine künftige Frau, die über kaum mehr als ihr Erbe und einen sprechenden Namen verfügt, den man am ehesten durch Verehelichung tilgen kann. Rühmann kämpft aber nicht nur darum, im eigenen Wirtschaftsinteresse, eine Frau zu erobern, um seinen Besitz zu arrondieren; er kämpft gegen die Konkurrenz im eigenen Lager, die mißgünstige Verwandtschaft. Natürlich siegt seine Lebenslust über deren Lebensfeindlichkeit. Die Sympathiefront wird sehr klar durch die Dialekte gezogen. Die jungen Leute »babbeln« hessisch, und die entfernte Verwandschaft »sächselt«.

Nach einigen Plänkeleien gelingt Rühmann durch einen Coup, nicht etwa durch Verhandlung oder Einkaufen, die Ausschaltung der Konkurrenzfirma. Fahrgäste einer Jungfernfahrt eines Ausflugsdampfers, die von beiden Kellereien freigehalten werden sollten, müssen mit Bockelmann-Sekt vorliebnehmen. Rühmann – im angemaßten Kostüm eines Schiffsoffiziers – läßt das feindliche Kontingent heimlich ausladen und heimst für sein Produkt Bestellungen ein. Seine rüde Monopolisierung erklärt er den verdutzten Gästen als »glücklichen Betriebsunfall«, um die »Parteiwirtschaft« zu beenden, aber, als hülfe die Abwiegelung, die sich in die eigene Tasche lügt, er wolle nur nicht gleich von Politik reden. Nicht gleich, aber später. Die Passagiere schunkeln und sind's zufrieden. Rühmann setzt sich, als sein Schwindel auffliegt, mit einem Sprung ins Wasser ab. »Der ungute Kampf muß ein Ende haben«, hatte der alte Bockelmann im Testament verfügt. Worin bestand er? In der Konkurrenz zweier Firmen, die das gleiche Produkt anbieten; in der Konkurrenz zwischen Mann und Frau um die Führung ihrer Firmen, die eine Firma werden sollen; in der Mißgunst inmitten der Familie, die sächsisch spricht und hessisch, als herrsche unter deutschen Stämmen jene Konkurrenz; in der »Parteiwirtschaft«, mit der ein junger »Propagandachef« aufräumt.

Wenn das, was der Film zu einem glücklichen Ende fügt, unter einen Hut soll, paßt er auch nur einem, nämlich dem lachenden Erben, der als Dreingabe seiner Eroberungsarbeit auch noch die Erbin mitkassiert. So gradlinig, zielstrebig, wie die Fabel hier herausgeschält ist, arbeitet der Film nicht. Er umspielt, verstellt sein Thema mit Situationskomik, programmierten Lachern und leichtfertiger Unbekümmertheit, die eher im Bild als im Dialog zu suchen ist. Der alte Firmenchef starb, und die bigott trauernde Familie trinkt Mineralwasser, während Rühmann, volksverbunden, sich zu den Arbeitern setzt, mit ihnen Sekt trinkt und des verblichenen Inhabers als »Mensch« gedenkt. Rühmann füttert seinen »trauernden« Hund; Ida Wüst, die neidische Tante, trinkt im Verborgenen und schafft es nicht, Rühmann vom Wege zum »lachenden Erben« abzubringen. Von der visuellen Inszenierung ist nur so viel zu sagen, daß sie exekutiert, was die Drehbuchdramaturgie ihr vorschreibt. Alle Mittel der Komik sind schon vorgeprägt im Cliché der Landschaft, der fest verankerten »Eigenschaften«, wie auch der eine Erwartung bedienende Gag, der sich in Repetitionen erfüllt (»Running Gag«), und das im Schema des Lustspiels eingebaute und in Harmonie aufgelöste Zerwürfnis zwischen Mann und Frau, wobei die Frau die Prüfungen zu absolvieren hat. Brav arrangiert die Kamera die stets überschaubaren Situationen, setzt die handelnden (oder nicht eher gehandelten?) Personen in die Mittelachse, auf der sie ihrem vorbestimmten Ziel entgegenrattern, wenn sie nicht außerdem durch einen ihnen aufgesetzten Rahmen (Fenster z.B.) dem Blick des Zuschauers unterworfen werden. Unerwartetes darf nicht erwartet werden. Jeder Kunstgriff dient dazu, die Zuschauer mitsingen, mitschunkeln zu lassen. *Lachende Erben* ist ein Einstimmungsfilm, der sich nur unwesentlich von den Fließbandproduktionen jener Rheinland-Komödien unterscheidet, für die Kracauer 1930 eine Konjunktur ausmachte.[4]

Wer eine Erbschaft antritt, tut das oft unverhofft. Die Mittel erst machen aus einem armen Mann einen Bemittelten, wohlgemerkt nicht aus eigener Kraft, sondern aus der Macht der Tradition. Rühmann, der ewige Angestellte des deutschen Films, wäre aus eigenem Talent nie Firmenchef geworden. Die Tradition belehnt ihn mit der Aufgabe, die zugleich eine Handlungsanleitung ist: die Monopolisierung erst sichert das Glück, und zwar umso fester, je latenter die Kräfte – Geld, Macht, Einfluß –, die es garantieren, wirken. Ein Rezept dieser Komödie ist der Appell, die Zirkulationssphäre des Geldes durch jene der Gefühle zu überformen und endlich zu transzendieren. »Nur nicht gleich von Politik reden«, beschwört der falsche Kapitän Rühmann seine ihm ausgelieferten Passagiere. Das ist eine Politik, die nicht Schluß mit Politik macht, sondern sie vielmehr mit Ersatz-Mitteln durchsetzt, die einen immateriellen Gegenwert haben. Ungedeckte Wechsel sozusagen, denn mit Pfiffigkeit und Herzensglück fusioniert man keine Firmen. Faschismus, so hat Ignazio Silone sarkastisch im Schweizer Exil definiert, sei der Ersatz schlechthin, sei Margarine anstatt Butter.5

In *Fräulein Hoffmanns Erzählungen* (25.8.33) geht es auch wieder um Nahrungsmittel, aus denen sich das Glück zu zweit speist. Hans H. Zerlett, der später als einer der wenigen Regisseure visuellen Witz im deutschen Lustspiel üben sollte, schrieb das Drehbuch, das Carl Lamac, in Produktionsgemeinschaft mit Anny Ondra, ungewöhnlich vielschichtig realisierte. Anny Ondra ist Besitzerin der Lihmann-Werke, die Kaffee produzieren, und Matthias Wieman der Besitzer der Karding-Werke, ihr schärfster Konkurrent. Sie will nichts von Männern wissen, er nichts von »unerträglicher« Konkurrenz auf dem Markt. Sie will um ihrer selbst willen geliebt werden, er: im Geschäftsinteresse. Diese Komödie versucht, ein Interesse durch eine Idee (vom potenzierten Interesse) zu nobilitieren, um das Interesse schlechthin aufzuheben. Das ist, um es vorwegzunehmen, ein Grund dafür, daß die deutschen Filmkomödien so sehr mit Schwerfälligkeit belastet sind: das Übergewicht der Idee im Vergleich zum Interesse, aus dem Bewegung, Aktion und Raum gepreßt werden, um in Didaxe, Paradigma und Dogma eingefaßt zu werden. Anhand des Vergleichs mit den amerikanischen Komödien wird diese These eingängiger entfaltet werden.

Das Happy-End ist absehbar, das Monopol der Kaffee-Produktion durch die Lihmann-Karding-Werke. Sehr groß wird der Handlungswinkel nicht geöffnet. Am Anfang kreuzen sich die Wege von Ondras Flugzeug und dem radfahrenden Boten, der das Telegramm bringt, das das Paar zusammenführt, auf dem Feldflugplatz. Am Ende treffen sich Ondras Flugzeug und Wiemans Wagen auf »das glücklichste« in einer konvergierenden Bewegung, die bewußt an die visuelle Bewegung des Anfangs anknüpft. Anfang gut, alles gut: die Analogie der Bewegung ersetzt ihre mögliche Divergenz. Auch die Verkleidungen zur Kenntlichkeit, die Ondra sich auferlegt, um Wiemans interesseloses Wohlgefallen zu prüfen, sind fadenscheinig. Da Wieman als Auslandsdeutscher in Brasilien lebte und nun zurückkehrte (1934 wird das Jahr der intendierten »Heim-ins-Reich-Filme«), tritt Ondra, die blonde

Bayerin, als schwarze Brasilianerin auf. Wieman aber, zeit seines Wirkens im Film sozusagen von Berufs wegen Deutscher, ein Oberflächengrübler zwischen »Faust« und »Schimmelreiter«, zieht hier einem Tango den Schuhplattler der blonden Kathrein vor. Dem Mann kann geholfen werden. Aber leicht wird es ihm – noch – nicht gemacht. Allein, daß er ständig von ernsten Absichten wie einer höheren Pflicht erfüllt ist, macht ihn in dieser Umgebung komischer Frauen komisch. Ondra schmollt, aus List. »Und ich dachte, Gentlemen bevorzugen Blondinen«. Das war eine Anspielung, die für die Popularität des Anita Loos-Romans »Gentlemen Prefer Blondes« sprach, dessen deutsche Übersetzung 1928 vorlag und nicht nur das »Kunstseidende Mädchen«, sondern auch Leserinnen und Ladenmädchen im Kino beeinflußte. Ondra hatte damit nur einen Lacher auf ihrer Seite, denn Wieman, von deutschem Schrot und Korn, erkennt im Kostüm der falschen Brasilianerin »die echte Stimme des Volkes«. Düpiert bleibt die Frau zurück, weil ihre List versagte.

Diese Komödie ist als Komödie vielschichtiger als *Lachende Erben*. Das schauspielerische Gebaren der Ondra, die sich in Mickey Mouse-hafter Betriebsamkeit entfaltet, die selbstbewußte Weiblichkeit der Ida Wüst, die eine liebestolle Tante spielt, die vielfältigen Kamera-Gags und zahlreiche visuelle Witze, die in Einzeleinstellungen präsentiert werden, lassen den Film selber als eine Art lachenden Erben erscheinen, der die Erbschaft, die so schnell verspielt war, von der besseren Tradition der deutschen Filmkomödie, vom großen Vorbild Ernst Lubitsch antrat und im gleichen Jahr, da mit diesem Pfunde nur illegal zu wuchern war, abtrat. Wie in Ophüls Film tritt Ida Wüst im Fach der »komischen Klimakterischen« auf, die am Telefon beim Stichwort »Aroma« (ihrem Codewort für »Liebe«) kichert, giggelt, prustet, lacht und schreit, daß es wie eine erotische Klimax klingt, die ihre Komik aus erwarteter Abfuhr erfährt. Als Ondra in Western-Pose im Garten (ein parodistischer Effekt durch »unmögliche« Zitierung eines fremden Genres) auf Flaschen schießt, um Wieman durch Schießfertigkeit zu imponieren, gehen die Tante und ihr Hausarzt unter den Balkon-Konsolen erschrocken in Deckung. Der Gag liegt darin, daß die Kamera ihrem Dialog nachläuft und von Satz zu Satz, von Konsole zu Konsole schwenkt, wodurch die übertriebene Ängstlichkeit mit situationsunangemessenen Mitteln ins Lächerliche gezogen wird. Ihre Heiratspläne gibt Wüst dadurch bekannt, daß sie ihre füllige Körpermasse in den Schleier der Ondra wickelt, um dergestalt als Parodie der ersten Braut danebenzustehen.

Der Schluß wird ein Tableau. Ein Reklameschild der Ondraschen Lihmann-Werke (Zeichen: »Kanne«) läuft auf Stelzen auf ein Reklameschild der Wiemanschen Karding-Kaffee-Werke (Zeichen: »Tasse«) zu. Das erste Schild schiebt sich nun so über das zweite Schild, daß der Eindruck entsteht, aus »Ondras« Kanne laufe der Kaffee in »Wiemans« Tasse. So klärt sich die Herzenskonfusion zur Fusion der Firmen, in der die erotischen Konnotationen zwar als visuelle Zeichen sich behaupten (was nach 1936 im Unterhaltungsfilm ganz tabuiert sein wird), aber legitimiert werden nur durch die vollzogene »Harmonie« im Ökonomischen.

Ein weiterer sozialromantischer Zug, Interessen und Identitäten zu verschleiern, bis sie unentwirrbar von *einem* Interesse anzueignen sind, ist im taktischen Verzicht auf Identität der Handlungen zu sehen. Da die Besitzenden ja am liebsten nicht ihres Geldes wegen geliebt werden wollen, sondern »interesselos«, entäußern sie sich temporär nicht des Besitzes, sondern bloß dessen Anscheins. Einerseits läßt sich Ondra, braust sie im Mercedes-Cabriolet durch ihre Ortschaft, von der Landbevölkerung wie eine Königin begrüßen; andererseits gibt sie sich Wieman gegenüber als »Mädchen aus dem Volke« aus. Sie nennt sich Annie Hoffmann, weil unter des Konkurrenten hartem Blick ihr angstvoller Blick nicht standhält und auf einen Bücherrücken, E.T.A. Hoffmanns »Erzählungen« ausweicht. Ihre Ausflüchte sind keine Identität, sondern nur, suggeriert der Kamerabefund, Nachtgespinste der Romantik, die bei Licht besehen unter Wiemans Blick zerfallen.

3

Neben diesen Konkurrenz-Komödien, die Schluß machen wollen
mit der Parteienwirtschaft der Republik von Weimar durch die
Wirtschaft einer Partei, gab es Komödien, die den Einzelkämp-
fer begleiteten auf seinem Weg aus der Weltwirtschaftskrise her-
aus. Sie sind mehr Überhang als noch Übergang, wenngleich ihr
Wirken in die Frühzeit der Nazis fällt, in der die Schatten jener
Krise durch forcierte Gegenmaßnahmen kürzer werden. Dolly
Haas war der Star jener Krisenfilme, die Zuversicht und Opti-
mismus in die ersten Monate der neuen Regierung strahlten, ehe
auch dieses Licht gelöscht wurde. *Das häßliche Mädchen* (8.9.33),
Kleines Mädel – großes Glück (24.10.33) und *Der Page vom Dalmasse-
Hotel* (23.11.33) verraten, in welcher Larve sich die patente Frau im
Wirtschaftsleben optimal entwickeln darf: der Uniform. Dolly
Haas ging ins Exil nach England unmittelbar nach den Tumulten
um die Premiere ihres Films *Das häßliche Mädchen*, bei der Nazi-
horden faule Eier auf die Leinwand warfen, weil Haas mit dem als
jüdisch angegriffenen Komiker Max Hansen zusammen spielte.
Der Vorspann des Films unterschlägt den Namen des Regisseurs
Hermann Kosterlitz (der, nach Hollywood emigriert, seine Karriere als Henry Koster fortsetzte) und setzt stattdessen ein »arisch«
klingendes Pseudonym ein: »Hasse Preis«. Diese Schockerfahrung,
sagte Dolly Haas 1983 in Berlin,[6] war der Augenblick ihrer politischen Reife.

Fortan hörte sie auf, für den deutschen Film mit den Ohren zu
wackeln, abgewrackte Krisenmänner durch kindlichen Schwung
aufzumöbeln und wie einst Chaplin quer durch die Klassen every-
body's darling zu sein. Sie stolperte nicht mehr durch androgyne
Möglichkeiten, Frau und als Frau der im Berufsleben »bessere«
Mann zu sein. In *Kleines Mädel – großes Glück* werden die Propor-
tionen, wie sie fortan gelten sollten, im Titel programmatisch.
Auch das Kostüm, das Haas trägt, macht Schluß mit allen neu-
sachlichen Kapriolen ihrer früheren Filme. Die vor 1933 betont
»männliche« Linearität ihrer Erscheinung wird hier aufgelöst
durch große Wellenlinien und Punkte ihres Kleides, »weiblich«
stilisiert zum Ornament. Schon sieht der Krisenstar wie das Vor-

bild einer deutschen Mutter aus, noch aber arbeitet sie wie ein Mann. Als Tankwart sieht man sie ölverschmiert ein Autowerkzeug auf einer Zeitung ablegen, und ausgerechnet an jener Stelle, an der man, wenn man aufpaßt, den Namen Adolf Hitler liest. Diese Geste wird nicht von allen Filmbeobachtern jener Zeit als komisch gebilligt worden sein.

War Dolly Haas ein Leichtgewicht unter den deutschen Komikerinnen, wie es kein zweites gab, so ist Renate Müller, die diesem Vorbild nacheiferte, eher ein Mittelgewicht, das die hochfliegenden Momente der Haas durch eine emotional verschwimmende »Weiblichkeit« beschwerte. Wo Haas noch naiv schwebte, wußte Müller den doppelten Boden ihrer transvestischen Spiele mitzusignalisieren. Am erfolgreichsten in Reinhold Schünzels Film *Viktor und Viktoria* (28.12.33). Hier macht sie gemeinsam mit ihrem Partner, dem unvergleichlich gelenkigen Hans Thimig, aus der Not der Arbeit eine Tugend der Kunst. Thimig, der im Kabarett als Damenimitator »Viktoria« auftritt, droht der Rausschmiß wegen Heiserkeit. Müller, die als Sängerin keine Arbeit findet, springt, im Pakt mit ihm, ein und tritt als Damen-Imitator auf. Dazu muß die Frau als Mann sich schminken, der seinerseits als Frau auftritt, während der verhinderte Imitator ihr Schauspiel aus den Kulissen lenkt. Renate Müller vertieft das Rollenspiel durch psychologische Wahrhaftigkeit und glaubwürdige Ausstrahlung. Sie verwandelt sich, und sie spielt diese Verwandlung. Sie verdreht als Mann im Frack allen Frauen den Kopf, bis Londons berühmtester Frauenkenner, den Adolf Wohlbrück verkörpert, ihrem Spiel auf die Schliche kommt. Die Schliche wird nicht wie sonst im deutschen Lustspiel mechanisch abgekürzt, sondern auf quälend lustvolle Weise Stück um Stück aufgespürt: das macht die Modernität der komischen Technik aus, die Schünzels Film – dem Vorbild vieler Remakes – später ein ungeahntes Comeback bescherte.

Zur Aufdeckung gehören die Prüfungsrituale. Wohlbrück steigt mit Müller in Spelunken und Kaschemmen ab, wo sie, Aug' in Auge mit dem schon liebenden/geliebten Mann, sich als Mann messen muß, während ihr Partner Thimig als »Monsieur Viktoria« auf der Bühne triumphiert. Die subtile Lenkung von Kunstmitteln sortiert noch nicht in moralischen Kästchen von Natürlichkeit und Künstlichkeit. Die Künstlichkeit und ihr facettenhaftes Bewußtsein, das die Faszination der Verwandlungswünsche in eins bannt, dürfen sich hier noch einmal in allen Bizarrerien des Show-Gewerbes, in allen Varianten und Parodien der Revue-Elemente von den Tiller Girls bis zu Präfigurationen eines Busby Berkeley austoben, ehe das Dogma der Natürlichkeit ihnen den Garaus machen wird. Wie stark die sinnlichen Reize gewesen sein müssen, die vom Zusammenspiel in der geschmeidigen Körpersprache von Wohlbrück, Müller und Thimig für das zeitgenössische Publikum ausgingen, das derlei Reize rasch entwöhnt werden sollte,[7] zeigt ein Zeugnis, das Thomas Mann in seinem Tagebuch niederlegte, als er *Viktor und Viktoria* im Zürcher Exil – »mit Geringschätzung und heiterem Genuß« – gesehen hatte: »Die Fabel, mit drolligen Einzelheiten durchsetzt, reizte mich trotz ihrer Lächerlichkeit durch das Motiv der verwirrenden Geschlechtsverkleidung, das seine gefühlsphilosophische Bedeutung auch in der albernen Behandlung nicht verleugnete.«[8] Die zwiespältige Aufnahme, die der Film hier findet, verrät ein allgemeineres Moment der Rezeption. Einerseits zeugt die Eintragung von Faszination: »Drollig, reizte, heiterer Genuß, verwirrend«; andererseits von Abwehr durch intellektuelle Scham: »Geringschätzung, trotz ihrer Lächerlichkeit, alberne Behandlung«. Das Äußerste, was Thomas Mann angesichts der Faszination des Androgynen sich eingesteht, ist der Gedanke, daß die sinnlich dargestellte, wiewohl nur symbolisch repräsentierte Körperlichkeit der Film-Komödie zu ihrer Errettung einer »gefühlsphilosophischen Bedeutung« bedürfe. Man sieht, interesselos und ideell dachten auch jene, die vertrieben worden waren von jenen, die sie zuvor des schieren Materialismus geziehen hatten. Noch war der Riß zwischen dem Drinnen und Draußen, den Überwinternden und den Exilierten durch die Macht ihrer gemeinsamen Traditionen gekittet. Die verlangte, daß die Körperlichkeit, wo immer sie sichtlich ausuferte, durch Kunst, noch besser: durch Kunst qua Verzicht auf Körperlichkeit zu domestizieren sei.

4

Diese zahllosen Künstler, die den deutschen Unterhaltungsfilm bevölkern: als sei sein Publikum von der Etsch bis an den Belt ein einziger Gesangsverein und Jan Kiepura sein Stimmenführer, gleich ob in Anatol Litwaks *Das Lied einer Nacht* (1932), Carmine Gallones *Mein Herz ruft nach dir* (1934) oder Lamacs *Ich liebe alle Frauen* (1935). In Joe Mays Film *Ein Lied für Dich* (15.4.33) klang Kiepuras Ausspruch bescheidener; klang, denn wo dieser stattliche Tenor leibhaftig auftrat, brach um ihn herum ein Chaos der Begierden aus. Hier probt er »Aida«, und die Probe bricht unter dem Ansturm der Choristinnen zusammen, weil jede sich persönlich vom Herrn Kammersänger angesungen fühlt. Das könnte man als Wiederkehr des Orpheus-Mythos in Gestalt und Scharnier der Wiener-Operette abtun, träte nicht noch mehr als bloß deren klappriges Schema zutage. Die Sangeskunst, die Kiepura ausübt, hat nämlich eine sozial ordnende Funktion, sobald er die Bühne, den akzeptierten Rahmen der Kunst verläßt und auf die Straße geht; singend, wie sich versteht.

So nämlich, indem er unter »das Volk« sich mischt, weiß er, wie es der lenkende Zufall will, die Mesalliance zu verhindern, die ein alternder Baron (Komödientopos des »verliebten Alten«) mit einem unwilligen jungen Mädchen eingehen will. Der Sänger greift ein, sein komischer Diener Paul Kemp unterstützt seine Machinationen, und das Mädchen, das ja nicht den Baron nicht will, weil es den Sänger wollte, darf, dem einen Joch entronnen, mit dem Sänger in See stechen. Die Partie, die sie ungefragt macht, gilt als glänzend, weil die Komödien ihr Handlungspersonal gerne auf ureigenstes Gelände entführen, in die Gefilde der Wunschproduktion.

Daß diese so elysäisch nicht waren, wie sie den Angestelltenschichten im Publikum erschienen, das sich von der jüngsten Regierung einen kollektiven Aufstieg aus der Anonymität in die soziale Bedeutsamkeit erhoffte, zeigt der Film *Ein Lied für Dich* vielleicht sogar wider bessere Absicht. Vordergründig krankt er, deshalb wird er hier behandelt wie ein Symptom, an gewichtigem Realitätsverlust, da er sein Publikum nicht mit dessen Realität, sondern der Realität eines anachronistischen Publikums (der Wiener Operette) konfrontiert. Die Wahrscheinlichkeit, daß die Zuschauerinnen von 1933 zu Fabrikantinnen, Baroninnen oder Diven aufstiegen, war ziemlich gering. Daher muß der Außendruck der Realität, der noch lange virulenten Krisenerfahrung so groß gewesen sein, daß die Filmindustrie ihm nicht standhielt und in die produzierte Welt der Wunschproduktion, ins Genre: Sängerfilm, Film-im-Film-Lustspiele, Revuen usw. auswich.

Je realitätsferner ein Film erscheint, desto gehaltvoller an abgesprengter Realitätserfahrung wird er sein. Kiepura tritt hier nicht nur als Kammersänger in »Aida« oder als Volkssänger in Elendsvierteln des »Volkes« auf, er ist auch in einem Wohltätigkeitskonzert zu sehen, das er am ausgefallenen Ort, einer Schwimmhalle gibt. Die Veranstalter sitzen um das Becken, der liebestolle Baron schlägt vor Begeisterung ins Wasser, und Kiepura singt herab von einem Dreimeter-Sprungbrett. Wohl ein grotesker Witz, den die »Wirklichkeit« sich mit dem Film machte, ist, daß die zugelassenen Armen das Konzert auf den Stehplätzen: im Wasserbassin hören müssen. Die nicht so heiteren Gefühle der Filmstatisten, die sich hier dieser Rollen annahmen, beschrieb Grete Garzarolli in ihrem Roman »Filmkomparsin Maria Weidmann«, der 1933 ein Zeugnis über die innere Verfassung der Filmindustrie, von unten gesehen, ablegt.[9]

Was will als komisch gelten in diesem Film? Dazu muß die Buffo-Parallele in Gestalt des Dieners herhalten. Paul Kemp übt im Hotel mit seinem Herrn und Meister ein Liebesduett und muß die Angesungene markieren. Komisch wirkt »natürlich«, wenn ein deutscher Mann so tut, als könne er die Bewegungen einer Frau imitieren, womit er bloß Erfolg hat, indem er Zuflucht bei grotesker Turnerei sucht. Daß eine Frau in Absicht einer decouvrierenden Parodie einen Mann imitiert und nicht aus purer Notwehr, war im deutschen Film zu denken nicht erlaubt. Statt auf die Strampeleien des Komikers, sollte man einen Blick in die Kulissen der hier aufgebauten »Aida«-Dekoration werfen. Kiepura singt (als Radames) seine Arie, und der Chor reckt und streckt die Arme, als sollten sie die zum deutschen Gruß vorgeschriebene Höhe erreichen; oder eben nicht erreichen, denn parodistisch wäre die

Geste auch zu lesen, nimmt man die Form der »ägyptischen« Feld-
zeichen in Augenschein, die ebensogut, oder gerade deplaciert, als
NS-Embleme auf den Nürnberger Parteitag paßten. Reinhold
Schünzel war mit solchem Doppelspiel der Zeichen, wie sein
Amphitryon (1935) verrät, weniger zimperlich.

Auch ein Ausflug ins Gelände der Wunschproduktion, der doch
keinen Kunstgriff seiner Täuschungen preisgibt, ist Geza von Bolvarys *Das Schloß im Süden* (16.11.33), zu dem wieder Zerlett das
Buch schrieb und Fritz Arno Wagner, ein Pionier des Stummfilms
von Fritz Lang, die Kamera führte. Film-im-Film verbindet sich
mit altem Adel, die Experten des schönen Scheins tun sich in einem Genre zusammen, das längst abgetakelt ist. Aber die ent-
wöhnte Hauptdarstellerin (Liane Haid) möchte zu gern den echten Prinzen und Schiffsoffizier (Viktor de Kowa in gleich doppelter
Schneidigkeit) kennenlernen, um endlich aus der Traumfabrik zu
desertieren. Desavouiert allerdings wird nur der bürgerlich genähr-
te Schwindel; die Privilegien der Prinzen bleiben. Paul Kemp, mit
von der Partie, droht Komik als Verhängnis, der appetitus interruptus. Ihm wird Essig in den Wein geschüttet, das Essen von den
Lippen weggerissen. Schon auf bestem Wege, seine Rolle als Sosias
in *Amphitryon* zu entwickeln, stiftet Kemp das ganze Mehr-schei-
nen-als-Sein-Theater im Süden an. Die Technik des Reproduk-
tionszeitalters der Künste kommt auch ins Spiel. So wie Kiepura
ständig im Rundfunk auftrat, der aus seiner Kunstgemeinde eine
Volksgemeinschaft schmieden wird, so tritt de Kowa hier, Liebhaber und Dilettant, mit einer Schmalfilmkamera unter dem
Kamerateam auf, das Menschen filmt, wo er Tiere filmt.

Bolvarys Lustspiel *Was Frauen träumen* (20.4.33) war noch von
Billy Wilder geschrieben; nun im Zuge nach Paris sitzend. Peter
Lorre spielt den nickelbebrillten Assistenten eines Kommissars,
der in kindlicher Angst, Lust und Neugierde auf eigene Faust einen Diebstahl ermittelt. Seine Nase folgt der sinnlichen Faszination, die vom Parfüm (*Was Frauen träumen* – ein Männertraum)
der Juwelendiebin (Nora Gregor: im Exil wird sie die Christine in
Jean Renoirs *La règle du jeu* spielen) ausgeht. Weniger die Fabel
macht die Komik aus, sondern ihr Hauptdarsteller Lorre, den im
komischen Fach zu sehen, eine große Rarität ist. Er stolpert über

jede Schwelle, muß sich von seinem Kommissar am niederge-
schlagenen Mantelkragen nachzerren lassen und das Handschel-
len-Anlegen an eigenen Händen üben. Dafür kann er singen, und
er singt, nach einem absurden Text von Robert Gilbert, das Chanson: »Ja, die Polizei, die hat die schönsten Männer / Ja, die Polizei, ist stets in Form: Jeder Offizier ein Frauenkenner / Und auch
die Mannschaft küßt enorm«. Vorgetragen vom Darsteller eines
perversen Triebtäters (*M*, 1931), den die Fabel endlich zum Ober-
kommissar befördert, der Dämonie mit Banalität zum Ausdruck
des Abgründigen verbinden konnte, hält dieses Liedchen, das
Lorre an jedem Klavier, das er in diesem Film zu fassen kriegt, da-
herträllert, etwas von der doppelbödigen Faszination, von der
Gleichzeitigkeit der Leidenschaften wach, die im deutschen Film
bis 1933 ihr Wesen in jedweder Gestalt treiben durften, bis es zum
Unwesen deklariert wurde.

Die schönen Tage von Aranjuez (22.9.33) waren endgültig vorbei;
und keiner, muß man ergänzen, verließ es heiterer. Auch in dieser
Komödie von Johannes Meyer ging es, zum letzten Mal überzeugend, um das Flair, das Kriminalität mit der mondänen Welt verbindet. Brigitte Helm, im Verein mit Gustaf Gründgens, tritt auf
als Juwelendiebin und Trickbetrügerin, Wolfgang Liebeneiner,
naiver Ritter der Landstraße (schon auf seinem Königsweg zum
Produktionschef der Ufa), will die Verlorene retten, vergeblich.
Rettungen aus jener Welt, mit der Medaille moralischer Läute-
rung, waren erst möglich, wenn stabile Gegenwelten existierten,
in der die alten Kriminellen, Salondamen und abenteuernden
Dandys nun sich als Helden und Kämpfer bewähren durften.
Brigitte Helm ist hier − Zarah Leander war noch nicht lange als
Kontinent der Sehnsucht in Sicht − ganz auf den Ersatz von
Marlene Dietrich getrimmt, jeder Zoll ein kalter Vamp. Der Film
fand mehr Beachtung in jener Besetzung, die er doch vergessen
machen wollte: mit Marlene Dietrich in *Desire* (Drehbuch von
Ernst Lubitsch), ein vollständiges Remake von *Die schönen Tage
von Aranjuez*. 1936 kam *Desire* als letzter Marlene-Dietrich-Film
im Deutschen Reich zur Aufführung.[10] Und als es keine Filme
mehr von ihr gab, bot man Evokationen an. In *Schabernack* (1936)
spielt eine Dame »verrückt«, indem sie sich an der Hotelrezeption,

einzig mit dem Insignium der langen Zigarettenspitze ausgestattet, als »Marlene Dietrich« anmeldet. Grethe Weiser parodiert mit tiefer Stimme, der gewissen Pose und dem Augenaufschlag einen Dietrich-Song in ihrem Film *Die göttliche Jette* (1937).

5

Als Goebbels vor den Filmschaffenden 1933 seine Kaiserhof-Rede hielt, drohte er nicht nur. Er warf auch einen kritischen Blick zurück auf die Filme der Weimarer Republik, denen er scharfe Mängelrügen erteilte.

»Die deutsche Krise ist am Film spurlos vorübergegangen; während das deutsche Volk, vollgefüllt mit Sorgen und Sehnsüchten, das größte Leidensdrama der Geschichte durchlebte, ignorierten das die Herren vom Film. Sie packten das Leben dort nicht an, wo es interessant ist, sie blieben seicht und verwaschen. Wer die Zeit versteht, weiß, welche Dramen dem Film zur Verfügung stehen. Jede Nacht auf der Straße draußen. Der deutsche Film hat keine Wirklichkeitsnähe, er ist ohne Kontakt zu den wirklichen Vorgängen im Volke.«[II] Entkleidet man die Passage ihres Pathos der Beschwörungen und Übertreibungen, erhebt Goebbels eine Realismusforderung, die die alten Filme bis dato ihm zufolge nicht erfüllten. Der Vorwurf lautet: »seicht und verwaschen«. Das zielt wohl auf die mangelhafte Trennschärfe innerhalb der Filmgenres, die sich im Aufgreifen ihrer Stoffe noch horizontal verflochten hatten. Goebbels fordert Konturen, Abgrenzung, Eindeutigkeit, mit anderen Worten: Parteilichkeit, wie sie am leichtesten wohl in Kunstgenres vertikaler Ordnung zu haben ist, den manifesten Handlungsanleitungen vermeintlich unmittelbarer Eindimensionalität. Der Vorwurf trifft zu, aber welche Filme kann Goebbels mit »seicht und verwaschen« gemeint haben?

Wohl in erster Linie Filme jener Produktionen, auf deren wirtschaftliche Macht er am gierigsten war: der Ufa. Denn spurlos ging nicht der ganze deutsche Film an jener Krise vorbei. Realismus hingegen wurde an der Peripherie, von den Außenseiterproduktionen der proletarischen Filme hergestellt. *Kuhle Wampe* ist das berühmteste Beispiel, das noch Schule machte, als die Lehrer des Realismus längst vertrieben waren. Ohne den stilprägenden Einfluß der realistischen Tendenz sind auch Filme, die im Nationalsozialismus entstanden, nicht denkbar, ob man einerseits an *Hitlerjunge Quex* oder andererseits an *Morgen beginnt das Leben* denkt, beide Produktionen aus dem Jahre 1933, die sehr wohl die Sorgen und Sehnsüchte, die Goebbels zitiert, in sich bargen. Hier war die eingeklagte »Wirklichkeitsnähe« greifbar; so greifbar, daß Goebbels sie zerschlagen ließ, die realistische Tendenz im deutschen Film dort, wo sie drohte, geschichtsmächtig, d.h. formbildend zu werden, abschnitt und ihre Elemente in einen folgenschweren Illusionismus überführte, mit dem erst der bundesrepublikanische Film *Abschied von Gestern* im Jahr 1966 Schluß machte. Goebbels wollte den Realismus an ein Monopol binden, nicht an ein Polypol, dessen Kontrolle seinem Zugriff sich entzog. Die Wirklichkeitsnähe, die er forderte, konnte nichts anderes als eine intensivierte Annäherung an die noch im langsamen Übergang begriffene Wirklichkeit bedeuten. Dieser Versuch des Films, des Zuschauers samt seiner »Sehnsüchte und Sorgen« (eine Pathosformel für »Bewußtsein«) habhaft zu werden, mußte zwangsläufig an die Traditionen anknüpfen, und die einzige Tradition, die damals Realismus barg, war der proletarische Film, den man nicht fieberhaft durch Gegenprodukte ersetzen konnte, zumal man die Filmschaffenden, die jenem Realismus eine Bahn brachen, schon verjagt hatte. Darüber hat Goebbels, selbstredend, kein Wort verloren. Er hat die Gesamtheit der offiziösen Ufa-Produktion im Auge, den Apparat, auf den er Appetit hat.

Er kritisiert die Filme nicht für ihre künstlerischen Mängel; da er von ihnen keine Kunst erwartet, sondern eine realistische Öffnung der Kunst als Kampfmittel, mit dem der deutsche Film eine »Weltmacht« werden soll, erstaunt nur die rhetorische Operation seiner Rede, immer dann von Kunst zu reden, wenn die Marktexpansion gemeint ist. Deshalb sollte von den Filmschaffenden auch die scharf formulierte Realismusforderung nicht so ernst genommen werden, als daß sie für alle Genres gälte. »Das Schaffen des kleinsten Amüsements, des Tagesbedarfs für die Langeweile und der Trübsal zu produzieren, wollen wir ebenfalls nicht unterdrücken. Man soll nicht von früh bis spät in Gesinnung machen«, fuhr Goebbels fort. Das ist die Widerrufung seiner Forderung. Der Realismus, der noch nicht und schon nicht mehr da ist, wird schon durch Entlastung unterlaufen: die Wirklichkeitsnähe soll – so kann man das auch lesen – mit der Ventilfunktion der Unterhaltungsfilme nur auf dem Binnenmarkt der Ästhetik, aber nicht auf dem Exportmarkt des Vertriebs konfligieren. Zuviel Realismus trübt das Amüsement. Die Infiltration mit Politik (»Gesinnung«) sollte nicht total sein; Freiräume werden konzediert. Dabei ist zu beachten, daß diese Toleranz nicht die sekundäre Verkehrsform (Vertrieb) des Films betrifft, die erst staatsmonopolisiert werden soll, sondern daß der erste Zugriff der ästhetischen Organisation der Filmgenres gilt. Durch vertikale Ausrichtung (Amüsement in Unterhaltungsfilmen, Realismus in Propagandafilmen) werden künftig die Bereiche des kontingenten Lebens voneinander abgeschottet. Trennschärfe statt Diffusion, das ist der Kern von Goebbels' Realismusforderung an den deutschen Film. Gesagt, getan – treu dem putschistischen Prinzip faschistischer Ideologie der »blitzschnellen« Umsetzung ihrer Absichten schuf Goebbels im Juli 1933 die provisorische Zwangskorporation der »Filmkammer«, die er im September schon der »Reichskulturkammer« integrierte. 3000 Filmschaffende indessen fanden darin keinen Platz. Sie wurden »entfernt«, wie Goebbels berichtete,[12] insofern sie selbst sich nicht, wie Ophüls, May, Wilder, Lorre, der Vertikalisierung ihres Berufes schon entzogen hatten: ins Exil.

66

Die Kunst will ins Freie

I

Jetzt sollte sich erweisen, welche Lehren aus Goebbels' Appell gezogen worden waren. Seinem Wunsch nach mehr Wirklichkeitsnähe kam man nur langsam entgegen, wobei die kleinen Firmen sich noch zögernder verhielten als die großen. Der Unterhaltungsfilm lief nicht mit fliegenden Fahnen zur nationalsozialistischen Seite über. Das Genre »Problemfilm« war bedenkenloser. An seinen Manifestationen war oft abzulesen, was nicht bloß auf den tatsächlichen Jubelfahnen zu erkennen war, daß nämlich in der Eilfertigkeit, das Einschwenken zu bekunden, »das Hakenkreuz über Hammer und Sichel genäht« worden war, wie die Beobachter der illegalen SPD in ihren DEUTSCHLAND-BERICHTEN notieren mußten.[1]

Wenn ich König wär' (9.1.34) greift (wie die gleichnamige romantische Opéra comique »Si j'étais roi« von Adolphe Adam, 1852) auf ein Märchenmotiv zurück, die temporäre Wirklichkeit der Wünsche. Die erste Einstellung weist groß auf »das moderne Märchenbuch«, womit der Regisseur J.A. Hübler-Kahla (der nach 1945 als Produzent weitermachte, u.a. von G.W. Pabsts Film *Der Prozeß*) zu verstehen gibt, daß sein Film Zeitgenossenschaft nur in Form einer Parodie behauptet. Das war elastisch und ungefährlich. Narrenfreiheit reklamierten nach dem Übergang ins Regime einige; wenige wußten sie so zu nutzen, daß der Topos »verkehrte Welt« auch der Gegenwart zu denken gab.

Hinter dem modernen Märchenbuch steckt Victor de Kowa, der seine Hobbyarbeit als Elektrobastler mit einem Kurzschluß beginnt. Er ist Arbeiter in den König-Automobilwerken und laboriert an einer Erfindung, einem luftgekühlten Auspuffdämpfer. In der Arbeitspause hält er eine Rede an seine Kollegen, die aus den Werkhallen zusammenströmen. Für das Junge müsse man ein Herz haben, tönt es, und der Witz der Szene ist ihre doppelte Lesart: für die Direktion sieht es nach Zusammenrottung, Aufwiegelung, womöglich Streik aus; tatsächlich versucht de Kowa, die Kollegen für sein Elaborat zu begeistern. Als Tatsache aber setzt sich die erste Lesart durch und dient als perpetuiertes Mißverständnis dazu, die Komödie in Gang zu halten. Die Stunde des kleinen Mannes, seine Verdienste ums Gemeinwohl ins Licht zu setzen, kommt. Die Belegschaft feiert den Lottogewinn des Werkmeisters, Arbeiter bilden ein Gesangsquartett, der Generaldirektor läßt ein Faß Bier springen. Im Rausch kommt die Wahrheit an den Tag: die Firma ist in Liquidationsschwierigkeiten, de Kowa klärt den Hauptaktionär auf und darf infolge der Laune des Herrschers »König«, den Firmenchef, spielen. Diese Prüfung im Verborgenen, die den Auserwählten als vom König richtig ausgewählten präsentiert, ist gleichfalls ein Märchenmotiv.

Von nun an spielt die Firma »verkehrte Welt« und läßt sich vom Arbeiter de Kowa leiten. Seine Führungstalente denunziert die Fabel in der Beschränktheit seiner Vorschläge, nichts weiter als Lautsprecher in der Fabrik zu installieren, damit die Kollegen zur Musik (im Takte der fortgeschrittenen Taylorisierung) arbeiten können. Rettung vorm sicheren Bankrott bringt der Onkel aus Amerika (ein Motiv, das Filmkomödien der Wiener Operette entlehnen) in Form eines Patentejägers, der die Firma durch Investitionen saniert. Wo das Kapital auftritt, tritt der Arbeiterkönig wieder ab.

Seine Herrschaft war nur eine Phantasmagorie, was im übrigen visuell durch die Kippblende signalisiert wird, mit der de Kowa aus seinem Traum rüde an seinen Arbeitsplatz zurückgeworfen wird. Trost ist die ihm zufallende Tochter des Werkmeisters, die Beförderung zum Chefingenieur (sein Patent sanierte die Firma) und die Huldigung der Arbeiter.

Was feiern sie? Die Firma bleibt in privatwirtschaftlicher Hand. Ihr Untergang wurde nicht aus eigener Kraft, sondern nur durch den Wunderonkel aus Amerika abgewendet. Die Gewerkschaften waren bereits am 2.5.33 zerschlagen; gleichwohl wird de Kowa zum Sprecher der Arbeiterinteressen per Akklamation gemacht, als herrsche nun das plebiszitäre Prinzip. »Ob er oben steht oder unten«, wiegelt der Werkmeister ab – der Typ eines sozialdemokratischen Preußen, der im kritischen Augenblick auch keine Parteien mehr kennt –, »der setzt sich für unsere Belange ein«. Was hatte de Kowa außer der Musik verfügt? Die Lohntüten nicht anzurühren. Die Voll-Versammlung der Aktionäre ging er nicht um Dividendenkürzung an. Aber schon zwei Wochen nach Premiere des Films werden die Lohntüten angerührt. Das »Gesetz zur Ordnung der nationalen Arbeit« bereitet durch die Auflösung der Tarifverträge Lohnsenkungen vor. Der Lohnarbeiter wird zum »Soldat der Arbeit«. Er weiß es nur noch nicht. Deshalb darf »Kanone« für de Kowa noch die Metapher eines Jargons sein, die ihn auszeichnet. Deshalb sind die traditionellen Zeichen der Arbeiterkultur (Gesangverein, Lotterieverein) nicht getilgt.

Vieles scheint beim Alten geblieben zu sein; wenigstens im Übergang zum neuen Regime. So ist über dem Firmenportal der König-Werke ein stilisierter (Reichs?) Adler zu sehen. Das Emblem trügt. Die Industrie wird nicht verstaatlicht. Sie bleibt – saniert durch die Erfindungskraft eines einzelnen Arbeiters und den Investitionswillen ausländischen Kapitals – fest in privater Hand.

Nun, muß man sagen, ist der Film, wie Goebbels noch klagte, nicht länger spurenlos an der deutschen Krise vorbeigegangen. Die Krise ist nun, ohne es zeigen zu wollen, im deutschen Film sichtbar geworden. Die neuen Herren produzierten Unterhaltung nicht bloß zum Tagesbedarf des kleinen Amüsements, wie Goebbels ihnen zubilligte. Sie produzierten in ihren Filmen die Krise, wie sie in der neuen Herrschaft sichtbar wurde. Denn die Sorgen und Sehnsüchte eines Publikums sind nicht in »Gesinnung« und »Amüsement« zu departementalisieren. Jedweder Film muß, will er wirken, mit dem Vergnügungsinteresse und dem Erfahrungsgehalt seiner Zuschauer rechnen.[2] Damit kann es der Film nicht anders als das Märchen halten.

Schließlich wird de Kowa nicht dadurch rehabilitiert, daß er als Tagträumer Sympathien fand, sondern dadurch, daß die zweideutige Lesart der Massen um ihn sich als eindeutig erwies: der Arbeiter ist kein Aufrührer. Dieser Eindruck war mehr als eine gauklerische Wunschproduktion in den Köpfen der Filmautoren. Die »verkehrte Welt« mußte genug »Welt« einspiegeln, um Interessen zu binden; also realistischer sein, als ihr Anschein hergab. In den DEUTSCHLAND-BERICHTEN vom Juni/Juli 1934 wird die »beschämende Tatsache« beobachtet, »daß das Verhalten der Arbeiter dem Faschismus gestattet, sich immer mehr auf sie zu stützen.«3

2

Gegenwärtigkeit war das Konzept der Unterhaltung nur insofern, als man sie aus Dekor, Dialog und Milieu dechiffrieren mußte, weil sie offen ungern auftrat. Arbeitswelt, Errungenschaften des neuen Regimes, »Modernität« blieben zu jener Zeit dem Problemfilm vorbehalten. Erst der Krieg rückte die Genres einander näher. Vorläufig blieb der Unterhaltungsfilm bei jenen Leisten, die ihm die Tradition geschlagen hatte: Kunstwelt statt Arbeitswelt, wohl auch aus dem tiefliegenden Bedürfnis der Zuschauer, ihre Arbeit durch symbolische Arbeit zu transzendieren. Sie erwarteten von der Kunst, mit dem gleichen Maßstab der Leistung, das Eigene vergessen zu machen.

Dazu kamen die als seicht verschrieenen Musikkomödien gerade recht. Je verwaschener, desto willkommener. Nie ebbte diese Welle ab: Riviera, Pikanterien unter Künstlern und Puten, Verwechslungen am laufenden Band, das alte Personal der Klassen vor 1918, Salonintrigen und Parkgeplänkel – rücksichtslos spulten sie über jedes Regime hinweg; gleich ob als Rheinlandkonjunktur in der Weimarer Republik, als Revuefilm im Dritten Reich (da war die Welle nur am höchsten) oder als Musikfilm der Adenauer-Ära. Der Jargon spricht hier von »Klamotte« als der fadenscheinigen Unterart der Unterhaltung. Das weist zum einen auf den Ursprung der alten Operette aus der Konfektion, der Kleider- und Kostümbranche hin,4 zum anderen auf die Fortentwicklung jener Handlungsschemata durch die frühen Filmproduzenten, von denen ein gut Teil gleichfalls Überläufer aus der Konfektion war. Bolvarys *Ich kenne dich nicht und liebe dich* (1.2.34) ist ein solches Beispiel der Beliebigkeit. Willi Forst, Operettenkomponist, sucht eine unbekannte Frau, die ihn zu seinem Erfolgsschlager (der Titel) inspirierte. Er sah sie aber bloß in einer Illustrierten abgebildet. Ein

Tamino-Dilemma: sich in ein Bild verlieben und dem die Wirklichkeit entsprechen machen. So wird die Wirklichkeit, als sie gefunden ist, zwangsläufig wie eine Fiktion behandelt, über die selbstvergessen und vollkommen zu verfügen ist. Die so totalisierte Welt wird zum Schlager, den alle unisono nachträllern. Alle? Die Frau (Magda Schneider), deren Rolle nur als »Bild« vorgesehen war, sagt dem Komponisten, daß seine Schlager »Schmachtfetzen« seien. Eine Auflehnung der Frau und eine Kritik am Anachronismus im Namen der realitätstüchtigen Moderne. Die Kunst mag ihre Wirkung verfehlen; der Künstler darum noch lange nicht. Er will als Mann überzeugen, und an dieser Rolle fällt jede Realismusforderung flach. Denn den Liebenden legitimiert seine Liebe, die sich die Geliebte erst verdienen muß durch Selbstaufgabe: sonst wäre sie ja die Liebende und mithin Konkurrenz auf dem Markt der Gefühle.

Die komischen Mittel sind bemerkenswert, da sie weniger auf Dialogwitz und Situationskomik basieren als auf dem Einsatz von Objekten. Theo Lingen konstruiert eine Diener-Maschine, die seine Handreichungen mechanisiert, und Magda Schneider bedient sich in einer Liebeslist gegen Forst des Radios. Oscar Wildes Drama »Ein idealer Gatte« wird als Hörspiel übertragen. Schneider läßt den Helden sprechen, dreht am Radioknopf die Replik weg, um für den Mithörer Forst eine adäquate Abfuhr aus dem Stegreif zu erfinden. 1935 wird die Terra diesen Stoff von Wilde verfilmen.

Die Durchdringung der Welt mit Gesang vermittels der reproduzierenden Radios war schon in früheren Kiepura-Filmen das Kunst-Ideal. In *Mein Herz ruft nach dir* (23.3.34) wird es ironisiert. »Ich habe im Polizeigefängnis, im Wellenbad und im Mastbaum gesungen, warum nicht hier?« – im Spielcasino von Monte Carlo –, fragt Kiepura und darf auf das einverständige Lachen des Publikums zählen, das seine Filme als Fortsetzungen einer Serie erlebt. Die Schauplätze, noch einmal zitiert, stellen diesen Film in den Zusammenhang mit den Kiepura-Filmen vor 1933, deren Nachfolger die politische Zäsur mühelos überspielten. Regisseur dieses Films war Carmine Gallone, »Gastarbeiter« im Deutschen Reich und 1937 Autor des repräsentativsten Films des italienischen

Faschismus: *Scipione l'Africano*. Die Interdependenzen der Industrien von Cinecittà und Babelsberg im Zeichen des europäischen Faschismus sind bis heute noch ununtersucht. Sie wären auch in ihren Konsequenzen zu beleuchten, die im bundesrepublikanischen Film den Illusionismus fortsetzten, während aus dem italienischen Film noch im Faschismus der Neo-Realismus sich entwickeln konnte. Daß Gallone Unterhaltung *und* Propaganda hervorbringen konnte, spricht nicht nur für seine persönliche Versatilität, sondern auch für die größere, dem italienischen System inhärente Durchlässigkeit des Genres. Ernst Bloch konzedierte, als politischer Beobachter im Prager Exil, daß unter Mussolinis »faulem Zepter progressive Architektur, diskutierbare Malerei und Musik« in Italien unangefochten blieben.[5]

Kiepuras Konzert im Casino hat ein hübsches Intervall, dessen komische Komposition an Lubitsch erinnert. In Aufsicht erfaßt die Kamera eine ovale Fensterluke, in der, wo wenig Aussicht herrscht, gleich zwei Köpfe – der Koch und die Kellnerin – zusammenstoßen; Kiepuras Publikum, das vor Begeisterung aus dem Häuschen gerät.

Nicht nur das Publikum drängt ins Freie: die Kunst selber will sich im Licht der Natur zeigen.[6] Die Fabel motiviert den Filmschluß, Kiepuras Ensemble singt »Tosca« vor der Oper, aus Rancune. Das meint, die alten Kunstverständigen haben die Zeichen der Zeit, in der die Kunst auf die Straße drängt, noch nicht erkannt. Im Opernhaus welken die Kammersänger dahin; draußen reißt der Volkssänger seine Hörer hin. Kiepura singt die Arie aus »Tosca«, III. Akt »E lucevan' le stelle« – 1935 wird Gallone einen Film unter diesem Titel drehen. Die alte Kunst bleibt unter sich, im leeren Haus, denn so mächtig ist der Sänger auf der Straße, daß seine Stimme das Publikum zu sich hinüberzieht. Zum Schlußduett Kiepura und Martha Eggerth tanzt das gemischte Publikum, nun ganz ein Volk geworden, auf der Straße. Einen Walzer, keine Carmagnole, versteht sich. Kein neues Programm zog die Massen ins Freie. Mit Fug könnte Magda Schneider auch »Tosca« einen Schmachtfetzen nennen. Das Umwälzende ist der neue Schauplatz der Kunst. Gibt es einen faszinierenden Künstler, wird die Straße das Medium seiner Kunst. Kiepura siegt und soll vom

Fleck weg engagiert werden. Seine Antwort an den Operndirektor von Monte Carlo weist auf das ganze Straßen-Ensemble: »Entweder alle oder keiner!« Und der komische Diener, Paul Kemp in der Buffo-Parallele zu seinem Herrn, klagt: »Wie soll denn die Jugend zeigen, was sie kann, wenn man sie nicht ran läßt?«

»Jetzt sind *wir* da!«, rief Goebbels 1933 den Filmleuten zu. Jetzt, 1934 war er da, wo er hinwollte: als Herr der Straße Herr der Kunst geworden, führte er die Kunst ins Freie – im Namen des Realismus und des Volkes. Die Produktion des Problemfilms *Nur nicht weich werden, Susanne* aus dem gleichen Jahr verrät es. Susanne (Jessie Vihrog) ist Filmstatistin und der seichten und verwaschenen Lustspiele vor 1933 überdrüssig. Sie träumt von der realistischen Rolle des Arbeiterelends. Fast traut man seinen Augen nicht, aber »Susanne« könnte eine Tochter von *Mutter Krause* sein – so nah tastet sich dieser Film an das Vorbild des proletarischen Films zu Weimars Ende heran; nahe genug, um ihm den Garaus zu machen, das heißt nach intendierter Evokation realistischer Bilder deren Lektion wieder vergessen zu machen. Die Filmstatistin wird die realistische Rolle der neuen Zeit: Hausfrau und Mutter spielen. Wobei der unerhörte Aufwand der Kameraschienenfahrten ums häusliche Glück im kunstbefreiten Raum der Natur selber wie eine Kunstübung zelebriert wird; eben um zu demonstrieren, daß die neue Kunst neu bloß in der Platzwahl ihrer Darbietung ist.

3

Man kann das halbwegs überstandene Elend so zeigen, daß es geradezu nach Veränderung schreit. Ergebnis dieser Filme sind jene beschriebenen Problemfilme, die paradigmatisch wirken wollen, und je stärker sie wirken, desto weniger zeigen. Realismus zeigt nicht die reduzierte Wirklichkeit, die durch politische Emphase zu erlösen wäre; der Realismus im Film zeigt komplexe Wirklichkeiten, die sich im Übergang zu neuer Form befinden. An diese ästhetische Tradition knüpfen die Komödien von Reinhold Schünzel an, der als Schauspieler am Theater von Max Reinhardt und als Regisseur der Lektion von Lubitsch verpflichtet war. Beide

zu vereinen hieß für Schünzel, die dargestellte Welt herunterzu-
spielen, um Platz zu schaffen für die Form, die oft eine »Nummer«
größer ist als die in ihr agierenden Figuren. Schünzel ist der Iro-
niker der deutschen Filmkomödie. Er bewegt sich am Rande der
lärmenden Klamotten und der üppigen Dürftigkeit des Lust-
spieles. Da kam er allerdings auch behender und leichter voran als
jene, die auf Siegesalleen die Herzen des Publikums eroberten.
Die Töchter der Exzellenz (17.5.34) ist ein Schünzel-Lustspiel,
dessen erste Eigenschaft Unauffälligkeit ist. Der Tabakladen einer deklassierten Wiener Generalwitwe und Baronin ist ein kleiner Schauplatz, auf dem sich doch viele Wege kreuzen. Müdes
Klassenbewußtsein und Misanthropie neben naivem Leichtsinn
und zynischem Arrangement in der Krise. Die Baronin hat eine
flatterhafte und eine standhafte Tochter, die wählen zwischen Mesalliance und Moral. Aber nicht in sauberer Trennung, sondern im
Austausch von Haltungen und Wünschen sieht Schünzel die Moral seiner Geschichte, in der die »Guten« Abstriche machen müssen, damit die »Schlechten« an Sympathie hinzugewinnen können.
Fast könnte es hier wie in Pabsts *Freudlose Gasse* ausgehen, die
in wirtschaftlicher Krise haltlos gewordene Figuren in die Depression hineinzieht, wäre da nicht Hans Moser, der die Zerrissenheit in den Verhältnissen als Komik am eigenen Leibe ausdrückt. Auf ihn paßt hier die Wendung, entkleidet man sie der
Metaphorik, vom Nervenkostüm. Aller Empfindsamkeit entäußert, daß der ganze Körper zur Empfindung wird, geht Moser
so zwischen seinen Mitmenschen hindurch, daß er ihr Elend an
sich zieht und bindet. Er entlastet: durch Übertreibung, und gleichzeitig übertreibt er das Unterspielen. Er ist stärker mit den geliebten Objekten, seinen Zigarrenkisten, beschäftigt als mit seiner
weniger geliebten Frau, die ihm Hörner aufsetzt. Sie will davon,
verpaßt aber den Zug in die Freiheit und schleicht sich vom Bahnhof ins eheliche Heim zurück. Moser druckst lange an einem Satz
und äußert ihn dann wie einen Tragödienschluß, an den er selbst
kaum glaubt: »Nimmst' jetzt den nächsten Zug?« In allen späteren Filmen ist Moser ledig, da er fortan mit dem jeweils herrschenden Regime verheiratet ist. Das Drehbuch zu diesem Film,
dessen Mischung aus Melancholie und Naivität manchesmal an

die Stücke Horváths gemahnt, verfaßte Emil Burri, der nach 1945 zu einem engen Mitarbeiter Brechts am Berliner Ensemble wurde. Mit Brecht traf Schünzel im Hollywood-Exil 1942 zusammen, als Fritz Lang, partiell nach Brechts Drehbuch, *Hangmen Also Die* verfilmte. Moser seinerseits hatte unmittelbare Horváth-Nähe, seitdem er in der Uraufführung der »Geschichten aus dem Wiener Wald« die Rolle des Zauberkönigs spielte.

Im Oktober 1934 hatte der nächste Schünzel-Film Premiere: *Die englische Heirat* (31.10), in dem Adolph Wohlbrück und Renate Müller ihre Rollen aus *Viktor und Viktoria* fortsetzten. Wieder spielte Wohlbrück das »englische Fach« (im englischen Exil verkörperte er dann die »guten« Deutschen), indem er immer tadellos elegant auftrat, wobei sein charakterliches Profil so scharf gezogen war wie seine Bügelfalten. Bloß schön war er nie; sportlich, ritterlich und ironisch waren jene Eigenschaften, die man in England vermutete und die Renate Müller als eine der wenigen Darstellerinnen ebenso gelassen, das heißt nicht naiv anzunehmen wußte. War auch England ein Weg der Kunst ins Freie? Der Film beginnt mit einer Heirat eines englischen Adligen und seiner deutschen Fahrlehrerin (Müller), die Wohlbrück als Rechtsanwalt der englischen Familie sogleich wieder auflösen muß: als Mesalliance, denn für den vertrottelten Adligen ist eine dekadente Jungfer vorgesehen. Der Aufsteigertraum der berufslosen Frauen in die längst deklassierte Führungskaste ist 1934 ausgeträumt. Die deutsche Frau hat einen Beruf und wählt sich selber ihren Mann, auch wenn er englisch ist. Die Dialoge kreisen um ein Nebenzentrum, das Vorurteil der Engländer gegen Deutsche zu decouvrieren. Statt dessen erfährt man ein deutsches Vorurteil gegen die Engländer. Das allerdings ist derart klischiert, daß es Großbritannien ausschließlich mit skurrilen Lords und lächerlichen Ladies bevölkert.

Die »englische« Heirat ist eine deutsche Affäre auf fremdem Boden. Alle Komplimente zur nationalen Tüchtigkeit lehnt diese Fahrlehrerin ab, die sich aus Schrottmaterial und Ersatzteilen ihr Luxusauto selber baute. »Ich bin nur ein Mädel, wie es bei uns zuhause Tausende gibt«. Komisch ist dieser Satz bloß durch die scheinbare Bescheidenheit der Müller, die zwar einen Propaganda-Satz intoniert, aber so, daß man hört: sie pfeift auf ihn. Schließlich ist sie – als Fahrlehrerin –, wenngleich aus Liebe und Ehrgeiz, immerhin nach England ausgewandert; mag sie dort auch deutsche Autoschlosserfertigkeiten hochhalten, sie verließ ihr Land. Im Reich der Unterhaltung setzte sie die komischen Verwandlungen ihres Vorbilds fort, baut hier ihr Kostüm in Windeseile vom Overall ins Sommerkleid um, was an typische Szenen von Dolly Haas erinnert, die 1934 schon ihren ersten Film im englischen Exil dreht.

4

Ein amerikanischer Filmkomiker ist oft ein Spinner, der seine Komik aus konsequenter Haltung gegen die Konvention gewinnt. Ein deutscher Komiker ist, wenigstens in der hier verhandelten Zeit, oft ein Spinner, der seine Komik in der konsequenten Preisgabe seines Spinnertums gegen die Konvention gewinnt. Er geht, wird ihm eine sinnvolle Aufgabe zuteil, der Konvention nicht verloren. Solche Spinner hat Viktor de Kowa oft gezeigt, ob er als Arbeiter »König« spielte, oder ob er im Zirkusfilm von Arthur M. Rabenalt *Pappi* spielte (12.9.34). Schon die erste Einstellung der Kamera schreibt ihn fest als Spitzweg-Natur. Viktor de Kowa singt, von irgendwo her, der Kran klettert an der Hausfassade dem Gesang nach, bis die Kamera den Sänger auf dem Balkon entdeckt. Das ist zur Einführung des Films – und zum Abschied von experimentellen Vorbildern – das einzige Zitat, das dem René Clair-Film *Sous les toits de Paris* (1930) entlehnt ist. Im folgenden macht es sich die Filmkunst schwerer als ihr Vorbild. Sie will ja ins Freie, aus dem Bereich der Kunst desertieren. Und wenn diese Kunst auch im niederen Bereich des Zirkus liegt, ist die Elternschaft dagegen die höhere Kunst. Der Film meint die Mutter und sagt *Pappi*.

Lilly, ein Mädchen von ca. 6 Jahren, sagt es, deren Eltern als Luftartisten zu Tode kamen. Sie ist in der Obhut der tätigen Trapezkünstlerin Jenny Andersen, die, von ihrem Trainer schikaniert, ahnt, daß es noch etwas »Höheres als Arbeit« geben muß. Das Kind, auf der Suche nach einem Vater, läuft dem Bruder seines Vaters (de Kowa) zu, für den das Drehbuch auch eine bessere Rolle bereit hält als den Commis einer Weinhandlung, den die Chefin (Emilie Unda – die Oberin des Stiftes in *Mädchen in Uniform*, 1931) schikaniert. Die zu kurz Gekommenen werden sich zu einer Ersatzfamilie verbünden. Nicht ganz ohne fremde Hilfe, denn RM 10.000 fallen demjenigen testamentarisch zu, der die Erziehung des Kindes übernimmt. Die bankrotte Firma »Familie« scheint durch lachende Erben saniert, zumal nicht nur das Geld ein Mittel von außen ist. Auch die Figur des Kindes, das sich so altklug benimmt wie ein tantenhaftes Gewissen, ist in seiner adretten Süße ein Import. Lilly, mit kniefreiem Kleidchen und wehenden Bändern am Hut, ist die deutsche Antwort auf den amerikanischen Kinderstar Shirley Temple, der gerade 1934 seinen Durchbruch bei der Fox zu verzeichnen hatte.

Die Kinderkomik wirkt auf zwei Ebenen: einerseits darf Lilly die Lust auf zerstörerische Begierden, die auch im Erwachsenen de Kowa schlummern, wecken; andererseits ist die Kinderlust auch schon vollwertiger Ersatz, der die geweckte Lust der Erwachsenen wieder schlafen schickt. Das Kind ist der Katalysator unreiner Gefühle, dessen Unschuld gebrochene Herzen kittet und geläuterte Gefühle kuppelt. Das längst gereifte Kind treibt die Erwachsenen, die es sich als Wahleltern nimmt, in den Aufstand gegen autoritäre Bindungen. Sie kündigen ihre Stellung und schließen einen neuen Vertrag: die Ehe. Die Akrobatin macht sich mit der Schwerkraft des Küchenbodens vertraut, der ewige Commis darf endlich Chef: im eigenen Heim werden. Verflogen ist seine Phantasie nach Ungebundenheit, nach Risiko, Musik, Zirkus oder einfach Nichtstun.

Am Schluß versammelt sich die Wunschfamilie beim Straßenbummel vor einem Schaufenster. Außen sind die Kandidaten, innen scheint das Glück. Die Kamera bricht ihm eine Bahn, kraft des Wunschblicks sitzt die Familie in der Wohnküche, die hinter dem Schaufenster lockte. Ein Filter plus Kreisblende rahmen das – plötzlich gealterte – selige Paar ein im Medaillon, das ihnen die Filmtechnik liebevoll ironisch um den Hals legt. Das Glück ist durch einen Gag zu haben und wird dem Zuschauer in der deutlich gemachten Zerrform der Künstlichkeit präsentiert. Dieses Glück, um den Preis der Entsagung von Kunst erkauft, ist eine

Konfliktlösung, die immer dann als Ausweg »Pflicht« anbietet, wenn es an »Phantasie« gebricht. Denn unter »besseren« Umständen hätte die Akrobatin sich einen neuen Zirkus und der Commis sich einen kulanten Chef gesucht. Zwingend war ihr Berufswechsel zu den Eltern nicht, eher ein rettender Ausweg, der auch Indiz dafür ist, wie bindungsschwach beide zu ihrer alten Laufbahn waren. Wieviel Angst vor überschüssiger Phantasie muß da geherrscht haben, daß die so ganz unterdrückt wird. Unterdrückt wird in *Pappi* das Zigeunertum der Wünsche und eliminiert dessen legitimer Schauplatz: der Zirkus.

Rabenalt sollte in Zirkusfilmen glänzen: *Männer müssen so sein* (1939), *Die drei Codonas* (1940) und *Zirkus Renz* (1943) sind seine bekanntesten Aktionsdramen; allesamt binden sie die ausschweifende Phantasie wieder ein in Leistung und Schaustellung als einen moralischen Triumph über die Masse des Materials. Die Aufhebung der Schwerkraft, die der Zirkus zeigt, war einmal »eine der abstraktesten Darstellungen der Ideale der Französischen Revolution, des omnipotenten, neuen Menschen« und »die Darstellung der Machbarkeit von Gegennatur«, schrieb Alexander Kluge.[7] Daß der Nationalsozialismus die radikalste Revokation jener revolutionären Ideale war, ist bekannt; wie er den Widerruf darstellte, weniger: in der Schaustellung von Schwerkraft als Sinnbild des omnipotenten Menschen. Diese Schwerkraft war nicht nur an den Riesen der Bildhauer Thorak und Breker manifest, sondern gerade und vielmehr in den gigantischen Angstpaketen jener Kleinbürger, die im deutschen Unterhaltungsfilm sich von ihrer Sehnsucht nach der Kunst abschnürten. Deshalb machten sie das nicht faßbar Große klein und das überschaubar Kleine groß. Diese Disproportion in den Filmprodukten wahrzunehmen, ist eine der wenigen Momente, die komische Erleichterung versprechen.

5

Am 9.2.1934 sprach Goebbels in der Kroll-Oper wieder zu Vertretern des deutschen Films. Diesmal schon als Minister zur »Reichsfachschaft Film«. Er warb nicht mehr um Vertrauen, er reihte sich selbstverständlich unter seinesgleichen ein, was auch für eine dreiste Nivellierung spricht, die von beiden Seiten, dem Sprecher wie den Angesprochenen, ausging. Goebbels spricht weniger über den Stand der Filmkunst, als den Zustand der Filmkünstler mit dem Schlagwort »Kunst« zu beschwören. Seine Bilanz des ersten Produktionsjahres lautet: »Wir haben die Kunst künstlerisch betreut und sind an den künstlerischen Menschen auch als künstlerische Menschen herangetreten. So können wir deshalb heute mit großer Befriedigung feststellen: Unsere Arbeit hat den schönsten Lohn in dem Vertrauen gefunden, das uns seitens der deutschen Künstlerwelt entgegengebracht wird.«[8]

Lebhafter Beifall seitens der Künstler, die dem Politiker somit seinen Transformationsakt – Politik als Kunst, der Politiker als Künstler – dankbar abnehmen. Goebbels hat entgegen der Memoiren-Makulatur der Filmschaffenden, die nach 1945 alle Schuld auf »ihren« Minister schaufelten, zwar die Voraussetzungen der Filme: den Faschismus mitproduziert, die Filme aber hat er mit Hilfe jener »Künsterwelt« gemacht, die, nach Verjagung der Garde und Avantgarde 1933 ins Exil, endlich konkurrenzlos zweitklassig arbeiten durfte.

»Vertrauen« war nicht die einzige Kategorie, die das Propaganda-Ministerium für den Film bereithielt. Ein neues Gesetz, das ästhetische Fragen regelte, kam hinzu: das Reichslichtspielgesetz, das die alte Fassung von 1920 und ihre Modifikationen aufhob, trat am 1.3.34 in Kraft. Wichtigste Neuerung war die Vorzensur aller Filme, die dem Reichsfilmdramaturgen oblag. Vor aller wirtschaftlichen Kontrolle stand also die ideologische Kontrolle der Stoffe, deren Aufgabe war, wie die Reichsfilmkammer schon im November 1933 definierte: »die Produktion in Fragen des Manuskripts und bei der Umarbeitung zu beraten (…) und zu verhindern, daß Stoffe behandelt werden, die dem Geist der Zeit zuwiderlaufen«.[9] Um zu ermessen, was an Filmvorhaben ab 1934 dem »Geist der Zeit« tatsächlich noch zuwiderlief, müßte man die Überlieferung der Filmexposés einsehen, die nicht zur Produktion zugelassen wurden. Diese Überlieferung gibt es nicht. Der andere Schluß, den man aus dem Wirken der staatlich verankerten Vorzensur zu ziehen hat, ist, daß auch von Seiten der privaten Industrie jegliches

Filmvorhaben vom politischen Opportunismus, zumindest aber taktierender Rücksicht imprägniert war. Abweichungen von diesen Richtlinien, die sich in fertigen Produktionen manifestierten, waren daher stets teils geduldete, teils geförderte Abweichungen, die noch nicht deshalb zu mißachten sind, weil sie staatlich in ihrer Ventilfunktion sanktioniert waren, sondern vielmehr differenziert zu betrachten sind in ihrer chronologisch fortschreitenden Diversifikation der Mittel. Es gibt auch Glanzsplitter der Repression, die im ganzen gesehen manchmal stärker leuchteten als die Repression. Das ist eine Frage der Verhältnismäßigkeit von Form und Wirkung, deren Stabilisierung ein Gesetz allein nicht garantieren, aber ein querschlagender Komiker oder Kameragriff manches Mal unterlaufen konnte.

Goebbels wußte in Fragen materialer Ästhetik Bescheid. In seiner Kroll-Oper-Rede 1934 gab er in der Form-Inhalt-Dichotomie der Form unzweideutig den Vorzug. »Wir wollen auch nicht, daß der Nationalsozialismus durch die Auswahl des Stoffes zur Darstellung kommt, sondern durch die Gestaltung des Stoffes.«[10]

Keinem der hier behandelten Filme liegt ein nationalsozialistischer Stoff zugrunde, obwohl noch 1945 der Film *Wenn ich ein König wär'* von der Alliierten Kontrollkommission als solcher gelesen und zur öffentlichen Aufführung in Deutschland verboten wurde. Auch Kiepura als Volkssänger im Freien wird man schwerlich unterstellen, als Rattenfänger für die Nazis zu werben. Die deutsche Shirley Temple schwenkt auch kein Hakenkreuz-Fähnchen. Schünzels Ironie strebt schon dem Absprung vom deutschen Boden zu. Und doch sind diese Stoffe allein dadurch imprägniert, daß sie dem staatlich monopolisierten »Geist der Zeit« nicht zuwiderliefen. Dieser Geist verknüpfte die Stoffe zu einer Textur. Darin lag die Gestaltung der »Stoffe«, die nun im Dutzend billiger als zuvor angeboten wurden.

Divergenz und Linientreue

I

Die Linientreuen zeigten sich zuerst. Sie entlasteten die Abweichler, die in diesem Jahr sich deutlicher, mutiger zeigten, nicht so sehr in der Wahl der Stoffe, als in deren Gestaltung. Zeitgenossenschaft war die Sache beider Fraktionen nicht. Die Wiedereingliederung des Saargebietes in das Deutsche Reich, die Wiedereinführung der allgemeinen Wehrpflicht, die Einführung des Reichsarbeitsdienstes und der Nürnberger Rassegesetze waren die innenpolitischen Maßnahmen, die die Ausrichtung der noch unsicheren Kantonisten der Bewußtseinsindustrie fördern halfen. Unmittelbar aufgegriffen haben sie jene Appelle in ihren Stoffen nicht, das wiederum blieb dem Genre Problemfilm (z.B. Carl Froehlich, *Ich für Dich – Du für mich,* 1934) vorbehalten. Mittelbar hingegen ließ auch der Unterhaltungsfilm sich gern durchdringen.

Die Komödie der Regieneulinge Heinz Dietrich Kenter und Erich Holder, die den neuen »Geist der Zeit« verstand, hieß *Frischer Wind aus Kanada* (22.2.35). Wohin wehte er? In das Modehaus Granitz, das durch geschäftliche Inkompetenz, erotische Lizenzen und Intrigengerangel an den Rand des Ruins getrieben wurde. Da tauchen aus Kanada auf die Hauptgläubiger Baker und sein Sohn Johnny (Harald Paulsen). Vor zehn Jahren mußten sie, von Granitz aus dem Geschäft vertrieben, auswandern. Jetzt kommen sie zurück, mit einer alten Rechnung. Der Junior aber, anstatt die Firma zu liquidieren, saniert sie. Er greift durch. Entlassungen korrupter Geschäftsführer, Ermutigung der Angestellten zur Spionage gegen Intriganten, Kreditentzug bei schönen, doch insolventen Kundinnen und entschlossene Streichung aller Privilegien für den alten Direktor sind seine Initiativen. Auch das Programm des Modehauses wird umgestellt. Zweck-Kleider von der Stange anstatt Haute Couture ist die Devise: »Für jeden Geschmack für jeden Preis!« Die Mannequins führen nun keine ausgefallenen Gewänder mit exaltierten Gebärden vor. Stattdessen präsentieren sie, vom Schäferhund begleitet, ein Trachtendirndl. Nebenmotiv dieses Paradigmenwechsels im Geschmack (erst wurden die Firmen monopolisiert, nun die Konsumgüterproduktion) ist die moralische Tilgung der dem Vater Baker zugefügten Schmach der Vertreibung aus der Heimat. Was der Sohn in der Fremde lernte, sind die Methoden der Rationalisierung, bei beharrlicher Konservierung des alten Geschmacks. Und da Harald Paulsen der neue Herr zu Hause ist, singt er den Takt der Taylorisierung wie ein Revuecouplet vor: »Tempo, Tempo, auf Tempo kommt es an! Wie ein Blitz! Leben heißt wagen! Da muß alles Schlag auf Schlag gehen!« Nur nebenbei sei daran erinnert, daß im Reichslichtspielgesetz des Vorjahres auch ein Paragraph eingefügt wurde, der ausdrücklich auch die Texte der Kompositionen im Film der Vorzensur unterwarf. An diesem Text war nichts zu streichen. Er lief gleichsam dem Geist der Zeit entgegen. Wie die Durchsetzung der Rationalisierung aussieht, zeigt jene Sequenz, die an verschiedenen Orten der Firma den neuen Wind wehen läßt; ob die Näherinnen in der Schneiderei, die Stenotypistinnen im Büro, alle singen Paulsens Lied vom Tempo. Der Ton macht die Musik zur Gleichschaltung der Orte.

Der Juniorchef ist nicht nur ein aggressiver Durchgreifer, sondern angelt sich mit der gleichen Rücksichtslosigkeit die Tochter des alten Direktors, dem nur noch traurige Repliken der Schadenfreude gelten: »Frühstück? Damit ist jetzt Schluß. Hier werd' ich Ordnung schaffen!« Wie die komische »verkehrte Welt« im korrigierten Sinn sozial werden soll, verrät die Szene, in der Paulsen seinen Vorgänger zur Nachtarbeit (an Modeentwürfen) anhält und die Angestellten zum Firmenfrühstück in die Chefvilla einlädt. War das nationaler Sozialismus, heiter gesehen? Die Modefirma wird, im Maße, wie sie auf »Stoffe« spezialisiert scheint, zum Staatsmodell. (Im Krieg, 1944, wird sich dieser Analogiezwang wiederholen, nun mit der Familie: *Die Degenhardts*, oder dem Orchester als Staatsmodell: *Die Philharmoniker*).

Als der alte Firmenteilhaber verstoßen wurde aus Berlin, war das Jahr 1925, in dem durch den Dawes-Plan die Rentenmark sich stabilisierte, die Krise also vorläufig behoben war, die im Film zehn Jahre später erodiert wird. Sein Sohn saniert aus eigenem Ermes-

sen die Firma. Er entmachtet den Direktor und kündigt alte Forderungen der Gläubiger auf. Seine Eigenmächtigkeit legitimiert
er mit dem sozialen Gedanken: »Ich dachte nur an die Arbeits-
plätze in der Firma«. Der Auswanderer kehrt heim ins Reich und
beschließt, »für immer hier zu bleiben«. Diesen Entschluß faßten
in der Stabilisierungsphase des Regimes viele Figuren, in anderen
Filmen: *Flüchtlinge* (1933), *Der verlorene Sohn* (1934), *Heimat* (1938),
La Habanera (1937) u.s.f., als hätten sie in der Fremde wie im Win-
terschlaf gelegen und wären synchron zum »neuen Geist« ins Reich
erwacht. Ernst Bloch machte auf die Ambivalenz der Fluchtrich-
tung in diesen Filmen aufmerksam: »Will man, mit der Häufung
der Flüchtlingsfilme, der Sehnsucht im Lande ein Ventil geben?
Dienen sie zum Fluchtersatz, stellt dazu die Traumfabrik Aus-
brüche, Flugzeuge, Grenzpfähle her; vielleicht; doch gleich auch
kehrt sich die Richtung um. Alle diese Flüchtlinge fliehen gerade
nach Deutschland hin, wie in der Richtung eines gelobten Lands.«[1]
    Dieses Lustspiel betont die Analogien nicht. Daß in seiner Kon-
fliktlösung erotische Interessen für die ökonomischen einstehen,
ist ein komödieninhärenter Zug. Neu daran ist die Einkleidung
des Staatsmodells in die Clichés der Unterhaltung. Goebbels sang
nicht. Aber sagte er nicht, was Harald Paulsen sang? Konnten die
Zuschauer umhin, beim Gespann des alten und des neuen Chefs
im Film an den alten Chef außerhalb des Films (Hindenburg) und
den neuen (Hitler) zu denken? Am Tage als Hindenburg starb
(2.8.34), ernannte Hitler sich zum Reichspräsidenten und Führer.
Joachim von Ribbentrop, sein Außenminister (ab 1938), war als
junger Mann nach Kanada ausgewandert, ehe er mit frischem Wind
als Schnapshändler heim ins Reich kehrte.
    Hans Steinhoff, Exoperettensänger und Exoffizier, schon vor
1933 Parteimitglied der NSDAP, hielt 1933 seinen hochdotierten
Einzug mit *Hitlerjunge Quex*. Jetzt ließ er sich, nach einem schon
vorliegenden Schwank von Axel Eggebrecht, die Kostümkomö-
die *Der Ammenkönig* (5.12.35) schreiben, deren Untertitel verdeut-
lichte, worum es ging: *Das Tal des Lebens*.[2] Dem Markgrafen Heinrich XXIX. von Heinrichsburg ist die Markgräfin davongelaufen,
weil der Potentat nicht potent genug ist, einen Thronfolger zu zeugen. Die verzopfte Welt des Ancien Régime, der Hof in der Hand

vertrottelter Schranzen, der Herrscher, dessen Kraft sich in Zeremonien der Macht zerstreut, beweisen, daß die Herrschaft eine neue Legitimation braucht. Nicht etwa eine Verfassung oder eine Revolution bringt die Veränderung in jener schwäbisch lokalisierten Residenz. Eine Blutsauffrischung aus dem Volke konsolidiert die geschwächte Regierung. Was bejubelte das Volk, dem erneut die Teilhabe an der Macht entzogen wird? Die Geburt des Thronfolgers, der das Volk der Sorgen, die sich die Herrschaft um sich selber macht, enthebt.

Die scheinbar unfruchtbare Gräfin gerät, auf der Suche nach einem potentiellen Vater ihres Kindes, ins »Tal des Lebens«. Dort herrschen nicht sanktionierte Sitten. Die Dorfbewohner führen freie Ehen, um sich die vom Markgrafen auferlegte Ehesteuer zu ersparen. Theo Lingen, der Sittlichkeitskommissar, genannt von Grunzenau, sieht seine Chance einzugreifen, als die Frauen ihren Ammenkönig (Gustav Knuth) wählen, der für ein Jahr statt seiner Frau allen Frauen »gehört«. Für Lingen liegt das »Sodom und Gomorrha« vor der Haustür. Er läßt den kollektiv gewählten Liebhaber Knuth verhaften; der Graf hingegen steckt den »Delinquenten« in die Garde, wo sich Zeit und Gelegenheit findet, den Wunsch der Gräfin heimlich zu erfüllen. Die Ehesteuer wird flugs aufgehoben, alle nichtehelichen Kinder vom Landesvater zu legitimen erklärt und die Geburt des kleinen Prinzen gefeiert mit der entgrenzenden Erklärung des Grafen an sein Volk: »Wir sind heute eine einzige große Familie«.

Es gab im Dritten Reich nicht viele Komödien, die sich explizit um die Sexualität drehten. *Der Ammenkönig* wand sich mehr, als daß er sich darum drehte. Denn die Sexualität, deren Energien diese Handlung durch Wünsche, Erwartungen speist, wird konsequent durch ihren Ort der Vermeidung benannt. Das gräfliche Bett ist gigantisch, aber eine Schlafstätte; das Dorf soll Sodom und Gomorrha sein, ist aber ein »Neubronn«; Lingen, der die Sitte überwacht, spielt im Theaterstück den Teufel; die Gräfin, die eine feine Dame ist, sieht sich in der Rolle der (legendär liebestollen) Zarin Katharina. Immer werden die Mitteilungen über vollzogene oder aufgeschobene Sexualität einer anderen Person ins Ohr geflüstert. Als die Manneskraft des Ammenkönigs beschrieben werden muß, wird er als »kräftiger Bub« und »wilder Kerl« benannt, an dem »was dran sein muß«. Die ständig evozierte Sexualität wird sogleich unterbunden und erlaubt ausgedrückt nur durch Symbole der Geburt. Im Vorspann fliegen Störche auf, der Ammenkönig wird Hans Stork genannt; als »brächte« er die Kinder – ein Ammenmärchen also, dessen Konsequenzen naive Kinderohren fordert.

Denn immanent besehen bedeutet die märchenhafte Lösung auch das Ende des Märchens von der Herrschaftsdynastie, die in ihrer Selbsterschöpfung einer neuen Legitimation des Volkes bedarf. Der Mann aus dem Volk wird hier aber nur als Erzeuger, nicht als Vater einer neuen Herrschaft gebraucht. Dann hat er seine Schuldigkeit getan. Das Ammenmärchen besteht in der Phantasmagorie von Herrschaftsteilung, die den status quo ante befestigt, der in Frage gestellt schien. Nicht die kollektive Sehnsucht nach ungebundener Sexualität wird Angelpunkt der Komik, sondern die drohende Selbstaufgabe eines Herrschergeschlechts.

Das 18. Jahrhundert dient hier als Kulisse. Ein anderer Schwank wird darin aufgeführt. Er könnte heißen:»Die Ersetzung der Politik durch Potenz oder wie der Sozialdarwinismus Einlaß in die Unterhaltung fand.« Die emphatische Reduktion des Lebens auf seinen Ursprung: die Zeugung wird zum allesbeherrschenden élan vital, aus dem allein sich die Herrschaft des Menschen über den Menschen legitimiert. Dieser Vitalismus war der erste Schritt zu einer Politik der »Bevölkerung« (Lebensborn, Mutterkreuz), deren Kehrseite die Politik der Entvölkerung (Krieg, Vernichtungslager) heißen sollte.

2

Die Komödie kritisiert nicht nur, daß die Herrschaft oft in falschen Händen liegt, sondern sucht häufig auch den Ort auf, wo das Geld durch falsche Hände wandert. Der Zusammenhang von Glück haben, Schwein haben und Geld besitzen, ist ein inniger, dessen Mythologie die Sprachgeschichte von pecus und pecunia erschließt.[3] Das Haben, vielmehr: das Habenwollen ist die Triebfeder komischer Bewegung, die viele Fabeln und Filme in Gang setzt; besonders wo das Geld durch verschiedene Klassen zirkuliert, läßt sich der soziale Kreislauf gut bestimmen. Dazu bieten Anlaß *Winternachtstraum* (Geza von Bolvary, 13.2.35), *Familie Schimek* (E. E. Emo, 20.12.35) und *Ein falscher Fuffziger* (Carl Boese, 28.2.35). Ein Winternachtstraum soll der Sylvesterball im Grand Hotel zu Garmisch-Partenkirchen sein, wo man ein armes Waisenkind reich zu verheiraten sucht. Die Fragliche ist Angestellte in einem Radiogeschäft, wo sich das Altmänner-Duo Hans Moser und Richard Romanowsky, Diener und Kassierer im Geschäft, wie Eltern ihrer annehmen. Mehrere falsche Kandidaten vom Reichsgrafen bis zum Hotelbetrüger werden ausprobiert – auf Kosten der alten, aber unerfahrenen Kuppler, bis ein Ingenieur sich nicht als reich, aber als der Richtige erweist. Die Frau ist wunschlos glücklich, während bei den Männern Wünsche offen bleiben: nach Anerkennung, Karriere und Moral. Nun wird der Kassierer der Defraudation bezichtigt. Die Moral der Angestellten wird suspendiert, bis sie unvollständig wiederhergestellt ist. Verwirrung beherrscht den Sylvesterball, wo jeder Anwesende für etwas Höheres gehalten wird. Komisch ist aber nicht die Prätention der »kleinen« Leute, sich größer zu machen, sondern die arrogante Grundlosigkeit der »großen«, den Schwindel zu glauben. Parallel zur Düpierung des Adels und der Geldvertreter geht die Wiederherstellung der Tugend der »kleinen« Leute. Die Auflehnung des Kassierers gegen erlittenes Unrecht wird durch erpreßte Loyalität niedergeschlagen. Würde er das Geschäft verlassen, müßte der wahre Schuldige, der Geschäftsführer, auch gehen. Die Aufdeckung des Unrechts bleibt eine getrübte Freude, überstrahlt nur dadurch, daß die »Eltern« ihrer Sorge um das »Kind« enthoben sind: Magda Schneider darf aus ihren Händen in die von Wolf Albach-Retty überwechseln.

Komisch ist hier die nicht ausgesprochene Beziehung der alten Männer zueinander, die Ersatzfunktionen: das Elternspiel annehmen, um die Zuneigung zueinander zu legitimieren wie zu überdecken. Denn »Frauenrollen« dürfen Männer im Film erstens nur als alternde Männer, d.h. vom sexuellen Interesse scheinbar ausgegrenzte, und zweitens nur als Komiker innehaben. Moser und

Romanowsky streiten sich, wer die Vater- und wer die Mutter-
stelle bei »ihrem« Waisenkind einnehmen darf. In sehr komischen
Auftritten helfen sie sich, noch im ständigen Rollenwettbewerb
um die nicht-legitime Position, in die Kleider und rücken sich ge-
genseitig vorm Spiegel die Krawatten zurecht. Und dürfen sie das
privat Ersparte »wie in einem Winternachtstraum« zu fremdem
Glück verschwenden, ist das ihr schönster Lohn.

In *Familie Schimek* berät Hans Moser die Tochter, Revuegirl, in
Herzensangelegenheiten, und mit den Söhnen Schimek rechnet
er, zwischen Zwiebeln und Kartoffeln, Dreisätze am Küchentisch.
Da es eine Witwe Schimek gibt, spielt er den Vater. Als Komiker
ist er über den Verdacht, eine Onkel-Ehe zu führen, erhaben. Um
seinen Schützling unter die Haube zu bringen, bezichtigt er den
amtlich bestellten Vormund, einen Möbelhändler, »der Unzucht
mit Abhängigen«, d.h. dem Mündel. Moser muß zur Strafe für
seine Verleumdung ins Gefängnis. Üble Nachrede, schamlose
Schmeichelei – jedes Mittel ist ihm recht, um den sozial Stärkeren ein Stück Kraft für die Schwächeren abzunehmen. Moser spielt
den Anachronisten unter den Armen, als hätte er Privilegien zu
verlieren. Zur Unantastbarkeit seiner Schwäche maßt er sich ein
aristokratisches Air an, das quer zu seiner Zeit steht. Moser lebt
in seinen Verhältnissen stets über seine Verhältnisse hinaus. Er ist
der Verschwender schon längst verfallener Privilegien und praßt
mit einem Reichtum, über den er eher rhetorisch als real verfügt.
Ein Relikt der Donaumonarchie im Dritten Reich, sehr lebendi-
ge Reminiszenz, mit der sich Kritik an Anachronismen zu ihrer
Rettung funktionalisieren ließ: das war Mosers Rolle. Und ist die
Harmonie durch seine chaotischen Bewegungen wider Willen hergestellt, die Familie Schimek zur Hochzeitsfeier friedlich versammelt, zuckt es Moser in den Fingern, in der Schulter, droht eine
Konvulsion, die seine Schmächtigkeit zerreißt. Dem Scheinfrie-
den muß er einfach, bis zur nächsten Versöhnung, in die Suppe
spucken.

Der *Falsche Fuffziger* ist eine comédie larmoyante ums Geld.
Komisch ist die Redensart des Filmtitels, die einem »schlechten«
Charakter gilt, wörtlich genommen. Ein gefälschte Banknote wan-
dert durch die Hände der Klassen und nimmt doch keine Finger-

abdrücke an, wie es etwa der Querschnittsfilm der Neuen Sachlichkeit, Béla Balázs' *Abenteuer eines Zehnmarkscheins* (1926),
demonstrierte. Der falsche Fuffziger ist eine Hochstaplerin, Weiß-
russin im Exil, die alten Verhältnissen mit neuen Methoden nach-
lebt. Lucie Englisch ist Angestellte in einem Schallplattengeschäft;
man achte darauf, wie auffällig der Unterhaltungsfilm Reklame für
die Medien Radio und Schallplatte macht. Sie empfängt den
falschen »Fuffziger«, steckt ihn ins Sparschwein ihres Neffen, deckt
die »Blüte« auf, leiht sich einen echten Schein und legt den in die
Kasse ihres Chefs. Statt Wort- oder Situationskomik gibt es nur
Verwicklungen, die für die naive Heldin der Gerechtigkeit immer
unglücklicher ausgehen, bloß durch ihre Tugend und ihre Tapferkeit konterkariert werden, was die Komödie zur Larmoyanz ver-
schleppt. Dennoch gelingt es Lucie Englisch, durch die Nebenhandlung mit einem Privatbankier verbunden, die Hochstaplerin
zu stellen. Ein Kriminalrat Heller kann zudem verhindern, daß
der Privatbankier, der die kleine Angestellte Englisch heiratet, gefälschte Ostland-Aktien mit RM 20.000 beleiht. Welche politische Bedeutung diese »Ostland-Aktien« spielen, wird im Film
nicht erklärt.

Komisch ist dabei, daß selbst der Bankier von Geldgeschäften
nichts versteht. Die Lösung des Konflikts zielt darauf, daß das
Geld privat in falschen Händen ist. Das wußte die Filmindustrie
am besten. 70 Prozent der im Jahre 1935 hergestellten Filme hätten ohne einen Kredit der 1933 von Goebbels begründeten Film-
kreditbank nicht produziert werden können. Die schleichende
Verstaatlichung, die ab 1937 zur partiellen und 1942 zur totalen
Verstaatlichung der Filmindustrie führte, ging effizient und rasch
vonstatten. Übrigens gebrauchte man für diese etappenhafte
Monopolisierung der Filmfinanzierung, die noch *vor* dem Zugriff
auf Stoffe erfolgte, den Ausdruck »Verreichlichung«.4

So wie die Linientreuen der Märchen sich bemächtigten zur
Konsolidierung der Herrschaft, so griffen die Abweichler zum
Mythos, an dem sie Demontage der Herrschaft übten. Reinhold
Schünzels Komödie *Amphitryon* (18.7.35) ist sicherlich als eines
der gelungenen Beispiele der vorsichtigen Entfernung von der vor-
gegebenen Programmlinie zu werten, die in einer zweiten Welle

der Abweichung – 1944 – geradezu defaitistisch aufgeweicht wurde.

Die Götter laufen auf Rollschuhen, und von dieser kindhaft gleitenden Eleganz sind die Bewegungen des Films geprägt, der nicht nur ein Lustspiel, sondern auch ein Singspiel ist, zu dem Franz Doelle eine Musik der schmissig falschen Töne schrieb. Ein getragener Sprachgesang wechselt mit heiteren Couplets, und keine der Sparten ist ernst gemeint. Die Welten der Menschen und Götter sind eine Welt geworden, unter dem ironischen Blick Schünzels, der, was als heterogen gilt, kühn homogenisiert. Der Preis, den der Film bezahlt, die Götter menschlich zu zeigen, ist, daß die Menschen schattenhaft geraten und als Volk Statisterie für Jupiters Visite spielen, wie sie für den heimkehrenden Sieger und Feldherrn Amphitryon Spalier stehen.

Sinnbild der wechselseitigen Durchdringung wird der Einmarsch der siegreichen Thebaner. Er ist hier wie ein Revuefilm-Tableau inszeniert, will aber witzig sein nicht durch Perfektion, sondern durch kleine Imperfektionen innerhalb des Tableaus, das derart durch schweifende Aufmerksamkeit der Zuschauerblicke mitbewegt wird. In Aufsicht zeigt die Kamera (des erfahrenen F. A. Wagner) die Soldaten, die marschieren, und ihre Frauen, die singen. Der Chor tanzt auf der gigantisch überproportionierten Freitreppe und singt in Anspielung auf die vertuschten Seitensprünge Jupiters: »Aus den Wolken kommt das Glück«, was sich als Untertitel von Amphitryon einbürgern sollte. Die Soldatenkolonne, schwarz gekleidet, wird nun empfangen durch das Frauen-Ensemble, das, in Weiß gewandet, sich zwischen die Männerkolonnen zwängt, als gelte es, die riesige Ornamentalisierung dieser Masse vorzuführen. Spielerisch, nie martialisch. Die Lacher gehen auf Kosten der Krieger, nicht der Revuegirls. Überhaupt zeigt der Film in seiner Ausstattung ein komisches Moment der Selbstpersiflage durch die Kulissenhaftigkeit, die keine perfekte Gegenwelt »Arkadien« vortäuscht, sondern augenzwinkernd zu verstehen gibt, daß der Film aus einem Atelier der Ufa stammt.

Schünzels Drehbuch steht am vorläufigen Ende einer traditionsreichen Kette von Bearbeitungen des Stoffes, der ebenso oft in Tragödienform wie der Komödienform vorlag. Peter Szondi erkannte nach Lektüre der dramatischen Bearbeitung des Amphitryon-Stoffes die Trennlinie der Genres: »Während die Geburt des Herakles den Höhepunkt der Handlung in den tragischen Gestaltungen des Stoffes bildete, mag sich das komische Licht früh auf die Nacht der Zeugung konzentriert haben.«5 Dieser Film wirft nur noch zum Schein sein komisches Licht auf die Zeugungsnacht, die sich indessen nicht vollziehen darf, sondern in ernster Absicht Alkmenes Treue nach Kleist neu begründen will und in komischer Absicht vulgarisiert durch den thematisierten Lustaufschub des Paars Jupiter-Alkmene.

Jupiter (Willy Fritsch in der gebotenen Doppelrolle, die Identität auflöst und nicht begründet wie in den Alltagskomödien) trinkt vor der Liebesnacht mit Alkmene (Käthe Gold) zuviel des Samos-Weins und schläft im Bade ein. Die erotische Enttäuschung der düpierten Frau bekundet sich in der Geste der gebremsten Lust, mit der die Gold von ihrer Bettstatt das zweite Kopfkissen entfernt. Das Lustmoment des Spiels liegt weniger in der verfehlten Lust als in der ständig drohenden Entdeckung einer folglich dann auch ständig aufgeschobenen Lust. Als Stellvertreter dieses Zuschauerinteresses läßt der Film Alkmenes intrigante Freundinnen agieren, die Jupiters Liebesgeflüster als Zeugen belauschen und auch durch den Vorhang auf die Bettstatt spähen. Das könnte eine Entschärfung in der Darstellung von Sexualität sein, die abgewiegelt wird in der Lösung, daß Jupiter den ersten Akt verschläft und die zweite Chance durch heftigen Schnupfen verpaßt. Andererseits verlagert die Regie das Aneignungsinteresse an Sexualität, indem sie Lauscher und Voyeure einführt, die den Zuschauerblick, wo er abbricht, ins Spiel auf der Leinwand dringen lassen. Als Merkur/Sosias (Paul Kemp) vor einer Götterstatue in Theben steht und den Faltenwurf der Toga mustert, der so raffiniert gestaltet ist, als sei das Standbild nicht halbnackt, empört er sich über die menschliche Art der Götterverehrung: »Muß man denn gleich alles zeigen?« Seine Stimme klingt wie Volkes Stimme und ruft nach der Zensur, die Nacktheit zu verhüllen. Gleichzeitig ist Merkur in diesem Film die Karikatur des gesunden Menschenverstandes, der an den Götterlaunen irre wird. Und diesen Launen läßt Schünzel freien Lauf.

Er beginnt mit einer Rebellion der Frauen, die ihre kriegführenden Männer heimholen wollen. Zwei Kameras fahren mitten unter den fordernden Frauen umher, als seien sie Zeugen der Empörung. Am Schluß klettert die Kamera in Aufsicht über die revuehafte Vereinigungsszene zwischen Männern und Frauen, zwischen Krieg und Frieden, zwischen Tragik und Komik. Die Kamera, die unterm Volk wie seinesgleichen den Film eröffnete, steigt göttergleich auf zum Olymp. Nie nimmt sie feste Haltungen des Subjektiven oder des Auktorialen ein. Sie hält soviel Distanz zum Stoff, den Akteuren, daß eindeutig nur wird, sie kann mühelos die Grenzen überspringen, die auch der Kamerahandhabung durch Genres gezogen sind. Die Kamera führt Haltungen vor. Indem sie zeigt, daß sie »alles« kann, zeigt sie, daß sie mehr als eine Perspektive sein will. Ihre Operationen zielen auf Ambivalenzen im Bild, das zudem durch Selbstironisierungen im Dekor bestimmt wird.

In Überblendungen von Wolkenbildern »steigt« die Kamera anläßlich von Alkmenes Gebet an Jupiter auf in den Olymp. Die irdische Abfahrt von Jupiter und Merkur erfolgt auf einem Schirm. In menschliche Gestalten verwandeln sie sich nicht durch bruchlose Überblendung, sondern durch stufenweises Anlegen sterblicher Gesichter. Keine Natürlichkeit im Übergang, keine überirdische Zauberei soll den Vorgang begleiten. Deutliche Schnitte verweisen auf die »Menschwerdung« der Götter. Der Zuschauer kann dieser Einweihung wissend folgen, im Bewußtsein, einen Filmtrick zu erleben.

Schünzel dämpft die tragikomischen Aspekte des Stoffes, die noch bei Molière und Kleist sich auf Alkmene konzentrierten. Ihre Figur lebt vom Widerspruch zwischen Verkennen und Versöhnen, was der Film hingegen einer jungen attraktiven Frau, seinem Star nicht zumuten will. Er entlastet den Star von diesem Konflikt erstens, um die Treue der Alkmene als unfehlbar wiederherzustellen, noch ehe sie recht in Frage gestellt wird, und zweitens, um das dem Stoff zentrale Motiv: Verkennen und Versöhnen als komisch der Nebenhandlung zuzuschlagen. Adele Sandrock, Juno, die eifersüchtige Gattin Jupiters, greift jenes Motiv in komischer Entlastung, und das heißt in abgegriffener Trivialität auf. Das zwiefache »Ach« der Alkmene, das im Film ungesprochen bleibt, übernimmt die Sandrock durch doppelten Donner.

Hörte man nur den platten Couplets der gesungenen Dialoge zu, könnte man an eine Entschärfung des Mythos durch Abwiegelung denken. Wie ja die Kamera aus chaotisch quirlender Bewegung zu einer Position der Ruhe und des Überblicks fand, so zielt die Dramaturgie des Drehbuchs immer wieder auf eine statische Überhöhung der sich verselbständigenden Detailbewegung. Alkmene in der Eingangssequenz versucht, die Rebellion der Frauen niederzuschlagen:

»Frauen von Theben/wollt ihr endlich Ruhe geben/Ihr habt kein Recht zu randalieren,/Ihr habt euch anständig aufzuführen./Ich opfere ihn (Amphitryon) geduldig,/denn das bin ich dem Vaterland schuldig.«

Sicher, Alkmene verwandelt das Protestmotiv der Frauen gegen den Krieg in einen heroischen Appell zum Opfermut. Sie scheint als Hüterin der Ordnung auf dem rechten Pfad. Sie scheint, denn erstens ist die Sprache, die ihr geliehen wird, wenig geeignet, auf Heroismus einzustimmen, und zweitens wird der Film sofort versuchen, sie vom Tugendpfad abzubringen. Daß Schünzel Käthe Gold als Gattin Amphitryons und Krankenschwester Jupiters hinstellt, ist auch ein Urteil über Alkmenes Qualitäten als Liebhaberin. Ständig umspielt das genus vulgaris/commune das genus sublime, auf allen Ebenen (Licht, Kamera, Musik, Bauten, Kostüme, Dialoge), ganz abgesehen von der ins Hurtige getriebenen Körpersprache der Komiker in diesem Film.

»Die Vermischung des Komischen mit dem Tragischen, die für die griechischen Bearbeitungen nicht belegt ist, bei Plautus den Charakter des Stückes bestimmt, bei Molière dann geopfert wird, um von Kleist unter ganz neuen Bedingungen wieder eingeführt zu werden« – so resümierte Szondi seine Untersuchung zum Wandel des Amphitryon-Stoffes –,[6] wird, so muß man seine Genretheorie anhand verschiedener Stoffprägungen ergänzen, in diesem Film endgültig entmischt. Das Tragische wird trivialisiert, das Heroische persifliert durch Stilbrüche, Anachronismen (und Wortklaubereien des Sosias), und das Komische parodiert zudem sich selbst. Das war, sieht man den Film in seinem Umfeld, neu.

Die Filmhistoriker Cadars / Courtade verweisen in ihrem Kommentar zu *Amphitryon* auf die Verwandtschaft der Ufa-Bauten von Theben zu den NS-Feldzeichen und der Architektur des Nürnberger Parteitages, aus dem im gleichen Jahr Leni Riefenstahl ihren *Triumph des Willens* schuf.[7] Ich sehe keine visuell überzeugende »Verwandtschaft«, höchstens eine Parodie. Gleichwohl spricht aus beiden Filmen, *Amphitryon* wie *Triumph des Willens*, die Evidenz des Gleichzeitigen. Auch wo die Überhöhung im einen durch Unterhöhlung im anderen kleiner gemacht wird, bleibt in beiden unauslöschlich der Hang zur Großspurigkeit. Das Tagebuch von Thomas Mann, Zürich, den 27.9.1935, bietet einen Beleg zur Evidenz der Gleichzeitigkeit beider Filme. »Nach dem Thee mit K. und R. ins Orient-Cinéma, wo wir, nach 2 militärischen Bildern vom Nürnberger Parteitag mit dem armstreckenden Führer Hitler, einen albernden Amphitryon-Film, ebenfalls Ufa-Leistung, sahen.«[8]

Gleichsam zum Mythos jedweder künstlerischen Form und Umformung wurde der Pygmalion-Mythos, der neben seinem Stoff, der Liebe des Künstlers zu seiner Materie, auch eine Theorie über seine Gestaltung erzählt. Pygmalion behauptet wie viele Mythen der Antike, deren letzte Form die Parodie ist, die Durchlässigkeit von Stoff und Genre. Im nächsten Fall war die Übersetzung des Mythos in die Gegenwart schon so geleistet, daß der Mythos in der neuen Form verschwand. *Pygmalion* (2.9.35) von Erich Engel, der nach 1945 seine ausgezeichneten Tonfilmkomödien aus dieser Zeit verleugnete, als er sich Brechts Berliner Ensemble verpflichtete, geht auf das Theaterstück von G.B. Shaw zurück, der sogar das Drehbuch schrieb, das Engel für den Film einrichtete. Shaw, wird berichtet, war über das Ergebnis nicht erfreut: »They spoiled every effect, falsified all characters, put in everything I left out and took out most what I had put in. They thought they knew better than I. If they had, they would have been Super-Shaws.«[9]

Es geht hier nicht darum zu untersuchen, inwieweit Shaw, der sich für erlittene Unbill durch Sarkasmus entschädigte, recht hat. Es geht hier um den Umgang der Abweichler im Film mit vorgegebenen Mythen. *Pygmalion* setzt über den Mythos der unverwüstlichen Shaw-Komödie auf die im Reich willkommene England-Mode, mit der Schünzels Film *Die englische Heirat* (1934) kokettierte. Als *Pygmalion* in die Kinos kam, lag das deutsch-britische Flottenabkommen, das den Ausbau der deutschen Kriegsmarine ermöglichte, wenige Monate zurück. Englische Stoffe schienen jetzt wieder willkommen.

Jenny Jugo spielt Liza Doolittle und Gustaf Gründgens den Professor Higgins, der sich, wie Pygmalion in seine Statue, in sein Modell, das Blumenmädchen als Forschungsobjekt für seine Sprachstudien, verliebt. In Engels *Pygmalion* belebt das liebende Objekt den Forscher, als erweckte das Modell den Wissenschaftler, dessen Realitätsblindheit ihn selbst zur Statue erstarren ließ. Der erforschte Gegenstand affiziert den Forscher: durch Gefühle. Das könnte auch zu einer Travestie des Mythos werden wie *Amphitryon*: durch die Umkehr der Affektrichtung wie durch die Sozialisation des Professors, der sein Modell nach oben ziehen will, nach unten. Halben Weges aber bleibt Liza Doolittle stecken und paßt sich nach oben an. Das Blumenmädchen wirkt endlich, wie eine Herzogin wirken sollte.

Die dritte Operation, durch die Engel sich des Mythos bemächtigt, ist die Rettung der sozialen Differenz durch Übersetzung. Der Riß zwischen Cockney English und Kensington-Akzent wird übersetzt in Jenny Jugos Wiener Dialekt und Gründgens' ebenso gestochenes wie nervös fliehendes Hochdeutsch. Die Anverwandlung von Wissenschaft und Liebe erfolgt nicht nach dem Bilde, das geformt wird, sondern, wie es Shaw erfand, nach dem Hörbild. Liza nimmt Unterricht in Higgins Sprachlabor. Die Komik der Szene besteht in der vollkommen funktionalisierten Aufmerksamkeit des Wissenschaftlers auf sein phonetisches Material, zu dem er den liebenden Menschen vor sich reduziert. Beim Pferderennen in Ascot fällt Liza während einer regelrechten Rangelei analog der gestisch geübten Gewalt in ihren Slang zurück. Erst dann ertappt sie sich bei ihrem Rückfall in die »niedere« Klasse und formuliert ihre Selbstverteidigung als eine doppelbödige Mischung von Ungezügeltheit und flugs gezügelter Anpassung. Ihr Ausbruch, so sagt sie, im Kampf mit der Genusklausel der Rhetorik, entschuldigend, »war das Werk weniger Minuten«. Noch komischer als ihren Kampf um Aufstieg nimmt der Film den Aufstiegswunsch, mit dem ihre Klasse nachzieht. »Aus dem Rinnstein weg« wird Lizas Vater Getränkevertreter und eifriger Bourgeois. Wenigstens beschwert er sich bei Prof. Higgins darüber, daß er ihn der Moral des Mittelstandes ausgesetzt habe. Wenn dieser Vorwurf 1935 komisch wirkte, müssen die Unterschiede in der Klassenmoral der Zuschauer noch spürbar gewesen sein, bevor der Nationalsozialismus die Moral der Arbeiterklasse ganz liquidierte. Denunziert wurde sie in diesem Lustspiel schon. Die sexuelle Attraktion in Gestalt der Liza sieht man gern; was lästig wirkt in Higgins' Experiment sind die dicken Männer und geschäftigen Frauen aus dem Proletariat, die ihr Kind unter die Haube bringen wollen.

Wiederum sind es die Darsteller, die mit ihrem Körper einen anderen Dialog sprechen als das Drehbuch vorschrieb. Jenny Jugo und Gustaf Gründgens sind konzentriert in einem modern anmutenden Spiel der Attraktion und gleichzeitigen Vermeidung begriffen. Zwei Exzentriker verbünden sich. Zwar will Liza Higgins zum »Leben« als der besseren Wissenschaft verführen, aber Higgins bleibt bei seinen Leisten als dem »besseren« Leben. Bruno Mondis Kamera verfolgt in flüssigen Fahrten dieses brilliante Duo, das eher als die vorgeschriebene Partitur der Unterwerfung die Untertöne implosiv gedrosselter Berührungsängste spielt. *Pygmalion* bleibt unbeschadet von Shaws Einspruch eine der Abweichler-Komödien, deren Innenspannung heute noch spürbar ist.

4

Als die Filmredaktion der ARD in den Siebzigern die amerikanischen Melodramen des Regisseurs Douglas Sirk der fünfziger Jahre in einer Werkschau präsentierte, entbrannte in der Kritik heftiger Streit. In der Frage der Einschätzung bildeten sich zwei Lager, die einerseits dem Melodram soziale Relevanz abstritten oder andererseits erst zusprachen. Nun präsentierte das Münchner Filmmuseum 1978 als eine Fundsache den Debütfilm des Regisseurs bei der Ufa, der seit seinem Uraufführungsjahr 1936 in Deutschland nicht mehr zu sehen war.

Bevor er 1937 ins Exil ging, hatte Sirk – damals noch Detlef Sierck – eine Reputation als Theaterregisseur in Leipzig und dann als Meister der Chiaroscuro-Lichtregie in den Ufa-Melodramen mit Zarah Leander (*Zu neuen Ufern, Habanera*) erlangt, die ihn in Hollywood mühelos Anschluß finden ließ.

Nach Konfrontationen mit faschistischen Schlägertypen, die seine Inszenierung des Kaiser-Weill-Musicals »Schatz im Silbersee« (1933) sprengen wollten, gab Sierck 1936, nach zwei Kurzfilmen, sein Spielfilmdebüt mit der Komödie *April, April*: einem Lustspiel, das Tempo, Witz und Schärfe hat, also im deutschen Filmbereich eine selten erreichte Leistung darstellt, sieht man von der eher verquälten Komödie *Glückskinder* (Paul Martin, 1936) einmal ab.

Der Nudelfabrikant Lampe und seine Familie, ein eitles Aufsteigertrio aus dem Bäckerhandwerk, werden von einem Mehlfabrikanten, den das Getue ärgert, in den April geschickt: mit Hilfe eines Prinzen, den man den Lampes zur Fabrikbesichtigung auf den Hals hetzt. Großer Bahnhof, große Konfusion. Vielleicht ließe sich der Adelige als Schwiegersohn an Land ziehen. Aber dieser Wunschtraum kleinbürgerlicher Klassenversöhnung soll auf andere Weise in Erfüllung gehen. Der Prinz hat die Sekretärin der Fabrik erwählt, und die Fabrikantentochter muß mit dem Mehlfabrikanten, einem Konkurrenten ihres Vaters, vorliebnehmen.

Die Konfusion der Herzen klärt sich zur Fusion der Firmen und garantiert ein doppeltes Aufsteigerglück. Dem hektischen Bemühen der nouveaux-riches nach gesellschaftlichem Glanz, den der Prinz versprühen soll, wird eine Abfuhr erteilt. Was Glück ist, bestimmt die Rationalität, die zwischen Mehl- und Nudelfabrikation herrscht. Das scheint für ein erstarktes Selbstbewußtsein des Kleinbürgertums zu sprechen, das 1936 das Gespenst der Weltwirtschaftskrise in den Panzerschrank verbannt sieht – in dem schon zum Krieg gerüstet wird.

Auch die Sekretärin macht, ungefragt, ihr Glück. Der Prinz ist nicht mehr die Karikatur, die sein Stellvertreter und falsches Double aus ihm macht. Sein Reichtum ist diskret, er wirkt sportlich und sympathisch. Statt nun den Abstieg der Fürsten von regierenden Häusern zu Vermögensverwaltern der besitzenden Bürger zu zeigen, kritisiert der Film nur den Aufstiegstraum des Fabrikanten und das unverhoffte Glück der Sekretärin.

»Ist es nicht der Traum der Rolls Royce-Besitzer, daß die Scheuermädchen davon träumen, zu ihnen aufzusteigen?«[10], fragte Kracauer schon 1927, anhand der vielen Prinzenfilme aus der Weimarer Republik. Auf den ersten Blick mutet *April, April* deshalb anachronistisch an. Zehn Jahre zuvor gedreht, hätte er ein ausgezeichneter Propagandafilm gegen die von der Reichsregierung durchgedrückte Fürstenabfindung sein können. Daß er statt dessen in der Konsolidierungsphase des Faschismus gedreht werden konnte, verrät, daß die Komödien der Vorhitlerzeit mit ihrer Schlagfertigkeit, Impertinenz und Ironie 1933 nicht gleich spurlos untergingen.

Albrecht Schoenhals, Werner Finck, Erhard Siedel, Lina Carstens und Hubert von Meyerinck sind die Darsteller, und sie alle machen ihre Sache sehr pointiert. Der Plot ist ziemlich fadenscheinig. Sierck nutzt ihn eher wie eine Vorlage zur Improvisation von Sketches, die wie in einem Cabaret vorüberhuschen. Die Kamera wählt oft einen fast theaterhaften Ausschnitt, in der die Figuren an die Rampe treten und dann seitlich aus dem Bild verschwinden. Die Szenenanschlüsse erfolgen aufs Stichwort, der letzte Dialogsatz zitiert schon den nächsten Schauplatz herbei.

Der Plot ist auf die Entlarvung einer Hochstapelei angelegt, die den Hochmut düpiert und zu Fall bringt. Meyerinck spielt – für fünfzig Mark gedungen – den falschen Prinzen so echt, daß wir über die Dummheit der Aristokraten, die er aufs Korn nimmt, herzhaft lachen. Dann aber lachen wir über die Kleinbürger, die als gesellschaftliche Pflichtübung mit Sekt gurgeln müssen und für ihre verzerrten Phantasien bestraft werden.

Was soll ein Prinz mit steinharten Nudeln in der Wüste? An diese Frage, die allen Ernstes im Mittelpunkt des Tischgesprächs im Hause Lampe steht, hängen sich Sätze, die vom Drehbuch (H.W. Litschke, Rudo Ritter) mit Fußangeln beschwert sind. Sätze, die, sentimental und zugleich zynisch, manchesmal an Horváth gemahnen, dann aber nicht in psychischem Schmerz implodieren, sondern in grotesker Bewegung explodieren. Sierck schrieb, wie er in einem Interview erzählt, damals einen Drehbuchentwurf zu Horváths »Glaube, Liebe, Hoffnung«, den die Ufa ablehnte.[11]

Als der Prinz sich vermeintlich zum Besuch in der Nudelfabrik ansagt, inszeniert die Frau des Fabrikanten (Lina Carstens in einer komödiantisch sehr überzogenen Partie) mit ihren Angestellten eine Putzparade, in der die Kamera sich auf die flinken Füße richtet und die Arbeit der huschenden Hände verfolgt. Kaum teilt die Carstens in scheelem Übermut den Nachbarinnen den Kurswert der Heiratschancen ihrer Tochter mit, fließt eine Montage der am Telephon tuschelnden Frauen vorüber. Beide Szenen zitieren den Komödienmeister jener Jahre: René Clair, und sie sind als Reverenz des Debütanten vor der leichten Hand des großen Vorbilds gedacht.

»Motion is emotion«, wird Sirk später zur Devise seiner Hollywood-Filme erklären, in denen jede Kamerabewegung eine Gemütsbewegung entrollte. In dieser frühen Komödie bleibt dazu wenig Zeit. Jede Kamerabewegung fällt schon ein Urteil über falsche Gefühle, ist ein Schlag vor den Kopf der Überheblichkeit. *April, April* ist ein Film, der nicht ins Museum gehört, sondern der öffentlichen Aneignung durch unsere ohnehin ärmliche Komödientradition harrt.

Einer Doppelrolle Witz durch das Changieren zwischen den Rollen und nicht durch die Behauptung von zwei Identitäten zu verschaffen, war die angenehme Überraschung im Film *Peter, Paul und Nanette* (15.1.35) von Erich Engels (nicht zu verwechseln mit dem Komödienregisseur Erich Engel). Hermann Thimig, aus *Viktor und Viktoria* in Erinnerung, spielte Peter und Paul: der eine Angestellter im Juweliergeschäft, der andere Juwelendieb. Die Doppelrolle war mehr als der Vorwand, schauspielerisches Talent zu entfalten. Wenn der Konfektionsvertreter für einen Prinzen gehalten wird (wie in *April, April*) und ein Juwelendieb als Angestellter im Juweliergeschäft durchgeht, darf man im sozialpsychologischen Sinn von einer Affinität beider Rollen sprechen, die nichts als die mechanische Abspaltung der Wünsche innerhalb des gleichen Sozialcharakters vornimmt, um sie zum Schein, aus Diskretion auseinanderzuhalten.

Peter ist ein zarter Mann, den seine Freundin Nanette, die Tochter seines Chefs, bemuttert, kommandiert und kujoniert, damit ein richtiger Mann aus ihm werde. Der will aber lieber Künstler denn Draufgänger sein. Er komponiert das Chanson »Jetzt beginnt leise/die Reise ins Glück«. Bemerkenswert daran ist nicht die Klischierung seines Wunsches, sondern abweichend die Tonart, in der er sie vorbringt. Komisch ist diese Figur durch erotische Unschuld, komischer die ihr beigegebene Begleitung des Buchhalterlehrlings (Hans Richter, der ewige Lausbub des deutschen Films), der mit erotischer Erfahrung prahlt: ins Lot gebracht wäre dies keine komische Konstellation. Der lächerlich gemachte Mann ist »ein Schlappschwanz, ein Monstrum mit Brille«, wie es von ihm heißt. Kaum verwandelt er sich, beim Bahnhofsfriseur, wird er von Gaunern für einen Kollegen gehalten und auf eine Diebstour nach Paris geschickt. Der Bürger muß sich dort, zur Tarnung, in einen Bürgerschreck verwandeln. Er liebäugelt mit der Verruchtheit, die er ebenso überzeugend spielt wie die Wohlanständigkeit. Als Gauner »Paul« kehrt »Peter« ins Haus seines Chefs zurück und imponiert natürlich der Tochter Nanette. Keine Frage, daß alle Masken fallen, die Juwelen in die Besitzerhände zurückfinden und der zarte Mann, abenteuerbewährt, die Tochter des Chefs sich verdient hat. Der Gauner konnte rechtzeitig sich retten. Militärmusik ertönt, außerhalb jeder dramaturgischen Logik; der flüchtige Gauner liest am Kiosk die Schlagzeile der BZ AM MITTAG, die lautet: »In allen Zweigen der Wirtschaft werden neue Arbeitskräfte eingestellt.«

1935 hatte die neue Regierung die Zahl der Arbeitslosen von sechs Millionen auf zwei Millionen herabgedrückt. Schenkt man dieser Filmfabel Glauben, setzte die neue Regierung ein Heer von Gaunern in Amt und Brot. Arbeitslosigkeit jedenfalls sollte nicht länger als Demütigung erfahren werden, wenn noch den Kinogängern eine beiläufige Verheißung vom Wirtschaftsaufschwung geboten wurde.

Kirschen in Nachbars Garten (20.12.35), gleichfalls von Erich Engels in Regie und Produktion, ist nicht nur als ein Film mit dem einzigartigen Karl Valentin bemerkenswert. Auch Adele Sandrock, die von der »siamesischen« Ente Monika ein Ei erwartet, das der

Nachbar Valentin in die Pfanne haut, ist sehr komisch. Es kommt zum Prozeß: wem gehören die Kirschen, wenn sie über den Zaun fallen, wem das Ei, das die Ente unter den Zaun legt? Die Komödie braucht keinen Vatermord, um in Gang zu kommen, ihr genügt ein Sprung im Krug. Die Ursache mag tragisch sein, die Wirkungen sind komisch. Sie enthüllen, was im Dunkeln lag. Hier setzt die Komik von Karl Valentin ein, die in der Abweichung vom komischen Repertoire liegt. Seine Empirie hat sich dem Vergessen verschrieben; er ist aus Prinzip erfahrungslos. Deshalb zieht die Aufklärung sich hin. Die Wirklichkeit bietet Valentin vor Gericht Gelegenheit, der Wirklichkeit selber den Prozeß zu machen. Er reduziert, um zu abstrahieren; er analogisiert, um zu vereinzeln. Das Abgründigste, das 1935 über ein Herrschaftsverhältnis zu sagen war (Werner Finck probierte es in seinem Berliner Keller-Kabarett), sagt Valentin zu Max Gülstorff: »Das kann ich Ihnen sagen, Herr Hofrat: Sie sind nicht von mir abhängig, sondern ich von Ihnen!«

Die Wirklichkeit ist die gröbste Unverschämtheit – schärfer konnte ein Komiker seine Divergenzen zur Aktualität kaum bekunden. Um diesen Prozeß ging es in *Kirschen in Nachbars Garten*, nicht um die Fabel, die wieder einmal junges Glück mit altem Geld vermählt. Denn über den Grenzzaun fallen nicht nur Kirschen, sondern auch Blicke. Theo Shall, der später in den Propagandafilmen den Engländer vom Dienst spielen wird, ist hier der junge Liebhaber. Am Drehbuch schrieben nicht nur der Regisseur und ein R. Bernt, sondern auch Gernot Bock-Stieber. Dieser Ko-Autor war auf Komödien nicht festgelegt. Im gleichen Jahr schrieb und montierte Bock-Stieber den Propagandafilm *Opfer der Vergangenheit*, der ein letztes Dokument der Opfer seiner Gegenwart werden sollte, ein Film über Kranke, die schon der »Euthanasie«, dem Pogrom ausgesetzt werden.

Wie komisch der Unterhaltungsfilm mit psychisch Kranken umging, zeigt der Film *Schabernack* (4.9.36). Ein Hotel-Sanatorium wird irrtümlich für eine psychiatrische Klinik gehalten. Als die Aufdeckung dieses Irrtums als ökonomisch inszenierter Schwindel droht, wird der Journalist, der dem Schwindel nachgeht, im Duschraum eingeschlossen. Hans Moser, Hoteldiener und Feuer-

wehrmann, entrollt einen Wasserschlauch und setzt den Einge-
sperrten einem harten Strahl aus. Die Kamera, die einen Zusammenhang von Komik und Gewalt stiftet, übernimmt den Schlüs-
selloch-Blick der Voyeure, die sich an fremdem Leiden weiden.
Unter dem mörderischen Druck des Strahls »tanzt« das getroffe-
ne Opfer wie »irr«. Moser, befriedigt über sein Werk, äußert Sätze, wie sie auch von jenen Sadisten im dunklen Kinosaal, die vielleicht Aufseher in einem Konzentrationslager waren oder werden
sollten, aus Prozeß-Berichten überliefert werden: »Den haben wir
kaltgestellt, isoliert. Wer nicht pariert, kommt unter die Dusche.«
Viele Zuschauer lachten, ohne zu ahnen, worüber. Historiker, die
den Faschismus bislang an den wenigen Propagandafilmen aus-
machten, sind eingeladen, diesen im Kino des Komischen zu entdecken. Noch die Bilder der grauenhaftesten Banalität verrieten
etwas von dem Grauen, das sich außerhalb des Kinos banal und
bürokratisch vollzog.

Eingedeutschter Amerikanismus

I

Karl Valentin war natürlich nicht einzudeutschen. Er war vorsätzlich unflexibel dem neuen Geiste gegenüber, er blieb unbeirrbar Misanthrop, der sich jetzt in die Nebenrolle zurückzog. In Hans Deppes *Straßenmusik* (10.7.36) spielte er einen Musiker, der im Verein mit Liesl Karlstadt, einem Schellenbaum auf dem Kürassierhelm und einer Pauke in der Hand umherzieht. Allein der Helm macht ihn zum anachronistischen Fossil. Aber komisch wirkt die Zweckentfremdung nach zwei Seiten; einerseits macht Valentin mit dem Militärhelm aus Kaiserszeiten Musik, andererseits macht seine Musik sich über das benutzte Zeichen: Helm/Militär lustig. Im gleichen Jahr wird die zweijährige Militärdienstzeit eingeführt. Einstimmen wird Valentin darauf nicht; eingeläutet aber hat er diese Maßnahme noch weniger. Thema des Films ist zu prüfen, wie Straßenmusik Volkskunst werden kann: mit Hilfe des deutschen Rundfunks, der die Musiker, die ohne Engagement auf der Straße lagen, nun in sein Programm integriert, wo sie richtig liegen. Ihre marginale Existenz wird fortan öffentlich bestallt.

Die Musiker Brommel (Ernst Legal), Lünk (Fritz Genschow, der vor 1933 führend im kommunistischen Kindertheater tätig war) und Spittel (Hans Deppe, der Regisseur; vor 1933 im aufmüpfigen »Kabarett der Komiker«) leben und arbeiten gemeinsam, ohne Erfolg. Ihren Tag regelt die junge Nachbarin Grete Witt (Jessie Vihrog) in scharfer Disziplin. Sie näht in Heimarbeit, ihr Lohn bringt das hoffnungslose Trio mit durch. Der junge Lünk, den sie liebt, läßt sich von einer Witwe (Fita Benkhoff) umgarnen. Die Musiker spielen in einem Café vor, wo zufällig die Mikrophone des Rundfunks zur Übertragung eingeschaltet sind. Begeisterte Hörer lassen den Sender das Trio suchen, was sich verzögert dadurch, daß damit das Duo Valentin und Karlstadt beauftragt wird. Grete erwartet ein Kind, Lünk läßt von der Witwe ab, die Musiker finden sich als Männerkapelle Lünk im Tonstudio vereinigt. Liesl Karlstadt wird ausgeschlossen. Sie sitzt auf der Frauenbank, neben ihr die künftige Frau Lünk, deren Mutterglück schwesterlich auf Karlstadt abstrahlt, ehe die Kamera zum Schlußbild auf Valentin schwenkt, der sich stumm in die Runde der Männer fügt, als Schlagzeuger.

Diesem Film lag ein anderer Film zugrunde, der dem Regisseur auch dadurch nahegelegen haben mag, daß er selbst als Straßenmusiker (neben Wolfgang Staudte u.a.) in ihm mitwirkte: *Gassenhauer* (1931) von Lupu Pick ist das Modell, das seinerseits seinen Stoff dem Tonfilmklassiker *Sous les toits de Paris* (René Clair, 1930) entlehnte, folgt man Kracauers Kritik des *Gassenhauer*-Films.[1] Die Entlehnung ist kein Grund der Wertminderung im Ästhetischen; sie ist aber Indiz für den 1936 vollzogenen Paradigmenwechsel sozialer Werte.

Die Veränderungen von *Gassenhauer* zu *Straßenmusik* scheinen wenig gravierend. Das Personal von fünf Musikern wird auf drei reduziert, die promisk ausschweifenden Neigungen der Männer werden auf eine Neigung konzentriert; die Nachbarin heißt statt Marie nun Grete, eine Verdeutlichung der »deutschen« Zeichen; aus dem Eifersuchtsgeplänkel des jungen Musikers mit einer spanischen Tänzerin (Zeichen des erotischen Versprechens) wird ein Liebäugeln mit einer deutschen Witwe und Besitzbürgerin, deren Figur das Begehren gleichsam legitimiert und entschärft, denn der begehrende Mann muß plötzlich Vater werden. Die Bearbeitung des Stoffes aus der Krisenzeit trägt alle Zeichen, daß allein die Manifestation, »deutsch« zu sein, Hoffnung gibt, aus jener Krise herauszufinden.

Der Stoff wird eingedeutscht desexualisiert. Denn zur Krise 1931 gehörte in *Gassenhauer* noch ein handfester Mord und eine gerade abgewendete Vergewaltigung, die 1936 nicht mehr stattfinden dürfen. Die entscheidende Wende gibt jetzt der Arbeitgeber Deutscher Rundfunk. In *Gassenhauer* hatte noch ein amerikanischer Musikagent die Straßenmusiker entdeckt. Hätte er das Trio von 1936, das mit Hochzeitsständchen umherzieht, angehört, hätte diese Musik kaum Chancen zur Förderung. Dennoch behauptet *Straßenmusik*, daß gleichsam plebiszitär das neue Radioprogramm der traditionellen Weisen sich durchsetze und der Ländler den Foxtrott überhole.

Das glücklose Trio bewirbt sich in einer Bar des Berliner Westens. Ornamentale Muster, die an Art Déco und Neue Sachlichkeit anklingen, werden nun zum Zeichen ästhetischer Dekadenz. Die Kapelle spielt einen Foxtrott, dem Jazz-Elemente beigefügt sind, verzerrt, damit sie als verzerrte Klänge identifizierbar werden. Nun spielt das deutsche Trio in der Bar auf, und ein Zwischenschnitt zeigt dessen Wirkung. Eben noch hatte in einem Plüschzimmer ein deutsches Ehepaar sich über die »verrückte, internationale Musik« im Radio beschwert; nun, als das Radio live die »Straßenmusik« überträgt, darf das deutsche Paar selig sich dem »neuen« Klang hingeben. Der Film bekämpft die Programmkonkurrenz nach innen durch Fusion der beiden Musikergruppen, die sowieso das gleiche Programm (Hochzeitsständchen) spielten, und die Konkurrenz nach außen: amerikanische Musikmäzene und Unterhaltungsmusik durch Ausschaltung.

Bemerkenswert an dieser Komödie der Eindeutschung, die man bislang nur marginal als einen Karl-Valentin-Film wahrnahm, ist, daß neben dem Regisseur der Komponist am Drehbuch beteiligt war: Walter Gronostay, von dem ein Historiker sagte, er sei der »eigenwilligste Komponist im Dienste der NSDAP« gewesen.[2] Wie widersprüchlich dieses Urteil auch ausfiel, so ist es zu lesen im Zusammenhang jener Propagandafilme, zu denen Gronostay gleichfalls die Musik schrieb: *Jugend der Welt* (Film zur Winterolympiade, 1936), *Der Tunnel* und *Reifende Jugend* (beide 1933) und *Friesennot* (1935, nach dem Überfall auf die Sowjetunion 1941 neu eingesetzt als *Dorf im roten Sturm*).

Die Konkurrenz von amerikanischer Tanzmusik und deutschem Hochzeitsständchen hat noch eine andere Ebene: die der Körpersprache. Der amerikanischen Musik wird innerhalb des Films von ihren Hörern Bewegung (»Interesse«) konnotiert; der deutschen Musik wird von den ihr Lauschenden Andacht, Feier, Rührung ohne Bewegung (»Idee«) zugeordnet. Als die Gäste im Sanatorium, das für ein Irrenhaus gehalten werden soll (*Schabernack*, 1936), Unterhaltungsmusik wünschen, präzisieren sie: »Jazz«. Zu der Musik, die Hans Moser und Paul Hörbiger dann produzieren, spielen die servierenden Kellner »verrückt«. Kulturpolitisches Denotat der Szene ist, Jazz ist eine Provokation zu unnatürlicher Bewe-

gung, während die Weisen des singenden Hörbiger einer »Natürlichkeit« entsprechen, so, als sei Erstarrung die Menschen gemäße
Form. Ganz konsequent in der angeschlagenen Tonart ist auch
dieser Film nicht. So erklingen, im Radio angesagt, die »Comedian Harmonists«, denen allerdings im Vorspann der Mitwirkenden kein credit mehr eingeräumt wird. Die »Comedian Harmonists« waren beliebt, aber sie waren verfemt. Man bedient sich ihrer
Popularität in diesem Film, der in Hörbigers eigener Produktions-
firma enstand, aber man löschte ihren Namen aus. Nicht nur der
Dichter der »Loreley« wurde von den Nazis anonymisiert. Die
lachenden Erben eigneten sich auch die immateriellen Güter der
Unterhaltungsindustrie an.[3]

Das geschah oft als Piratenakt, der die guten Sitten des Urheber-
rechts und des Kulturbetriebs verletzte. Gleichwohl ist festzuhalten, daß die Sehnsucht des Publikums nach den Vorbildern der
amerikanischen Unterhaltung nicht nur durch schlechte Surroga-
te wachgehalten wurde, sondern oft durch kaschierte Verwendung
des Originalmaterials selber. Schäfer berichtet, daß deutsche
Swingmusiker, wollten sie den »St. Louis Blues« spielen, die Ge-
stapo mit der Ansage täuschten, sie spielten »das Lied des blauen
Ludwig«.[4] Getäuscht wurden nur jene, die Berichte in Begriffen
schreiben mußten, denn auch ein Gestapo-Spitzel war in geschil-
dertem Umstand potentiell Publikum. Seine Sinne ließen sich
schwerer täuschen als sein Bewußtsein. Mögen seine Ohren den
»blauen Ludwig« gehört haben, seine Beine tanzten den »St. Louis
Blues«.

Je stärker ein Film sein Drehbuch exekutiert, desto inniger verfällt er dessen Nominalismus. Das geschah den Propagandafilmen,
die in der Regel Schlagwörter illustrieren wie ein Fotoroman Gefühle, d.h. mit Eindeutigkeit determinieren. Je stärker ein Film
vom Drehbuch abweicht, und sei es, daß die Körpersprache der
Schauspieler nicht darstellt, was das Drehbuch ihr vorschrieb, desto größer ist die Wahrscheinlichkeit einer ambivalenten Lektüre.
Komödien schreiben den Nominalismus klein. Sie atmen durch
die Interpunktion jener Zeichen, die die Körpersprache setzt, frei
auf. Sie umspielen den Sinn und werfen aus unvermuteter Quelle
der Improvisation ein neues Licht auf ihn. Solche Technik ent-

zieht sich jeder Vorzensur und hält, wenn sie gelingt, im Publikum die Erinnerung an heftig erwünschte, doch unterbundene Vorbilder wach. Die Abweichungen von jedwedem Code sind komisch.

In *Donner, Blitz und Sonnenschein* (22.12.36) verkörpert Karl Valentin nicht mehr diese Haltung. Hier scheint er resignativ und sanft geworden. Die Figur seiner Rhetorik ist nicht mehr das Sichquer-stellen, sondern die Aposiopese, die abgebrochene Rede, die zur Empörung anhebt und sie fallen läßt, weil es ihr an Mut und Kraft gebricht. Nicht so Aribert Wäscher, der in diesem Bayernschwank einen provinziellen Tanzmeister spielt. Er schwärmt von Volkstanz, als sei die Figur Propagandaträger der Rückkehr zu den alten Formen. »Am Volkstanz zeigt sich die Seele des Volkes«, tönt der Tanzmeister, und Wäscher, von grotesk beleibter Form, tanzt einen Ballettschritt, der eher dem Reichsmarschall Göring als einem Ballerino anstünde. Ein Körper desavouiert den Begriff, dessen Linie er demonstrieren sollte.

Geboten war 1936 Eindeutschung. Gefragt blieb der Amerikanismus. Die camouflierte Form, die dem Sinnzwang (Gesetze, Zensur) entsprach, ohne das Bedürfnis (die Anklänge an das andere, schnellere Leben: die Bewegung im physischen Sinn) zu verdrängen, waren jene Produkte der Filmindustrie, die für »eingedeutschten Amerikanismus« einstehen, das heißt die Ambivalenzen des Originals mitübersetzten.

2

Willi Forst hatte in Berlin allein dadurch Kredit, daß er aus Wien kam, also Leichtigkeit, Ironie und Sentiment als Produktionswerte unverzollt ins Deutsche Reich einführte. Diese Mangelware mischte Forst mit der rasanten Dreistigkeit amerikanischer Komödien, die am Kurfürstendamm zum Beispiel noch immer in Programmkonkurrenz zur deutschen Unterhaltung liefen und vom Publikum als »besseres« Angebot zur Zerstreuung wahrgenommen wurden. *Allotria* (12.6.36) grub der Konkurrenz das Wasser ab, durch Umleitung. Dieser Film war ein »Spitzenreiter« der Saison.⁵ Der Erfolg war nicht nur den leichtfüßigen Dialogen von Jochen Huth zu verdanken, sondern auch den sehr locker aufeinander eingestimmten Darstellern.

Adolf Wohlbrück und Renate Müller treffen sich auf einer Überseefahrt. Er ist Plantagenbesitzer auf Java, ein Grandseigneur für kleine Leute, ein Gentleman-Draufgänger, der den Habitus eines Clark Gable für das deutsche Kino nachahmt; nicht einmal schlecht. Um Müller zu verführen, verleugnet Wohlbrück seine Liaison mit Hilde Hildebrand, die ihrerseits mit Wohlbrücks Freund Heinz Rühmann verbunden war, ehe sich der, nun mit Jenny Jugo verlobt, von ihr löste. Drei Frauen, zwei Männer, eine ist zuviel. Renate Müller ist aber mit Jenny Jugo so gut befreundet, daß sie Wohlbrück gegenüber sich als Rühmanns Frau ausgibt. Fließender Statuswechsel, verdecktes Wissen um gespielte Identität und geheuchelte Interessen werden in *Allotria* soweit vorangetrieben, daß es im Austausch der Gefühle zu einer mechanisierten Marivaudage kommt, in der nur ein Interesse nicht geheuchelt ist: das sexuelle.

Wie weit die Dematerialisierung von Identität hier geht, zeigt zwingend die visuelle Struktur der Gags. Am Abend seiner Verlobung mit Jugo will Rühmann sich von Hildebrand trennen. Er will, aber er kann es nicht. Durch eine Trickblende muß ihnen der Film auf die Sprünge helfen. Rühmann und Hildebrand verdoppeln sich jeweils und treten über ihr alter ego in eine heftige Ablösungs-Szene ein, die doch bloß durch die Delegation der Phantasie an die Trickmaschine eingebildet wird.

Wohlbrück staucht Rühmann, seinen Freund, zusammen. Nicht der Ausgeschimpfte wird immer kleiner, sondern der Sessel, in dem nun ein Häufchen Elend sitzt, wird immer größer. Der kleine Mann in der Männerrolle eines Rennfahrers – eine komische Diskrepanz zur Erscheinungsform – wird durch die Objekte, die ihm tatsächlich über den Kopf wachsen, erniedrigt. Das ist der visuelle Befund. Der psychische setzt einen anderen Hebel an: Wohlbrück spricht mit der Stimme von Hildebrand, also der Geliebten, die er mit seinem Freund »teilte«. Die Abspaltung der Wünsche und Ängste wird durch einen Trick verdeutlicht, der bloß ein komisches Mittel sein will, aber zugleich eine Fülle von Konnotationen freisetzt, die in vielen Richtungen, Stimmungen flottieren. Droht der Freund mit fremder Stimme? Spricht daraus eine neue Allianz? Ist der Trick, die Stimme zu belehnen, Hinweis auf eine »Übertragung«?

Forst schafft Raum, das Unbewußte mitabzubilden, was man im deutschen Film bislang als Alptraum tolerierte (*Geheimnisse einer Seele*, G.W. Pabst, 1926, *Schatten*, P. Robison, 1925), im Faschismus aber abschnitt, um die Ambiguität, derer schlecht Herr zu werden war, auszulöschen. Wohlbrück, der seine sexuelle Aggression gegen Müller zähmen muß, verwandelt diese Energie in einen imaginierten Angriff der Müller auf ihn. Zwischen Tür und Angel der Schiffskabine inszeniert er eine sanfte Vergewaltigung, die er in seinem Kopf dadurch legitimiert, daß er, Trick und Antizipation, Müller als seine Ehefrau ihn mit Geschirr bewerfend projiziert. Die Antizipation als Nebenschauplatz der Gefühle darzustellen, war neu im deutschen Lustspiel, das seine Gags zu selten in der Psyche der Figuren, als Balance von Lust- und Strafaktion, anlegte.

Amerikanischen Komödien zu jener Zeit war das geläufig. Ihr Thema war der offen ausgetragene Geschlechterkampf, der sich aus Energien speiste, die im Wirtschaftsleben, außerhalb der Filmerfahrung, lagen. Darin ging es aber nicht nur um »Der Widerspenstigen Zähmung«, sondern ebenso oft um die Lähmung dessen, der in diesem Dressurakt den Dompteur spielte. Die Auseinandersetzung wurde hart, aber sportlich geführt. Oft ging sie offen oder »unentschieden« aus. Nie jedenfalls gaben die Bilder der Frau, die Dialoge dem Mann recht, oder umgekehrt. Vielmehr wurden Bild und Dialog in den Wettstreit derart einbezogen, daß sie manchesmal das bessere Argument, wenn nicht der lachende Dritte waren. Frank Capra's Komödie *It Happened One Night* (Columbia, 1933) ist ein solches Beispiel, das unter dem Titel *Es geschah in einer Nacht* auch lange Laufzeiten in den Lichtspielpalästen am Kurfürstendamm hatte. In größeren Städten, berichtet Schäfer, war es »bis Mitte 1940« möglich, einen Hollywood-Film in Originalfassung oder synchronisiert zu sehen.[6]

Eine entlaufene Millionärstochter (Claudette Colbert) lernt einen Reporter (Clark Gable) kennen, seine Nützlichkeit in unmöglichen Situationen schätzen und ihn wider Willen, aber mit allen Sinnen lieben. Die Geschichte, die erzählt wird, dient als Vorwand, eine andere, nämlich die der Widersprüchlichkeit der Wünsche zu erzählen. Mit Drive und akzeleriertem Rhythmus setzt Capra sie ins Bild. Ihm zur Seite steht einer der wirksamsten Kunstgriffe der Hollywood-Komödie der Thirties, nämlich die Diskrepanz von Dialog und Bild als Vorwissen des Zuschauers zu inszenieren, der sein Vergnügungsinteresse daraus gewinnt, die Transaktionen der Gefühle (zwischen Gable und Colbert) als permanenten Bluff zu verfolgen. Die Eindeutschung ließ nicht auf sich warten. So groß war der geschäftliche Erfolg des Columbia-Films, daß noch 1941 der Theo Lingen-Film *Was geschah in dieser Nacht?* die Erinnerung an Capra als Spekulation im Titel wachhalten konnte; mehr allerdings auch nicht. 1936 antwortete die Ufa der Columbia mit *Glückskinder* (19.9.36).

Paul Martin, der als Assistent von Charell in *Der Kongreß tanzt* (1931) begann, führte Regie. Er hatte zuvor sich in New York und Hollywood umsehen dürfen. R. A. Stemmle, regieerfahren, und Curt Goetz, witzerprobt, schrieben das Drehbuch. Das Ufa-Traumpaar der Krisenzeit von Weimar erlebte sein Comeback.

Willy Fritsch ist glückloser Reporter, und Lilian Harvey, die sich als Nichte eines Ölkönigs ausgibt, läuft von zuhause fort. Gable liest Colbert an der Busstation auf, Fritsch Harvey im Gerichtssaal. Beide Paare spielen sich und anderen eine Notgemeinschafts-Ehe vor. Um Anstand zu wahren, spannt Gable eine Decke zwischen den Betten auf (»die Mauer von Jericho«); Fritsch schiebt einen Holzrost mit Kakteen zwischen die Betten. Das Drehbuch der Columbia läßt den Vater der Entlaufenen eine Belohnung von $ 10.000 für das Wiederauffinden der Tochter aussetzen, die Ufa bietet $ 50.000. Privatdetektive des Millionärs entführen Colbert; Harvey wird in der Oper entführt. Colbert darf sich bei der Zwangsverheiratung von Gable entführen lassen; Harvey, die den Ölkönig nur vorschob, wird dem Reporter Fritsch standesgemäß verbunden. Wo Capra im Bus New York – Miami eine kleine Musiknummer beiläufig einfügt, führt Martin eine Nonsense-Revue ein. Im Lied vom Huhn, das jeder Sänger hier gern wäre, wünscht Harvey sich, Mickey Mouse zu sein, und Fritsch Clark

Gable. Leider war das Fach schon besetzt. Fritsch konnte diesen Platz erst wieder, gealtert, aber »zeitlos«, einnehmen, als ihn Wohlbrück, exiliert, räumte. Wie weit war das Image von Fritsch und Harvey als »deutsch« verankert, daß sie nun eine amerikanische Story fingieren müssen? Ist die Nennung des Vorbilds (Clark Gable) und das Verschweigen der Entlehnung (Frank Capra) Selbstironie oder bittere Not? Ein Augenzwinkern der Stars, um eine empfindlich geschmälerte Amortisationsbasis zurückzugewinnen? *Glückskinder* ist nicht so eng an sein Vorbild gebunden, daß es nur mit ihm stünde. Der Film hat einige Qualitäten, die im charmanten Leichtsinn der Akteure, dem traditionsbewußten Umgang mit der Musik-Komödie vor 1933 (*Die drei von der Tankstelle*, 1930) und den anzüglichen Dialogen von Curt Goetz liegen.

Zu singen »Das Fräulein Niemand liebt den Herrn Sowieso im Luftschloß Nirgendwo« oder »Ich wollt', ich wär ein Huhn«, bezeugt im banalsten Grund den Demat erialisierungswunsch von sozialer Existenz, oder »positiv« gewendet: die Nichtidentität der Liebenden »Niemand« und »Sowieso« am utopischen Ort, dem »Luftschloß Nirgendwo«. Wo aber die Unterhaltung zur bestehenden Welt keinen Fluchtort mehr bildet, begibt sie sich in eine Negation der bestehenden Welt, die sie in ihrem gesungenen Wunsch gleich mitauflöst. Nicht nur hat Nonsens keinen Ort in der Vernunft; er hatte auch keinen Platz in der Ordnung. DAS SCHWARZE KORPS, die Zeitschrift der SS, war mit *Glückskinder* nicht zufrieden. »Man sage uns nicht, daß solche Schlager humorvoll seien. Humor und Krampf sind zwei grundverschiedene Dinge.«7

Die Leugnung der Identität hat nicht nur ihren utopischen Ort. Im kollektiven Verwandlungswunsch, den Fritsch, im Verein mit den Freunden Oscar Sima und Paul Kemp, singt, hat Lilian Harvey eine genauere Metamorphose im Sinn. Wenn das Männer-Trio tönt: »Denn nur der Mann kann Herr der Schöpfung sein«, so nimmt es wenig wunder, wenn Harvey sich diesem Weltplan unterwirft und singt: »Ich wollt', ich wär ein Mann.« An welchen Eingriffen läßt sich der Paradigmenwechsel von 1933 zu 1936 noch ablesen? Capras Komödie basiert auf visueller, Martins Lustspiel auf verbaler Anzüglichkeit. Capra zeigt reiterierend in seinem Film

PN 1995. 9. N36. W4

LIBRARY BOOK SUGGESTION

8/10/01

(BLOCK CAPITALS ONLY)

8/10/01 RJ

AUTHOR (surname first) WITTE, Karsten

TITLE LACHENDE ERBEN, TOLLER TAG. FILMKO-
MOEDIE IM DRITTEN REICH

Order No
A 33847

Date Ordered
17.10.01

No of copies 1

Supplier
Hom

PUBLISHER VORWERK 8, BERLIN

Recommended by Dr. Dirk Gottsche

Date of Publication 1995

Dept German

Details found
16.11.01
A1. X

User No.

Reserve for

Price DM 48

ISBN 3 30916-02-7

	HBK	PBK				ISBN 3	3	0	9	1	6	0	3	7

48,00 DM		3 9 3	Loan 0 9	Fund
			Loan	Fund German
			Loan	Fund

Control No 6 5 0 4 6 5

www.buchhan
der.de

Record bought _____ (Y) N

den phallischen Charakter der Eroberungsarbeit von Clark Gable. Martin desexualisiert das Vorbild soweit, daß er die sexuelle Aggression dort, wo sie zur Anschauung ins Bild kam, von der Bildfläche in den Dialog verdrängt. Gable spannte die Decke zwischen seinem Bett und dem der Colbert auf. Er nannte das »die Mauer von Jericho«. Jeder Zuschauer, der nur die Sonntagsschule besuchte, weiß, daß jene Mauer einmal fiel, durch Trompeten. Viele Nahaufnahmen übersetzen diese Sexualmetapher in unscheinbare Objekte wie Zigarette, Mohrrübe, Daumen, einem Glasstöpsel, der nicht in die Whisky-Karaffe passen will, oder das Hörnchen, in den Kaffee eingetunkt. Frieda Grafe verwies auf den psychosexuellen Charakter der visuellen Gags und nannte Capras Film »eine Deflorationsgeschichte«.[8] Dem wollte *Glückskinder* nicht entsprechen. So wurde der Film eine Hochzeitsphantasie, die ein geträllertes Lied für musikalischer hielt als eine Trompete.

Amerika war nicht das ersehnte »Nirgendwo«, das machte auch die Ufa klar. Roosevelts Prohibitionsgesetze, Exmittierung von zahlungsunfähigen Mietern, harte Konkurrenz im Pressegewerbe, das zu zeigen erspart der Film sich nicht. Bis in die Details des alltäglichen Designs ist Amerika hier »realistisch« dargestellt; gleich, ob ein Trinkwasserbehälter im Büro, der runde Türknauf oder die Ausstattung eines Drugstores. Mit 1,2 Millionen RM Produktionskosten war dies ein teurer Film, der das Presse-Milieu der MORNING POST sorgsam studierte.

Zum Vorspann des Films, der das soziale Feld situieren will, für das er im Inneren des Films dann keine manifesten Bilder findet, rollt eine Serie von privaten und öffentlichen Sensationen ab, die aus der Titelseite der aufgeschlagenen Zeitung groß herausspringen und durch Trick eingefroren werden. Die Wochenschau zum Film gleichsam, in der ein Foto besonders aufrührt: ein Streik und seine gewaltsame Niederschlagung. Welche Erinnerungen rief ein solches Bild bei jenen Zuschauern hervor, die den Generalstreik nach Hitlers Machtergreifung aus den eignen Reihen der Gewerkschaft eben nicht ausriefen? Andererseits, welches Interesse bestand bei der Ufa, dieses Bild zu zeigen? War es ein Zufall, daß Fritsch ein schlechter Reporter ist und eigentlich Lyriker sein will? Sollte gezeigt werden, daß auch jene Glückskinder seien, die sich eher für Gedichte als für Streiks interessieren? Auch ein »Nirgendwo« kommt von »wo«. Woher kam dieses Bild?

Das Streikbild kam nicht aus dem Archiv der Ufa. Ein Griff zu Joris Ivens' *Borinage* (1934) hätte sich verboten. Aber die Montage aus einem Film, der sozialen Frieden zwischen konservativer Gewerkschaft und dem Kapitalismus predigt, schien willkommen. Diese Bildsequenz stammt wahrscheinlich aus *Black Fury*, einem Film, den Michael Curtiz 1935 für Warner Bros. drehte. Martin hätte den Film bei seinem Studienaufenthalt, den die Ufa finanzierte, in Hollywood sehen oder ihn nach Berlin ordern können. Warum fiel die Wahl auf dieses Streik-Bild? Weil *Black Fury* zeigt, wie Gewerkschaften zu spalten sind, deren Genossen im Einzelkampf gegeneinander vorgehen und sich von einem Wirrkopf (Paul Muni) führen lassen, den man überdies »Joe Radek« nennt – als gälte es, die Russische Revolution noch einmal, und nun im Kohlerevier von Pittsburgh zu desavouieren.[9]

3

Der Amerikanismus schlug nicht nur in den Stoffen durch. Die deutschen Filmstars, die ab 1936 fest im Sattel saßen, hatten ihren Phänotyp mit einem Seitenblick auf die amerikanischen Kollegen gestaltet. Adolf Wohlbrück machte Clark Gable nach; Lilian Harvey versuchte, wie Claudette Colbert zu wirken; Zarah Leander wollte Marlene Dietrich *und* Greta Garbo vergessen machen; Jenny Jugo hat von Jeanette McDonald gelernt, und Marika Rökk hat von Eleanor Powell das Steppen nicht gelernt; Marianne Hoppe war die Antwort auf die herbe Kathrin Hepburn, und Hans Söhnker schließlich drängte in das Fach des Schwerenöters wie der junge Spencer Tracy. Lauter Ersatz-Ideale und Lückenbüßer, die doch nie vergessen ließen, welche Lücke für sie ausgeräumt wurde.

Hans Söhnker ist der Hauptakteur im Geschlechterkampf, der 1936 mit nicht nur komischen Mitteln ausgetragen wurde. In Georg Jacobys *Herbstmanöver* (24.1.36) und in Carl Lamacs *Flitterwochen* (28.5.36) spielt Söhnker den Eroberer. Sein Feldzug wird dadurch legitimiert, daß er zwei feindliche Lager (Gutshöfe) versöhnt, innen mit dem Frieden paktiert, um außen Krieg zu führen, und heißt er auch nur Ehe-Krieg. Noch ist es ein *Herbstmanöver*. Oberleutnant Söhnker und seine Kavallerie treten mit dem Spaten an, um einen Wassergraben auszuheben, der zwei benachbarten, doch verzwisteten Ländereien zugute kommt. Da es sich um das Glück des Offiziers handelt, treten die Kameraden ohne Befehl diesen Dienst an. Sie purzeln aus dem Stroh, fallen aus den Gesindezimmern, eilen aufs Feld und graben, während die Mägde, die sie grade verließen, mit Brotpaketen durch die Nacht zu ihnen eilen. Morgens erfolgt der Durchbruch, Nahaufnahme auf die Schleuse, das Wasser stürzt in den Graben, Schwenk auf das versöhnte alte Paar, das verliebte junge Paar und das in Fruchtbarkeit vereinte Land. Der Oberleutnant heiratet ein Fräulein Dr. jur. (Susi Lanner).

Mit Anny Ondra hat es Söhnker schwerer. Sie spielt eine Frau, die sich aller zudringlichen Männer mit Gegengewalt erwehrt. Wer ihr zu nahe tritt, dem verbrüht sie die Füße. Ihren Mann (Söhnker) läßt sie, als er sie schlägt, in der Hochzeitsnacht sitzen. Sie mixt ihm einen Cocktail aus dem Putzmittel Sidol, den das Drehbuch aber nachsichtig an den Hausdiener weiterreicht. In *Flitterwochen* herrscht erklärter Ehe-Krieg. Es geht aber nicht wie in den amerikanischen Komödien von Capra, Hawks, McCarey oder Cukor um den Wiedergewinnungskampf der Partner, sondern in rechter Eindeutschung der »sophisticated comedy« um den Wiederandienungskampf der Frau. Flitterwochen sind keine Herrenjahre: Anny Ondra muß lernen, sich als Maid und Kellnerin zu verdingen. Ihre Freundin (Carsta Löck) ist Medizinstudentin. Die arbeitet, um zu leben. Ondra arbeitet, um sich die Aussöhnung mit dem reichen Leben zu verdienen. Hier fährt der Film auf zwei Schienen. In Ondra folgt er dem Komödienschema der Realitätsferne, und in Löck folgt er der Realismusforderung des Alltags. Denn 1935 wurde für Männer der Reichsarbeitsdienst eingeführt, das reflektierte *Herbstmanöver*; das Pflichtjahr für junge Frauen wurde zwar erst 1937 eingeführt, aber *Flitterwochen* stimmt die Rollen auch dafür ein.

Noch ist die Ohrfeige für Söhnker nicht gesühnt. Dazu bedarf es eines Karnevals im Hotel »Glückshof«. Söhnker darf maskiert mit Frauen flirten, während Ondra kellnern muß. Ihre Eifersucht ist, sagt das Drehbuch, endlich ein Liebesbeweis. Sentiment nach soviel Zynismus und physischer Gewalt gegen Männer, die man, wettert Adele Sandrock in *Flitterwochen*, alle »verbrennen müßte«. Die Aussöhnung des Paars in der Berghütte, das, im Schnee verschüttet, seine Befreiung von außen erwarten muß, bewacht ein treuer Hund, der auf der Schwelle liegt, bis ihm die Eiszapfen am Kiefer hängen. Weibliche Eifersucht und hündische Treue sind die Garanten dieses Glücks. Ondras Einlenken bestätigt die Devise, die schon eingangs der Film ausgab. Der Schwiegervater sagt zu Söhnker: »Du mußt recht behalten.« Ondra, unter Tränen, ganz Vatertochter, unterwirft sich Söhnker mit dem Satz: »Du bist mein Mann. Ich will, daß du recht hast.« Eine rigide Rollenverhärtung im Dialog; das Bild aber hielt schärfere Waffen parat, die der Frau erst in letzter Minute aus der Hand geschlagen werden.

»Es zeugt vom hohen Niveau der ideologischen Marktforschung im Reichspropagandaministerium, daß man die weiblichen Aussenseiter aus dem Kino vertrieb: die Bergner, die Garbo, besonders die sündige Verderberin Marlene Dietrich. Keine Frau mit der Waffe, denn die Waffe trägt der Mann. Keine Dalila, denn sie bedeutet die Fremde und den Verrat. Der Film des Dritten Reiches kehrte zurück zum Frauentyp des Mädchen im Nebenhaus. Man hatte auch erotisch innerhalb der autarken Volksgemeinschaft zu träumen«, schrieb Hans Mayer in »Außenseiter«.[10] Wie der Frau die Waffe aus der Hand geschlagen wird, mußte Anny Ondra in *Flitterwochen* erfahren. Der Ehekrieg schlug eine militante Note an. Nach *Herbstmanöver* nun *Weiberregiment*.

Dieser Film (9.7.36) war das späte Regiedebüt von Karl Ritter, dem die Ufa, als er 48 Jahre war, den ersten Film anvertraute. Für eine Filmkarriere war es nicht zu spät, denn Ritter sollte sich neben Veit Harlan und Gustav Ucicky als einer der profiliertesten Regisseure des nationalsozialistischen Propagandafilms erweisen. *Weiberregiment* zeigt, was es hieß, »erotisch innerhalb der autarken Volksgemeinschaft zu träumen«. Hier wird ein kollektiver Ehekrieg geführt. Die Bezeichnung »Massenerotik«, die in diesem Bayern- und Bauernschwank fällt, soll komisch sein.

Andererseits hält *Weiberregiment* in aller Derbheit auch den Wunsch nach einem Matriarchat lebendig. Hier regieren Tante und Nichte eine Brauerei und einen Hof, entlassen die Männer, die sich gegen sie verschwören, um arbeitslose Mädchen aus dem Dorf anzustellen. Frauen führen die Hauswirtschaft autark. Nicht sie vermissen die Männer, sondern diese jene. Sogar einen Ball organisieren die Frauen unter sich. Die Männerlist, den jüngsten der Knechte als Frau verkleidet einzuschleusen, ist nicht etwa Eroberungsarbeit durch Erotik, sondern Unterwerfung durch Angst. Der Transvestit läßt einen Koffer weißer Mäuse frei, Panik bricht unter den Frauen aus. Boykott – das Bierbrauen mißlingt – tut den Rest. »Die *gemischte* Wirtschaft ist die wahre Strategie«, heißt es, als die »Festung« der »geladenen« Frauen, die noch »Stellung« hielten, im »Generalangriff« genommen wird. Nicht mehr »Ehekrieg« ist die Metapher, sondern die »Ehe« selber eine Kampf-Formation, Krieg zu führen. Die visuellen Gags sind, ebenso drastisch wie parteiisch, auf Seiten der Männer. Die alte Tante wird im Kuhstall mit aus Eutern gedrückter Milch bespritzt; frustriert läßt sie ihre Wut an Männerunterhosen auf der Wäscheleine aus. Sagt sie »Kopf«, schneidet der Film im Anschluß auf den Kopf einer Kuh. »Was sind Weiber? – Ripperln«, sagt Beppo Brehm, der Koch, mit biblischem Hintersinn.

Das Weiberregiment scheitert nicht an Mißwirtschaft und Hader in eigenen Reihen. Es wird auch nicht durch Männercharme für die Heterosexualität zurückgewonnen. Es mangelt ihm an Herrschaftslegitimation in der Regierung. Denn die Dorfgemeinschaft muß die Tante, die das Regiment führt, als Erbschleicherin entlarven und entlassen. Moralische Korruption muß das Drehbuch als malus ex machina einführen, um die Männer zur Wiederübernahme der Herrschaft zu bewegen. Das impliziert für deren Eroberungsarbeit allerdings auch eine Erschöpfung erotischer Energien.

Die Energie zur Auflehnung der Frauen muß 1936 ziemlich stark gewesen sein; an ihr wird die Energie der Männer, jene sich zu unterwerfen, wachsen. »Daß Napoleon Kaiser in Deutschland ist, ist nicht die Schuld der deutschen Mädel, sondern der deutschen Männer!«, beklagt Jenny Jugo im Erich Engel-Film *Die Nacht mit dem Kaiser* (22.12.36). Hier wird der Ehekrieg im patriotischen Interesse angefacht. Jenny Jugo spielt eine fürs Vaterland entbrannte Schauspielerin, die auf dem Fürstentag von Erfurt (1808) Napoleon aufsucht, um einen politischen Gefangenen, ihren Geliebten, freizubitten und dem Kaiser, der glaubte, eine Provinzgans zum Souper bitten zu können, eine Abfuhr zu erteilen. Dies ist die komödiantische Version des immer tragisch genommenen Preußen-Mythos vom Bittgang der Königin Luise zu Napoleon in Tilsit. In jener *Nacht mit dem Kaiser* entscheidet sich auch, daß Jugo, ewige Statistin am Stadttheater Jena, die trotz kaiserlicher Protektion als Alkmene in Molières »Amphitryon« am Erfurter Theater keinen künstlerischen Durchbruch erzielt, als Patriotin die bessere Künstlerin sein kann. Warum gerade »Amphitryon«? Damit Napoleon sich bei einer von ihm lancierten »Alkmene« als Jupiter fühlen darf? Oder nicht eher, damit Jugo als Alkmene den Begrüßungsmonolog der ihre Rechte einklagenden Frau deklamieren darf? Man hätte ja auch Molières »Ecole des femmes« für die Kaisergala geben können. Das Drehbuch entschied sich für die Überhöhung der Rolle Jugos zur Alkmene; wie um die Satire, die Schünzels Umgang im Vorjahr mit dem Amphitryon-Stoff bestimmte, wieder wettzumachen. Alkmene ist eine aktive Widerständlerin gegen den Herrschaftsanspruch Jupiters, sprich Napoleon.

Als Jugo das Boudoir Napoleons vor ihm betritt, fährt Bruno Mondis Kamera das Bett des Kaisers im 30-Grad-Winkel wiederholt so an, daß aus den Fahrten die physische Bedrohung der Frau durch das Objekt erwächst. Die schrillen Klangblöcke der Geigen, die aufklingen, verstärken den Eindruck der Gefahr. Jugo tastet sich durch den Raum wie durch eine Geisterbahn. Eine Hand aus dem Dunkeln könnte sie unsittlich berühren. Der Kaiser tritt auf. Die Frage nach der Unberührtheit der Frau vor ihm klärt er sachlich. Sie spart sich für den Deutschen, ihren Noch-nicht-Geliebten, auf.

Das Begehren des Kaisers war nicht legitim, das machten die filmischen Mittel eindeutig. Wie das legitime Begehren aussieht, zeigt sich, als Jugos Geliebter (ein Maler, der sich wegen politischer Karikaturen unliebsam bei den kollaborierenden deutschen Autoritäten machte) sich in der Nacht, die Jugo mit dem Kaiser nicht verbringt, allein im Bett findet. Ein Schuh der Geliebten blieb als Indiz ihrer ihm unmotivierten Flucht wie als Insignum erotischer Hoffnung zurück. In Großaufnahme hält der Mann den zierlichen Schnallenschuh der Frau, Sohle an Sohle, auf seinen groben Stiefel. Er nimmt Maß. Seine Schuhgröße ist doppelt so groß wie die der Frau. Das Kleine gilt im sexualpolitischen Kontext der Zeit als komisch, das Männliche als Maßstab. Andererseits ist der Schuh Vorzeichen der kommenden Vereinigung mit der Geliebten, die aus höherer Liebe zum Vaterland die niedere Liebe aufschieben muß. Das Spiel mit dem Schuh visualisiert auch das Versprechen der Redensart, umgekehrt werde ein Schuh daraus. *Ein* Schuh, präzisiert die Männergeste, denn was (im Bett) noch nicht vollzogen wurde, wird im Spiel mit dem Fetisch (unter dem Bett) antizipiert.

Als komisch konzipiert ist der effeminierte alte Poet, der den jungen Maler zur Untermiete aufnimmt, ihn bekocht und versorgt: wie eine »Mutter« das Taschentuch ringt und vom »Sohn« sich eine bessere Zukunft als die selbst verpaßte erhofft. Richard Romanowsky, der oft in solchen Vater/Mutterrollen zu sehen war, spielt den Poeten. Ist das Effeminierte zeitlos komisch? Hier hat es seinen politischen Stellenwert: der Poet verlor seinen Sohn in der Schlacht bei Jena. Das Opfer lebt im Geiste fort, als Bildnis an der Wand, als Reinkarnation in der Gestalt des jungen Malers, dessen Auflehnung die verlorene Schlacht bei Jena in der Leipziger Völkerschlacht wieder wettmachen wird. Das Trauma »Jena« bekundet sich im effeminierten Mann, der als »Mutter« sich dem Patrioten andient. Deshalb ist seine Verweichlichung eine legitime Schwäche, seine Komik eine Strafentlastung für den sichtlichen Verfall als »Mannsbild«.

4

Das Jahr des eingedeutschten Amerikanismus im Film war auch das Jahr der Olympischen Spiele in Berlin. Viele Ausländer nahmen als Wettkämpfer und Zuschauer daran teil, was Leni Riefenstahl zu ihrem Epos *Fest der Völker* inspirierte. Für die Komödien des Jahres war es eher ein Fest der Körper, denn so ausgeprägt wie

1936 durfte die Sexualität, das Begehren der Körper im deutschen Unterhaltungsfilm später nicht mehr gezeigt werden. Fortan ging der Geschlechterkampf um Positionen und weniger um die Haltungen, die die Körper in dieser Auseinandersetzung einnahmen. Die Gegenbewegung, die jene vorsichtig freigesetzten Schritte einer sinn-autonomen Körperlichkeit bremste, ließ nicht auf sich warten. DAS SCHWARZE KORPS hatte anläßlich von *Glückskinder* schon differenziert, Humor und Krampf seien zwei verschiedene Dinge.[11] »Krampf« sollte demzufolge die Lösung der Glieder bezeichnen; »Humor« deren drohende Lähmung.

Die Nacht mit dem Kaiser gab einen ersten Hinweis. Die Franzosen, suggerierten viele Einstellungen des Films, sind gefallsüchtig, geschwätzig und tragen enganliegende Hosen, die ihren begehrenden, begehrten Körper betonen, während die Deutschen ihren Körper in aufgebauschter Pludrigkeit verbergen. Das war noch die schiere Äußerlichkeit. Was deutscher Humor im Gegensatz zu amerikanisch imitiertem Krampf sei, zeigte Carl Froehlichs Lustspiel *Wenn wir alle Engel wären* (9.10.36). Heinrich Spoerl schrieb das Drehbuch nach seinem gleichnamigen Roman, der bis Kriegsende ein durchschlagender Bestseller bleiben sollte.[12] Heinz Rühmann spielte, wie in fast allen Spoerl-Verfilmungen, die Hauptrolle. Zur Prädikatsverleihung an den Film »Staatspolitisch und künstlerisch besonders wertvoll« hieß es begründend: »Wo gibt es in der ganzen Welt noch eine Regierung, die den belohnt, der das Lachen lehrt und das Schmunzeln schenkt?«[13] Der Regisseur wurde später Präsident der Reichsfilmkammer, und sein Drehbuchautor hielt in jener Kammer Goebbels ergebene Reden.[14]

Heinz Rühmann ist Kanzleivorsteher in der Moselgegend. Während seine Frau mit einem italienischen Gesangslehrer flirtet, bummelt er durch Kölner Nachtlokale. Ein doppelt unterlassener Seitensprung, der nahe lag, wird zum Ehebruch stilisiert. Das Gerücht ist schon Skandal, der eine Deklassierung des unbescholtenen Kleinbürgers nach sich zieht, dessen Existenz steht und fällt mit seiner »Mannesehre«. Der Seitensprung, wie er von allen sozialen Orten her vermutet, eingekreist und als ominöser Angriff auf die öffentliche Ordnung gewertet wird, ist der Prüfstein doppelter Moral. Der Mann entlastet sich, indem er seine Frau belastet. Er organisiert seine Angst, indem er sich, im Rausch natürlich, mit dem vermeintlichen Nebenbuhler verbündet zu einer Front der Komplizen. Ist der wahre »Schuldige« gefunden, wird der Italiener, der für deutsche Männer anhaltende erotische Konkurrenz bedeutet, aus der Stadt vertrieben. Die Filmmusik intoniert dazu: »Muß i' denn, muß i' denn zum Städtele hinaus…« Diese Art der Komik, die zur Zwangsexilierung noch ein Volkslied aufspielt, muß gemeint sein, wenn die Prädikatsbegründung von »Schmunzeln« sprach.

Nun zeigt sich Rühmann nicht immer stark. Aber wie schwach auch immer seine Moral sich geben darf, das Drehbuch hilft dieser Schwachheit auf, gibt ihm a priori recht. Sein Tonfall mag zwischen Zerstreutheit und Anmaßung schwanken und die Schrullen eines Bürokraten aufdecken. Was Rühmann durch Körpersprache seiner Rolle an Sympathie entzieht, wächst ihm in der nächsten Situation durch das Drehbuch wieder zu. Seine Frau muß sich aus eigener Kraft behaupten, die natürlich in dieser schärfsten Belastung ihrer Existenz nur abnimmt. Die Damen, die sie zum Kaffee einlädt, kommen zum Kaffee-Klatsch. Sie legen ihre Ohren an Türen und die Augen an Schlüssellöcher, um dem Skandal im Hause des Kanzleivorstands auf die Spur zu kommen. Sie durchsuchen das Haus. Eine komische Szene, die das Spießerverhalten der totalen Kontrolle eines kleinen sozialen Netzes demonstrieren will. Andererseits ist die Situation einer Hausdurchsuchung 1936 so realitätsfern nicht, als daß sie nicht Eingang in das Phantasieprodukt Film finden dürfte. Das Resümee von *Wenn wir alle Engel wären* gibt Rühmann seiner Frau mit auf den Versöhnungsweg, ebenso sentimental wie belehrend: »Siehst du, jeder muß einmal über die Stränge schlagen: in allen Ehren und soweit Platz vorhanden, dann läßt sich's leben in der Welt.« Das waren ziemlich viele Einschränkungen des einen ausgesprochenen Wunsches.

Wenn wir alle Engel wären ist vorstellbar in direkter Nachfolge von *Lachende Erben* (1933), nun im dritten Ehejahr des Heinz Rühmann in den krisenfreien Gefilden der Rhein-Mosel-Gegend. Für Courtade/Cadars rangierte der Film unter der Kategorie »Heimatfilme«.[15] Nicht ganz so krisenfrei zeigte sich die Lage im Berliner Heimat-Film: *Das Veilchen vom Potsdamer Platz* (16.11.36),

Regie: J.A. Hübler-Kahla. Rotraud Richter spielte Mariechen Bindedraht, das Blumenmädchen, und wieder nahm man an der dargestellten Körperlichkeit Anstoß. »Rotraud Richter ist gut. Warum man sie so komisch angezogen hat und mit besonderer Vorliebe anscheinend in Höschen von hinten photographiert, ist uns nicht ganz verständlich«, gab DER DEUTSCHE FILM zu bedenken.[16]

Aber nicht um die erotische Faszination der proletarischen Nymphe vom Potsdamer Platz geht es: sie wird bloß instrumentalisiert, um die Nebenhandlung aufzuwärmen: Wie kann man die unrentable, abgehalfterte Tradition, die dem Untergang, der banalen Verwurstung überantwortet werden soll, retten? Durch Reintegration in das neuerwachte Nationalbewußtsein. Auch deshalb heißt jenes Blumenmädchen Mariechen Bindedraht. Sie stiftet die Verbindung zwischen den ideellen und den materiellen Interessen. Ihre Sinnlichkeit kuppelt.

Als Fabel erzählt, muß man den Film in überschaubare Beziehungen zerlegen. Ein altgedientes Kutschpferd wird durch Mietschulden seines Besitzers an den Mietsherrn überschrieben, der von Beruf Schlachter ist. Das Blumenmädchen ist die Enkelin des alten Kutschers, der nicht weiß, wie das Pferd und den eigenen Hals retten. Zwei Wege führen aus der Krise, die Unterwelt und die Polizei. Sowohl ein krimineller Untermieter in des Kutschers Wohnung als auch ein Polizist interessieren sich für eine in der Krise deklassierte Angestellte, die gleichfalls in der Mietskaserne wohnt. So, wie sie sich für die Polizei zu entscheiden weiß, reißt das Drehbuch das bedrohte Pferd aus den Händen des Schlachters und wendet die Exmittierung des alten Kutschers ab. Das Pferd, Reitpferd im 1. Weltkrieg, wird »zum Helden mit großer Vergangenheit« erklärt und fristet nun bei der Wehrmacht sein nationales Gnadenbrot. Nicht das liebende junge Paar (Polizist und Sekretärin) zeigt der Film am Schluß, sondern ein ungleiches, in familiären Banden und Tierliebe verbundenes Paar, Großvater und Enkelin, das durch eine Birkenallee ins soziale Märchen schreitet. Das Glück, lehrt der Film, besteht in der akuten Notvermeidung. Nicht die Liebe hat die Krise überwunden, sondern das entscheidende Eingreifen der Ordnungsmächte.

Noch die Krisenbilder knüpfen an eine visuelle Technik an, wie sie im proletarischen Film vor 1933 sich auszubilden begonnen hatte. Das Blumenmädchen und ihr Freund radeln zur Trabrennbahn, von Berlin-Mitte nach Hoppegarten, nicht aus sportlichem Interesse, sondern in der Hoffnung, dort einen Wettgroschen zu gewinnen. Die Kamera verharrt bei den kreisenden Rädern, dem energischen Tritt in die Pedale, dem Schatten der Räder, der über die Straße flitzt. Dann Schwenk auf die Gesichter der Fahrenden, erneutes Absenken und Schnitt: auf die Räder der Trabwagen. Der Rakkurs der Bilder schneidet von identischer Bewegung zwei verschiedene Orte zusammen. Durch diese Ellipse gewinnt der Film Erzählzeit. Aber jenes Bild von den rasenden Rädern der Proletarier erinnert auch stark an die durch *Kuhle Wampe* (1932) berühmt gewordene Jagd nach Arbeit, auf der die Arbeiter ihre Zeit mit dem vergeblichen Suchen nach Arbeit vertun. 1936 bietet die Wehrmacht ja nicht nur den Weltkriegsgäulen Gnadenbrot, sondern vielen Arbeitslosen einen krisenfesten Arbeitsplatz.

Ansonsten werben die Rundschwenks über den Potsdamer Platz an diversen Litfaßsäulen für diverse Konsumgüter, nicht für politische Parteien. In der Hotel-Lobby, wo sich die Ganovenbande trifft, fährt die Kamera nahe an ein Plakat heran, das New York zeigt. Es wirbt für »Urlaub in Amerika«.

Mädchen für alles und nichts

I

Die Kunst als Kunst hat Goebbels verachtet, die Kunst als Kriegs-kunst 1939 später gefeiert. Der Vorsatz »Inter armes muses silunt« wurde ihm zum Satz: »Inter armes muses sunt.« Nicht nur ver-langte Görings Vierjahresplan nach Ersatzstoffen, auch Goebbels' Strategie sann auf Ersatzbegriffe. Am 5. März 1937 hielt der Reichs-propagandaminister in der Kroll-Oper Berlin eine Rede vor der Reichsfilmkammer. Hier empfahl er der Filmkunst eine neue Rol-le, »die große und gütige Trösterin« zu sein, der sich das Publikum als »der großen Mutter unserer Freude hingeben« solle.[1] Die Wen-dung verrät zweierlei im Entwurf zum Film als kollektiver Phan-tasie. Erstens wird die Mutter-Imago in der Rezeption des Films beschworen, was als Rezipienten Kinder verlangt, und zweitens wird die einmal zugeschriebene Desexualisierung der Situation durch die Wendung von der »Hingabe« sexuell neu konnotiert. Kunst als mütterliche Trösterin, das ist eine Männerphantasie, die eben Regression nicht einmal mehr phantasiert, sondern als Phan-tasievorlage verordnet.

»Ich halte nichts«, fuhr der Minister fort, »von der geschlechts-losen Art und tendenzlosen Kunst. Jede Kunst hat eine Tendenz«.[2] Indem Goebbels »tendenzlos« mit »geschlechtslos« analogisierte, nahm er eine weitere Ersatzoperation zur Desexualisierung von Kunst vor. Nicht so radikal, wie es hier klang, denn er will der Kunst eine Triebenergie: die Libido, nehmen, um ihr eine andere zu implantieren: die Tendenz. Genau darin lag ein aufschlußrei-cher »Fehler« in der Kunstpolitik des Nationalsozialismus, der glaubte, mit der Entsinnlichung den nach wie vor virulenten Ma-terialismus auszurotten, und der sich nie selbst bewußt wurde, daß er mit den Sinnen Politik machte. Das war, gemessen an eigener Doktrin, verpönt. Der Widerspruch hatte zur Folge, daß diese hier geforderte Entstofflichung der Körper, die Entsinnlichung des Kinos als der »gewaltigen Libido-Maschine«[3], zur relativen Wirkungslosigkeit der Propagandafilme im Nationalsozialismus führte. An die Stelle der tabuisierten Sexualität sollte die Tendenz treten, was mißlingen mußte, da ein Tabu, im sozialpsychologischen Sinne verhängt, ein unbesetzbarer Ort bleiben muß. Das macht den Sog noch seiner Negativwirkung aus.

Wenn also die Kunst Goebbels' Maximen gemäß eine neue Sinnlichkeit in der noch auszubildenden Tendenz finden sollte, mußte sie auch in der Rezeption einen neuen Ort aufsuchen. Kino durfte nicht länger an die ungeteilte Sinnlichkeit von Kopf und Bauch appellieren, sondern sollte nun »ein Problem behandeln, das die Herzen ergreift«.[4] In einer späteren Rede, 1941, wurde Goebbels deutlicher. Der Film »appelliert nicht an den Verstand, nicht an die Vernunft, sondern an den Instinkt. Er ist eine sinnliche Kunst insofern, als er in der Hauptsache das Auge durch das Ohr anspricht, im elementarsten Sinne den menschlichen Organismus«.[5] Das ist in nuce die Filmtheorie von Goebbels, der die Praxis nicht immer entsprach. Worin besteht diese Filmtheorie der vermeintlich unmittelbaren Konkretion auf das Publikum?

Sie besteht in zwei Reduktionen: des Verstandes auf »Instinkt«, der Sinnlichkeit auf »Organismus«. Hat man seit der Phänomenologie und der Gestaltpsychologie, deren direkte Schüler Kracauer und Arnheim waren, die Begründer von Filmtheorie in Deutschland, angenommen, daß der Zuschauer im Kino den Impuls der visuellen Bewegung *vor* dem Ton, der Musik, dem Dialog folgt, so kehrt Goebbels die Prioritäten unter den Sinnen wieder um. Er behauptet, daß der Film »das Auge *durch das Ohr*« (m. Herv.) anspricht. Das kann nur darauf deuten, daß Goebbels, natürlich selber auch ein Produkt des Nominalismus, dem laut gewordenen Sinn den Primat vor dem bewegten Bild verleiht, das mindestens in gleichem Maße wie die Tonspur als Sinnträger erscheint. Die Komplexität der sinnlichen Signale, die Botschaft der Bilder soll manifest ins Ohr dringen, um von dort aus dem Auge einen Sinnimpuls zu geben, wie das Bild zu lesen sei. Damit ist die Theorie der Sinne, wie sie gelten soll, entworfen. Tendenz: das sind die Ohren-Filme; Unterhaltung: das sind Augen-Filme.

Die Totalisierung des Menschen, wie Goebbels sie anstrebt, soll erfolgen über die Partialisierung seiner Sinne. Weiter unter Analogiezwang, mit dem Goebbels die Welt schrumpfen ließ, definiert er den Nationalsozialismus als »die Luft für die menschlichen Atmungsorgane. Wir atmen ihn ein und atmen ihn aus. Wir leben in seiner Atmosphäre.«[6] Hatte mithin der Nationalsozialismus, den man ja auch ausatmen konnte, nur atmosphärische Gestalt, eine ephemere Form? Sah das Publikum die Filme etwa mit der Lunge, behielt es im Kino den Kopf nicht auf? Wurden nur Herzen ergriffen? War die Kunst »nichts anderes als Gestalter des Gefühls«?[7]

Sehen wir zu, in welchem Interesse Goebbels die Reduktion der Sinnlichkeit, die Scheuklappen fürs Publikum verhängt. Wenn er alles mit Tendenz durchdringen will, so kann alles noch nicht davon durchdrungen sein. Ein Rest bleibt, der sich als ziemlich groß erweist: die Konkurrenz des US-amerikanischen Filmmarktes, der ja die Augen des Publikums noch immer stark in Bann zog. »Uns fehlt das Geld, das Amerika mit seinem Menschenreichtum und seinem Kapitalreichtum besitzt. Uns fehlt auch die Sonne Kaliforniens«[8], erklärte Goebbels den Rückstand der deutschen Produktion im Vergleich mit Hollywood, dessen Marktvorherrschaft Goebbels wahres Filminteresse an den Tag legte: das Interesse an Hegemonie und Marktkontrolle. 1941 war es soweit: »Wir können heute Europa«, verkündete Goebbels, »als unser Exportgebiet ansehen. Die Amerikaner als Konkurrenz sind ausgefallen.«[9]

Wie zeigte sich der eingedeutschte Amerikanismus nicht in der Produktionsgestaltung, sondern der Produktionssphäre selber? Als straffe Durchrationalisierung der deutschen Ateliers, wie sie die 1937 schon fast abgeschlossene Verstaatlichung der Filmindustrie garantierte. Goebbels kritisierte im Jahr 1941 die Privilegien der Filmdarsteller, die er beschneiden will. »Das ist in Amerika längst abgeschrieben und existiert nicht mehr. Eine ganze Reihe von größten Leistungen der amerikanischen Produktion sind überhaupt nur auf die absolute Präzision, Systematik des Filmschaffens zurückzuführen.«[10] Hier findet sich, viel zu wenig beachtet, ein Hinweis, daß Goebbels sich nicht besonders faschistische Maßnahmen zur Reglementierung aus der Reihe tanzender Filmkünstler ausdenken mußte. Sein Vorbild war, ohne daß er es benannte, das durch Irvin Thalberg bei der großen M.G.M.-

Produktion begründete »Studio-System«. Am gleichen Tage, als qua Erlaß die totale Verstaatlichung der deutschen Filmindustrie abgeschlossen war, nämlich am 28.2.1942, präzisierte Goebbels, in welchem Sinn er das Studio-System im Reich durchzusetzen gedachte. Die Monopolisierung im Wirtschaftlichen war vollzogen, was der Propagandaminister aber in geläufiger Ersatzoperation als Polypolisierung im Künstlerischen darstellt: »Es sollen nicht etwa von der großen gemeinsamen Firma wirtschaftlicher Art die Produktionsgemeinschaften geschluckt werden, sondern diese sollen ihr Eigenleben noch stärker als bisher fortsetzen. Das beste Mittel dazu ist meiner Ansicht nach die Hereinnahme von Künstlern in eine Hausgemeinschaft.«[11] Die Zwangskorporation als Hausgemeinschaft, in der mehr »Familie« als »Produktion« anklingt, auch das war rhetorische Ablenkung von der scharfen Rationalisierung. Denn daß auch eine deutsche Traumfabrik eine Fabrik ist, hatte Goebbels schon 1937 seinen Hörern nicht verhehlt: Die Filmkunst »fordert und verbraucht den ganzen Menschen, und sie wirft den verbrauchten Menschen zum alten Eisen.«[12]

2

Es gibt noch einen anderen Grund, aus dem die Filme des eingedeutschten Amerikanismus sich einer anhaltenden Popularität erfreuten, nicht nur auf Seiten des Publikums, sondern auch auf Seiten derer, die Programme entwarfen. Die Hollywood-Filme versprachen eine Augenlust, die unbelastet war von der Tradition, von der Klassik anderer Medien. Die Stoffe waren oft original für eine bewußte Filmrealisation geschrieben und nicht adaptiert. Die Amerikaner, erkannte Goebbels als Ästhetiker, fanden, »was wir erst auf Umwegen zu finden hatten, nämlich den Film von der Literatur loszulösen, seine Bindungen und Bande mit dem Theater abzuschneiden und ihn zu einer eigenen individuellen und in sich ruhenden Kunst zu machen.«[13] Lebhaften Beifall verzeichnet das Protokoll seiner Rede von 1941 an dieser Stelle, die von den Filmschaffenden dennoch nicht verstanden wurde. Goebbels postuliert, für sich genommen, hier ein avantgardistisches Argument für eine genuine Filmkunst und stand mit dieser Forderung allein. Nur wenigen Filmen aus diesem Jahr gelang in Thematik und Gestaltung, dieser dem Hollywood-Film abgesehenen Ästhetik zu entsprechen.

War die Kunst von Goebbels schon zur »Trösterin« degradiert worden, so herrschten doch innerhalb der Kunstprodukte unter den Figuren Kämpfe. Die rebellischen, widerspenstigen Frauen waren noch nicht zur Zähmung bereit. *Sieben Ohrfeigen* (3.8.37) legt Zeugnis ab von diesen Auseinandersetzungen. Paul Martin führt Regie; für Buch, Kamera und Darsteller standen ihm die Mitarbeiter aus *Glückskinder* vom Vorjahr zur Verfügung; es scheint, die Ufa plante des Erfolgs wegen eine Fortsetzung, wiewohl Goebbels Serienfilme untersagt hatte. Der Film spielt in England. Willy Fritsch ist Kleinaktionär, der bei einem Börsenschwindel der Union-Werke (Stahlfabrik) durch den Magnaten Terbanks seine Einlage von 7 englischen Pfund verliert. Im Namen − obschon ohne Auftrag − »aller, die nicht *mehr* als 7 Pfund zu verlieren haben«, gelobt der betrogene Einleger, am Fabrikanten sich für jedes verlorene Pfund durch eine Ohrfeige zu rächen. Der Plan wird durchkreuzt durch Lilian Harvey, die Tochter des Stahlfabrikanten, die zwar »am liebsten« ihren Vater heiraten möchte, dann aber doch Fritsch, dem tüchtigen Aufsteiger, anheimfällt. Die letzte Ohrfeige erhält *er*, von ihr. Die Kritik versöhnt sich mit dem Kapital und wird brave Buben zeugen.

Wieder verrät die Fabel den massiven Integrationswunsch jener Kreise, deren Besitz wo nicht verstaatlicht, so doch popularisiert wird durch den kleinen Mann, der sich als aggressiver Kritiker des alten Betriebs zum Nachfolger und Schwiegersohn empfiehlt und zugleich alle Führungseigenschaften zeigt, die im neuen Betrieb vom Zeitgeist verlangt werden. Denn daß alle Kleinaktionäre Großkapitalisten werden wollen, ist nicht die Tendenz des Tages, sondern eine Täuschung darüber, daß Fritschs Devise einmal an andere Kreise als Kleinaktionäre, nämlich Proletarier appellierte, die »einst nichts als ihre Ketten zu verlieren« hatten und heute »nichts als ihre 7 Pfund«. Mag sein, daß die Entlehnung nicht unbedingt sich auf die Losung aus dem »Kommunistischen Manifest« bezieht; gewiß ist aber doch, daß hier wieder mit einem Ersatzstoff gearbeitet wird, oder um die Beobachtung der illegalen Berichterstatter aus dem Reich aufzugreifen, daß hier das Hakenkreuz auf Hammer und Sichel genäht wurde.[14]

Ein anderer Nachzügler der eingedeutschten sophisticated comedies ist *Capriolen* (10.8.37), der in New York spielt. Gustaf Gründgens führt Regie, das Team aus *Allotria* (Jochen Huth und Willi Forst, auch Produzent) schrieb das Drehbuch. Die Fliegerin Mabel Atkinson (Marianne Hoppe) wird auf dem Flughafen vom Reporter Jack Warren (Gustaf Gründgens) zum Interview erwartet. Er gerät aber an einen Film-Vamp. Erst beim Zahnarzt lernt er die Richtige kennen, als die Fliegerin durch Angst vor Schmerzen sich als Frau erweist. Sie lockt den Zeitungsmann zum Interview ins Flugzeug und setzt ihn halsbrecherisch ihren Capriolen aus. Auf die Notlandung folgt die Heirat. Der Mann verhängt Arbeitsverbot über die Frau, die ungerührt zu einem Rekordflug San Francisco – Sydney startet. Nachdem sie ihren Mann, durch seine Bücher als Frauenkenner ausgewiesen, mit dem Vamp ertappt, reicht sie die Scheidung ein. Versöhnung, noch bevor der Spruch des Richters erfolgt, und für die Nebenbuhlerin, die sich ins Eheglück eindrängte, keine Ohrfeige, sondern ein Schlag aufs Gesäß.

Die Schauspieler sind weniger komisch; Gründgens, der wie auf einer Bühne direkt in die Kamera agiert, ist ein nervös verschliffener Darsteller einer Rolle, die ihm während des Spiels abhanden kam. Besser als für eine Zeitung zu recherchieren, kann er singen – so wie Fritsch, Reporter in *Glückskinder*, lieber Gedichte schrieb. Gründgens singt hier, das sind *seine* Capriolen, einige Chansons nach einer Musik von Peter Kreuder. Als Regisseur gelang ihm auf der Tonspur ein subtiler Gag. Das hitzige Gefecht der Scheidungsanwälte wird in der Tonstärke immer schwächer gedreht, so daß im subjektiven Ton-Raum des zu scheidenden Paares plötzlich Platz zur leisen Wiederannäherung erwächst. Der Dialog arbeitet weniger mit Übergängen. Was das Drehbuch von »Scheidung« hält, erklärt es durch den Gag, wenn das Paar sein Stichwort, von dem es offenbar keinen Begriff hat, im Lexikon-Band »Schaf bis Schmieröl« aufsuchen muß. *Capriolen* ist gewiß mehr als ein »beklagenswert alberner Film«.[15] Er hat seinen Stellenwert in der komischen Sanktionierung von Frauenarbeit in angestammten Männer-Domänen.

Carl Boeses *Mädchen für alles* (27.9.37) könnte eine Fortsetzung von *Capriolen* sein. Mädchen für alles ist Grethe Weiser, die immer komisch durch hohe körperliche wie stimmliche Beweglichkeit ist. Sie arbeitet als Hausangestellte bei einem deutschen Journalisten, der abhängig ist von seinem amerikanischen Verleger. Außerdem muß sie zweimal die Woche die Wohnung eines abwesenden Fliegers putzen. Als der zurückkommt, hat sich Weiser in sein Bild verliebt, gleichsam in ihrer Phantasiearbeit sich ihm schon als Mädchen für *alles* angedient. Zuvor muß sie aber noch eine groß-bürgerliche Suppe versalzen. Die Herrin des Hauses will den Flieger mit ihrer (ungeheuer gemein wirkenden) Schwester verkuppeln und feuert Weiser, die sich den amerikanischen Verleger angelt, nur um als Verlobte an seiner Seite an den Tisch ihrer alten Herrschaft gebeten zu werden.

Die Frauen rivalisieren um ihren Triumph und strafen sich mit Verachtung und Demütigung. Konkurrenz unter Männern ist Thema eines Problemfilms; unter Frauen: ein Komödienstoff. Zerschmettertes Geschirr, geplatzte Kleider, verstörte Gesichter und chaotischer Aufbruch der Gäste. Weiser zieht den Verleger auf ihre Seite, er macht mit dem als Erfinder glücklosen Flieger einen Vertrag: die Vorklausel zum Ehevertrag. Bei der ersten Dienstanweisung, in der Wohnung des Fliegers »zwei Mal die Woche Staub« zu wischen, hatte Weiser empört reagiert und den Flieger stehen gelassen, als ob er einen unsittlichen Antrag ausgesprochen hätte. Er hatte; und da die Sexualmetapher situationsgerecht eingekleidet war, durfte sie passieren.

Als komisch gilt hier der Rollentausch der Stände und die Tüchtigkeit der Frauen, die einst als Mädchen für alles, im Stand der Ehe: nichts mehr gelten, und sich nur noch der Arbeit am Glück widmen, das in Selbstaufgabe und Arbeitsverbot besteht. Die Sympathie gilt Grethe Weiser, die ihren ersten Arbeitsplatz verlor und nicht nur in erotische Mißverständnisse geraten war, sondern auch in nationale, wie der Film suggeriert, ohne es zu erzählen: denn daß der deutsche Journalist von einem amerikanischen Verleger abhängig ist, machte ihn zum Vorgesetzten einer Hausangestellten nicht eben geeignet. Andererseits war der Verleger gut genug, den Onkel aus Amerika zu spielen und das importierte Glück zu garantieren.

3

Joe Stöckels Militärschwank *Der Etappenhase* (16.3.37) ist ein Film, der, in Abwesenheit der Frauen, sich Ersatzfiguren schafft, so wie der ganze »Witz« des Films im Ersetzen des einen durch das andere besteht und die Geschichte eine Katze als Hasenbraten verkauft. Schon zum Vorspann verrät er sein Geheimnis, indem er neben dem Titel links einen Hasen und rechts eine Katze malt. Darum scheint es also nicht in erster Linie sich zu handeln. Der Film beruht auf dem gleichnamigen niederdeutschen Theaterstück, das Karl Bunge 1935 verfaßte, dem Jahr der Wiedereinführung der allgemeinen Wehrpflicht.[16]

Der Etappenhase spielt an der Westfront 1915. Ein Fronttrupp und sein Leutnant werden in der Etappe einquartiert, wo der Ortskommandant die Offiziere zum Hasenbraten einlädt. Nun schoß aber der Koch (Günther Lüders) den Hasen und serviert dem Stab eine erlegte Katze. Der Koch schießt auch besser als der Ortskommandant, denn er hat Fronterfahrung. Der Schwank dreht sich um den Gegensatz von Front und Etappe. Da der Offizier nicht komisch sein darf, ist es sein Adjudant. Er heißt Hasenbein und ist Zielscheibe des Fronthumors. Hasenbein ist: »Etappenhengst, feiner Pinkel, Schleimscheißer, Drückeberger, Schreiber«. Nicht nur, daß der Adjudant mit Fäkalausdrücken belegt wird, er hat zudem empfindliche Augen und gespreizte Manieren. Auf dem Tanzboden wird er durch die Frontsoldaten von den Tänzerinnen abgedrängt und von einem Feldwebel zum Tanzen aufgefordert, in dessen Zangenarme genommen. Hasenbeins Demütigung besteht darin, als Mann verachtet und als Frau behandelt zu werden. Er ist ein Ersatz. Ihm kommen die Frauen nicht zu.

Denn: diese flandrischen Frauen haben auf Frontsoldaten gewartet und nähen, waschen freudig die Uniformen der Eroberer. Lüders Parole heißt: »ne Deern requirieren.« Nur konsequent ist, daß der Hase Beutestück der Mannschaft wird, der Frontleutnant bei seinen Leuten ißt und die Etappe mit einem »Dachhasen« abgespeist wird. Denn die Etappe ist der Innen-Feind, der auch wie eine Frau behandelt wird. »Im Felde unbesiegt«, war der Front-Mythos der Ludendorffs und Co., die im Novemberputsch und Marsch auf die Feldherrnhalle in München die Revolution von 1918 vergessen machen wollten. Vielleicht auch deshalb, in jedem Fall: um die Integration der deutschen »Stämme« zu befördern, ist im Film (gegenüber dem niederdeutschen Stück) ein Bayer in den ansonsten niederdeutschen Fronttrupp aufgenommen. Als der seinen flandrischen »Schatz« wieder verläßt, weil er »ins Feld« geht, läßt er sein Halsamulett zurück. Ein Liebespfand, das ihm die Mutter, nicht etwa ein Mädchen aus der Heimat mitgab. Daß die Geliebten der Soldaten zu Delegierten der Soldatenmütter werden, ist ein unverzichtbarer Topos im NS-Propaganda-Film, so beispielsweise in *Sechs Tage Heimaturlaub* (1941), oder *Mann für Mann* (1939).

Eher ein militanter Schwank als ein Aktions-Film ist Veit Harlans *Mein Sohn, der Herr Minister* (6.7.37), der das »Unglück der Republik« verhöhnt, um die französische Regierung des Front Populaire zu treffen. Hans Moser ist Amtsdiener im Vorzimmer eines gemäßigt linken Ministers, der den Einflüsterungen eines kommunistischen Abgeordneten und den Reizen einer Chansonette erliegt. Diese Sängerin heißt Betty Joinville, was ein praktischer Filmscherz war: denn Joinville ist die Pariser Vorstadt der Ateliers, in denen die emigrierten Regisseure, die Harlan das Feld überlassen mußten, ihre Entrée-Billets nach Hollywood drehten, wie z.B. Lang, Siodmak und Wilder; auch Pabst, der allerdings »heim ins Reich« zurückfand.

Interessant an Harlans Film ist die Repräsentanz der Frauen. Mutter und Ehefrau des Ministers wohnen im Ministerium. Um seiner Frau seinen Wunsch nach getrennten Schlafzimmern plausibel zu machen, argumentiert er: »Mama ist Sadistin!« Damit nicht genug: diese trifft als Vorzimmerdame die Entscheidungen darüber, wer Zugang zu ihrem Sohn hat. So wird ein unfähiger Minister diskreditiert: nicht durch unzulängliche Politik, sondern durch eine moralisch fragwürdige Mutter. Die Mutter, so erweist sich zu ihrer Strafe, ist die Exfrau von Hans Moser, dem sie davonlief, einem Industriellen zuliebe. Nun würde ihr Sohn zum Werkzeug ihrer Leidenschaft zur Macht, wachte da nicht Hans Moser über seinen mißratenen Sohn, von dem er Politik und Frauen fernhält. Kaum ist, durch kommunistische Machenschaften, Moser selbst zum Minister ernannt, erklärt er als Regierungsprogramm: »Jetzt wird aufgeräumt mit den Parasiten, Schiebern, überflüssigen Existenzen.« Kein Zweifel, daß mit diesen Bezeichnungen: die Demokratie, die Presse, die Frauen gemeint sind, wenngleich man Abstriche im Sinn dadurch buchen darf, daß Moser mit dem Körper dementiert, was sein Mund gesagt hat. Aber zu dieser Äußerung tritt das »komische« Bild eines Alptraums, in dem eine Dampfwalze namens »Demokratie« Moser frontal überrollt.

Platter konnte Harlans Dementi von Mosers auflehnenden Zuckungen nicht ausfallen. Zum Schluß singt die Chansonette das Lied: »Wir wechseln die Männer und treu sind wir nie.« In der Regel ist der Zynismus nicht auf Seiten der Frauen, und wenn: dann bei den Wankelmütigen. Hier trifft der Zynismus alle Frauen, die einen schwachen Politiker als herrschsüchtig, verräterisch oder mindestens kapriziös umgeben. Sie machen jene Politik, die der Mann nicht macht, und das ist so komisch, daß es die Frauen monströs verzerrt.

4

New York war, so der Städte-Topos deutscher Filmkomödien, der Ort der schnellen Geschäfte, London die Stätte des Sports und lässiger Herren, während Paris ein Hort des Lasters und des Luxus war. E.W. Emos *Die Austernlilli* (3.8.37) läßt seinen Vorspann auf dem Hintergrund des Arc de Triomphe ablaufen. Dann beginnt ein musikalisches Lustspiel, das die Freuden des Luxus mit dem Laster der Arbeit versöhnt. Lilli ist Revuetänzerin und Angestellte in der Austern-Bar. Sie hat zwei Berufe, aus Not, nicht aus Extravaganz. Aber die Not wird ihr nicht abgenommen. Das Gerücht kommt auf, sie sei die Tochter des Austernkönigs van Mühlen.

Sagt sie, ihr Vater sei Lokomotivführer, hält man gerade das für eine Laune einer Millionärstochter. Wieder verbindet sich die Aufstiegsillusion mit dem Abstiegskalkül: der Austernkönig gibt sich als sein Sekretär aus, sein Diener auf Geheiß des Herrn als Austernkönig, und das Revuegirl spielt so lange die Tochter des Millionärs, bis sie dessen Frau wird. Nicht nur das Thema erinnert an die vielen »run-away-heiresses«, die entlaufenen Erbinnen der Hollywood-Komödie zu jener Zeit. Auch die Besetzung der Austern-Lilli mit Gusti Wolf erinnert an jenen Star, der die Erbinnen in den eingedeutschten Fassungen der Hollywood-Komödie spielte: Lilian Harvey. Die spielte zur Drehzeit in Rom im italienischen Film *Castelli in aria* und war nicht zu haben. Die zweite Besetzung erinnert aber sehr stark an die erste. Wollte Harvey in *Sieben Ohrfeigen* nicht am liebsten ihren Vater heiraten – ein Wunsch, den ihr »Double« sich gleichsam für sie erfüllt?

Diese vielen Verwechslungen und angenommenen Identitäten haben nicht nur komische Funktion. Im Reich der Wünsche präludieren sie jene Verhältnisse, die unter dem Deckmantel falscher Identität schon inzestuös mit der richtigen Identität, d.h. dem Wunschpartner spielen. Die vielen fadenscheinigen Verkleidungen dienen andererseits dazu, interesselos geliebt zu werden und der Illusion anheimzufallen, den Menschen von seiner Arbeit abzuspalten. So mächtig wird dieser Wunsch in *Austernlilli*, daß der jungen Frau der Doppelberuf nicht geglaubt und das Angestelltendasein nicht abgenommen wird. Unrealistisch »macht« sich der Film allein durch stichomythisch ausgetauschte Botschaften aus dem Arbeitsleben, die sich die Angestellten der Bar zusingen. Theo Lingen arrangiert in einer Revue-Szene die Girls zu einem Bild »Meeresfauna«. Das mag im Zusammenhang mit dem Milieu »Austernbar« Stimmung sein, spricht aber auch im allegorischen Verfahren für die Auslösung der Frauen aus dem Angestelltendasein durch einen uniformierenden Zugriff. Die einzelnen Sequenzen des Films werden durch eine erstaunliche Variabilität an Blenden und Überblendungen zäsuriert, insbesondere Kipp-Blenden, die vertikal und horizontal aufgezogen das Bildfeld (Kader) bewußt zu einer Illusionsbühne machen. Andererseits ist ein Plakat in der Kulisse »Paris« angeschlagen, das einen Klavierabend mit Elly Ney ankündigt.

Nach einem Theaterstück von Avery Hopwood drehte Wolfgang Liebeneiner, mit Heinz Rühmann in der Hauptrolle, *Der Mustergatte* (13.10.37). Im nächsten Jahr schon wurde Liebeneiner zum Professor und künstlerischen Leiter der Deutschen Filmakademie in Babelsberg ernannt. *Der Mustergatte* wurde zum Spitzenreiter der Spielzeit.[17]

Rühmann ist kein deutscher Bürokrat. Er ist Sportsmann, Gentleman, Geschäftsmann und, wie es die Mode des Films will, Engländer. Die Kamera eröffnet mit einer Einstellung auf drei historische Fotos: die Dynastie des Londoner Bankhauses Bartlett. Schnitt auf den Tennisplatz: der Erbe entspannt sich beim Spiel. Zurück ins Bankhaus. Aufregung herrscht, als drohe Bankrott. Auftritt Rühmanns, nach dem Muster-Sportsmann nun ein Muster von Geschäftsmann. Die Sorge war voreilig. Der Bankier hatte vorsorglich in Kupfer spekuliert, seine Börsenpapiere sind stabil. Die Bankangestellten bilden Spalier, der neue Kupferkapitän nimmt die Huldigung seiner Mannschaft entgegen. Der raschen Exposition folgt ein ebenso schneller Gegenentwurf.

Rühmann verliebt sich in Venedig und lebt fortan, treu der Devise: »Solide Grundsätze, solides Vorleben«, als Mustergatte seiner Frau. Er führt seine Ehe wie sein Bankhaus, angelt auf dem Hausboot und löst Kreuzworträtsel. Seiner Frau liest er jeden Wunsch von den Lippen ab, bis diese wunschlos bleiben. Dieses Bild moralischer Unfehlbarkeit erhält einen Riß. Seinen Geschäftspartnern verspricht der Bankier Gesteinsproben, und aus dem Koffer, der die Runde macht, quillt Damenwäsche. Die Franzosen und Holländer trinken zur Besprechung Milch und lassen, fett und träge, verlauten: »Nur in einem gesunden Körper lebt ein gesunder Geist.« Hier mokiert sich der Film über eine Devise, die nicht nur durch die Olympiade 1936 Auftrieb hatte. Liebeneiners Komik arbeitet mit ostentativem Kontrast von Wort und Bild.

Zweite Peripetie: die Frau des Mustergatten will sich scheiden lassen. Ihr Gatte ist ein Muster ohne Wert für sie. Sie flirtet mit einem Freund auf der Couch, spielt mit den Kosakenpuppen und inspiziert die Porzellanelefanten in ihrer Wohnung. Auf Anraten

eines Hausfreundes wird Rühmann zum Muster-Tyrann, inszeniert Konflikte mit seiner Frau, einzig um seine Autorität auszuspielen. Damit nicht genug, quält er seine Frau mit künstlicher Eifersucht, um ihr klarzumachen, daß »wir Männer polygam
veranlagt sind«, wie sein Freund ideologisiert. Rühmann ist es
nicht, aber tut – wie ja in seinen deutschen Rollen auch –, was ihm
geheißen. Die Auflehnung seiner Frau bedeutete ihm Bankrott
seiner Ehe. Die Scheidungsdrohung der Frau endet in willfähri-
ger Unterwerfung in die Hausbootidylle: »Ja, bleib du mein Mustergatte!« Ironisierung des Regisseurs: »Ende?/Anfang!«

Die deutsche Filmkomödie fingierte den Seitensprung; die amerikanische spielte nicht mit dem Gegensatz Polygamie und Mo-
nogamie: sie benutzte ihn, wenngleich oft zur Restabilisierung alter Harmonie. Wie immer frivol oder autoritär, ironisch oder
sarkastisch die Dialoge hierzulande auftreten, am Ende behaupten sie, alles sei nicht so gemeint, und das bedeutete: nicht so
schlimm wie nahegelegt. »Wenn du jetzt den Herrn im Hause
spielst, frißt sie dir aus der Hand!«, leitet der Freund den unsicher
gewordenen Mustergatten an, der eben den Herrn im Hause auch
nur spielen kann.

Auch die Sexualität ist darstellbar nur als Liebesabwehrspiel.
Rühmann trinkt sich Mut an und wälzt sich unter Eisbärfellen und
Satindecken. »Gnä' Frau – ich wünsche keinen Verkehr mit Ihnen!«, dann beiseite: »Dolle Person; aber nicht mit mir.« Er bleibt
zwischen Attraktion und Entsagung der brave Sünder, der er immer war. Aber was er sich im gleichen Stand versagt, das holt er
als Voyeur nach, bei der Magd. Mitten in der Nacht klingelt er sie
aus dem Schlaf, weidet sich an ihrer Verstörung, in der sie ihren
Körper nur halb bedeckte, befiehlt ihr mehrfach »Umdrehen!« und
spendiert ein Glas Sekt, bevor er sie wieder, allein, ins Bett kommandiert. Mädchen für alles – und nichts.

1937 ist ein Jahr, das im Film soziale Rollen für Frauen entwirft.
»Da sind die jungen Mädchen, weniger als je imstande, einen Mann
zu finden. Es reicht nicht zur Heirat, zur Miete, zum Haushalt,
zu Kindern erst recht nicht. Aber was war die häusliche Misere gegen die Öde und Mechanei der meist subalternen Berufe. Auf-
stiege kamen nur im Film vor und auch da bezeichnenderweise

über den Generaldirektor, auf dem Weg sexueller Bereitschaft und Zufälle«, schrieb Ernst Bloch im Februar 1937 aus dem Prager Exil über »Die Frau im Dritten Reich«.[18] Dabei ist an Gusti Wolf in *Austernlilli* zu denken.

»Ist es doch die Kunst der Nazis, mit eisernem Besen das Verrottete auszukehren, um es dadurch erst zu bringen. Dynamik, Leben, Jugend aufzurufen gegen Onkel, Tante, Filzpantoffel, Muff und gute Stube, damit der Muff von vorgestern desto sicherer wiederkehre. Das sind die Environs des Hauptstücks: aus dem Haß gegen den Kapitalismus dessen Leibgarde zu bilden, aus dem Revolutionstrieb enterbter Massen die Massenbasis der Reaktion«, fuhr Bloch fort.

Da fallen einem Willy Fritsch aus *Sieben Ohrfeigen* und die Frau des Mustergatten ein.

»Die Hausangestellte muß eine Lehrzeit durchmachen, während welcher sie nur verköstigt, aber nicht bezahlt wird; auf diese Weise kommen die Damen der Nazifunktionäre zu billigem Personal. Dienstmädchen und Hausfrau sind dem Nazi die Pole der Weiblichkeit, die einzig wahren.«

Da liegt die Erinnerung an Grethe Weiser als *Mädchen für alles* nahe.

»Die nationalsozialistische Frauenschaft sonnte sich in den Schauern des jungen Mädchens vor dreißig Jahren, das aus dem Elternhaus in die Freiheit durchgebrannt war, und siehe: die Emanzipation von heutzutage war die Rückkehr der verlorenen Tochter.«

Das klingt wie ein Nachruf auf die Rolle der Marianne Hoppe in *Capriolen*.

Die Frauen wurden 1937 aufgerufen. Sie wurden noch nicht gebraucht.

Unter Sonderlingen

I

Er ist Oberbuchhalter in einem Industriebetrieb und trägt einen steifen Gehrock mit hochgeknöpftem Kragen. Er will alles beim Alten belassen. Er schwimmt gegen den Strom der Zeit. Es herrscht aber eine neue Ordnung in den Straßen, die ihm Ordnungsstrafen auferlegt, weil er, ohne den Schupo zu beachten, die Kreuzung überquert. Ernst Waldow spielt diesen Sonderling, der mit allen Zeichen des Anachronismus ausgestattet wird, in der Komödie *Petermann ist dagegen* (14.1.37). Frank Wysbar, der mit seinen Filmen *Anna und Elisabeth* (1933) und *Fährmann Maria* (1936) seine Begabung für psychische Zwischenzonen erwiesen hatte, führte Regie, in einer Weise allerdings, die sich nun zu beeilen schien, die einmal freigesetzten Zwischenzonen wieder einzugemeinden.

Gemeinsam mit der Köchin der Werkskantine (Carsta Löck) gewinnt der Buchhalter in der Tombola auf dem Betriebsausflug Urlaubsfreikarten für eine Schiffsreise. Der Dampfer heißt »Der Deutsche«, und als er ausfährt, spielt die Bordkapelle nicht nur »Freut euch des Lebens«, sondern auch »Die Fahne hoch ... «. Ein Schiffsoffizier, der seine Fahrgäste begrüßen soll, fordert sie zu »freiwilligem Einfügen in die Gemeinschaft« auf. Petermann, aus Prinzip dagegen, lehnt die Bevormundung ab. Mögen andere tanzen, er arbeitet lieber Akten auf. Und mögen die Tanzenden lieber Tanzrhythmen, sie müssen Volkslieder hören.

Männern, die sich für Bücher interessieren anstatt für die mitreisenden Damen, wird von fröhlichen Draufgängern der Verlust ihrer Lektüre angedroht: über Bord damit. Die Fahrt favorisiert die allgemeine Lebensfreude stärker als den individuellen Lerneifer. Zur Unterhaltung gibt es einen Morgenmarsch über Deck, Schokoladenpudding und Frauen, die erwachsene Männer mit Milchflaschen und Schnullern stillen. Petermann schneidet sich von diesen Späßen ab, obwohl die Köchin, die ihn an Land als »Meckermann« verschrie, ihn an Bord gern als einordnungsfähig sähe. Die Chance kommt. Bei einer Rettungsübung springt Petermann über Bord – eine Puppe zu retten, wo er eine Frau in Seenot glaubte. Besatzung und Gäste sind begeistert. Drei Männer rubbeln den mutigen Retter in der Kabine trocken. Es tritt auf ein »neuer Mensch«, zerknirscht in Selbstkritik der eigenen Verblendung und in Hoffnung allgemeiner wie besonderer Akzeptanz. Carsta Löck strahlt.

Ernst Waldow auch, denn nicht nur der Polizist am Werkstor hatte ihn bestraft. Die Kamera selber verhängt Ordnungsstrafen über diesen notorischen Nörgler durch die Räumlichkeiten, denen sie ihn aussetzt. Petermann verirrt sich laufend auf dem nicht so großen Schiff. Studiert er Akten, wird seine Einsamkeit durch große Räume betont. Legt er die Schwimmweste an, liegt sie so falsch, daß die Mitreisenden über seinen »Busen« aus Kork spotten; in Wahrheit über den in Zwangsgemeinschaft entmündigten Mann lachen wie über eine hilflose Frau. Der tollkühne Sprung ins kalte Wasser rehabilitiert ihn. Der »neue Mensch« hat einen neuen Blick und entdeckt, daß es neben den Zahlen der Buchhaltung die sinnlichen Genüsse der Küche gibt. Das Happy End versöhnt in Buchhalter und Köchin die Entfremdung, die zuvor geherrscht haben soll; mit welchen Mitteln (der Komik), ist eine andere (schon beantwortete) Frage.

Der Film wurde nach 1945 von den Alliierten zur öffentlichen Aufführung verboten. Nicht bloß, weil auf dem Kneipentisch zum Betriebsausflug Hakenkreuzfähnchen stehen. Die Musik hatte ja »Die Fahne hoch« intoniert, wobei jeder Filmbesucher wußte, wie es weitergeht im Text: » … die Reihen fest geschlossen, SA marschiert mit ruhig festem Tritt.« Die SA marschiert aber nicht über die Leinwand; das hatte sich Goebbels ausdrücklich verboten; aber die Volksgenossen marschieren zur Morgenübung über Deck. Daß der Dampfer »Der Deutsche« heißt, erfordert zwei Schwenks, es zu sagen; daß er unter der Flagge KdF (»Kraft durch Freude«) fährt, vier Schwenks.

Im Produktionsjahr des Films wurde angeordnet, daß jeder Arbeiter und Angestellte durch Lohnabzüge zur Deutschen Arbeitsfront, Winterhilfe, zum Luftschutz und zu »Kraft durch Freude« beizutragen hatte. »Die Diktatur warb nicht nur mit Sport und Technik, sondern auch mit einem breiten Erholungs- und Fremdenverkehrsangebot. Nationalsozialistische Organisationen und private Reisebüros konkurrierten mit preisgünstigen Angeboten. So konnte man sich an KdF-Fahrten nach Skandinavien oder Italien beteiligen. Auf KdF-Kreuzfahrten soll die ›Erotik wahre Triumphe‹ gefeiert haben«, zitierte Schäfer aus den illegalen DEUTSCHLAND-BERICHTEN.[1] Daß die Erotik »wahre« Triumphe auf KdF-Fahrten gefeiert haben soll, mag sich – ex negativo – am behandelten Film erweisen, der die latente Bedrohung durch Erotik anläßlich der Kreuzfahrten durch einen Triumph an Regression zu zügeln wußte. Nicht immer ist das Leben, das der Film darstellt, das »wahre« Leben; viel eher ist es ein korrigierender Entwurf, ein vorläufiger Traum. Dazu gehört die Komik, die den Sonderling denunziert, um ihn dann, reuig gemacht, zu domestizieren. Umgekehrt kann ein Witz sich risikofrei gegen das Korrekturbestreben selber richten, beispielsweise wenn der pfiffige Requisiteur in der Film-Revue *Es leuchten die Sterne* (17.3.38) zu seinem beschränkten Kollegen sagt: »Was wäre die Filmindustrie ohne Telephon? Eine Kraft ohne Freude.« Das spricht dafür, daß mit massiven Enttäuschungen der Vorstellungen vom kollektiven Glück auch gerechnet wurde.

Der individuelle Held tritt zurück ins Glied. Die Gemeinschaft macht ihr Glück und will dabei von Querulanten, Sonderlingen, Außenseitern sich nicht beirren lassen. Heftige Zeitsprünge machen dabei deutlich, welche neuen Zeiten herrschen. Petermann darf nicht mehr wie er will die Straße überqueren: eines Tages, und auf den Tag kommt es an, steht ein Polizist da; im Film *Skandal um den Hahn* (5.8.38) besteht der Skandal darin, daß der Hahn nicht mehr ungestraft krähen darf. Eben wurde er noch als Preishahn der Laubenkolonie gefeiert; Zeitsprung; nun steht schon eine Neubausiedlung auf dem alten Gelände, ist der Hahn im Käfig auf dem Balkon und stört den Siedlungsfrieden. Franz Seitz, der mit seinem Film *SA-Mann Brand* (1933) nicht wie erhofft aufgefallen war, führte Regie.

Die Siedlung bewohnen alle Stände und »Stämme«; ein Rechnungsrat neben einem Proletarier; ein Kölner neben einem Hamburger. Die Leute rücken zu einer kleinen Volksgemeinschaft zusammen. Noch fehlt der Blockwart. Aber der Rechnungsrat, dessen Vorladung alle Bewohner widerspruchslos folgen, führt sich so auf. Der Hahn muß weg. Er stört den Schlaf der Siedlung. Der Hahn verschwindet, aber wie? Jeder bezichtigt jeden, bis alle verdächtig erscheinen. Täter ist am Ende nicht der arbeitslose Seemann (ein unseßhafter Beruf), sondern der beflissene Angestellte der Siedlungsgesellschaft, der durch Ruhe für Ordnung sorgte. Das ist die realistische Lösung des Konflikts. Die Wunschlösung sieht so aus, daß der Seemann erbt und der Siedlung, als müsse er sich für seine Unseßhaftigkeit entschuldigen, ein Grundstück stiftet: für eine neue Laubenkolonie.

Skandal um den Hahn ist ein unscheinbarer Film, der durch seinen Reichtum an komischen Mitteln auffällt. Er hat, unterdrückt, keine Sinnlichkeit. »Hahn« wird in der semantischen Multivalenz, die dem Wort, dem Begriff und dem Tier eignet, ausgespielt: das Tier, der Tresorschlüssel (zur Erbschaft des Seemanns) und schließlich das Sexualsymbol, das schwankhaft einen drohenden Skandal mit einer Doppelhochzeit vertuscht. Als der Hahn aus seinem Käfig ausbricht und durch die Wohnung flattert, herrscht eine gespenstische Turbulenz in der Szene, die durch originelle Tonblenden und einen schnellen, anzüglichen Dialog gesteigert wird. Zwei Nachbarn streiten, ob der Hahn oder das Radio mehr Lärm produzierten. Die Geflügelzucht, argumentiert der Halter des Hahns, sei staatlich gefördert; der Rundfunk, entgegnet der Hörer, sei es auch. Durch solche volkstümlichen Analogien in nicht-analogen Bereichen machte man die vollzogene Verstaatlichung der Medien für die Konsumenten nicht nur akzeptabel, sondern sinnlich, schmackhaft. Der Konsument sollte nicht bloß Rundfunkteilnehmer sein, sondern als solcher sich als Mensch angesprochen fühlen. Deshalb restituierte die Wunschlösung des Films den status quo ante und schenkte der Siedlung die Kolonie zurück.

Kleiner Mann ganz groß (R. A. Stemmle, 1.4.38) klang wie ein Programm – das für die Frauen 1933 noch des Zusatzes bedurfte *Kleines Mädel – großes Glück*, wo der Mann 1938 als Mann »ganz groß« dastand. Ein Buchhalter in der Kinderwagenfabrik »Infantilia« arbeitet zum Leidwesen seiner Frau und seines Chefs an der Erfindung eines Schalldämpfers für Motorräder. Viktor de Kowa spielt diese Rolle, wie schon 1934 in *Wenn ich König wär'*, als er bereits an der Erfindung eines Schalldämpfers für Autoauspuffe laborierte. Als er 1938 nicht weiterkommt, geht er in die Leihbücherei, wo er aber kein technisches Handbuch ergreift, sondern einen Roman, »Geld vom Himmel«. Die Selbsttäuschung des Buchhalters ist so stark, daß er andere hineinzieht. Auf eine fingierte Erbschaft aus Amerika hin (das hatte er in schlechten Romanen gelesen) bedrängt der Chef ihn, diese Erbschaft in seine Firma zu investieren. (Ging es den Kinderwagenproduzenten 1938 schlechter als den Stahlkonzernen?) Der Schwindel fliegt auf, seine Frau läßt sich mit einem Autovertreter ein. Dennoch empfängt der Bastler auf seine Erfindung hin einen beträchtlichen Vorschuß der Magus-Werke. Es geht voran, seine Frau kehrt zurück und trägt seine Pläne zum Reichspatentamt. Ein Nachbarschaftschor huldigt dem kleinen Mann, der nun größer wurde, mit Gesang.

Der Buchhalter wird als »Kindskopf« hingestellt, der Vorspann versammelt schon Eisenbahnen und Spielzeugwaren, um den Hintergrund anzulegen. De Kowa bastelt seine Erfindung aus Küchengeräten zusammen und spielt, ein Kissen auf dem Kopf, unterm Küchentisch seiner Frau das Glück vor, das mit der fingierten Erbschaft ins Haus kommen soll. Das Paar reitet als »Teufel und rote Satansbraut« durch die kleine Wohnung. Das Glück, das es sich ausmalt, ist Konsum. Drei Pelzmäntel, Bücher, Schallplatten kaufen, eine Kindergesellschaft geben und eine Drei-Zimmer-Wohnung mieten, das sind die Wunschvorstellungen des kleinen Mannes. Die klingen so radikal albern, wie der Hauptdarsteller sie ausbreitet, nicht.

Der Wunsch nach eigenen Kindern wird nicht ausgesprochen. Er bleibt deshalb nicht ohne Ausdruck. Die Hyazinthen am Fensterbrett stehen am Schluß nicht länger unter der Keimhaube, sondern aufgedeckt und mächtig in Blüte geschossen. Das ist nicht nur Bildmetapher für das schnelle Glück des Erfinders, sondern auch für die nach Bewährung nun erlaubte Fruchtbarkeit, die ein Erzeugnis der Infantilia-Werke, einen Kinderwagen, erforderlich machen wird.

Die Bewährung besteht in der Unterordnung des Sonderlings. Seine Frau und sein Schwager treiben ihm die Flausen aus. 1933 hätte die Erbschaft aus den USA noch nicht als Schwindel entlarvt werden müssen. Hier gibt es die obskuren Magus-Werke (eine Kontraktion aus Magirus-Werke? oder eine Anspielung auf Magus, Zauberer?), denen nicht nur der Vorschuß von RM 6.000 nicht zurückgezahlt, sondern auch noch die Option auf das Patent durch die Frau des Erfinders entzogen werden wird. Sie heißt Sabine, wird aber nur »Bienchen« genannt; so fleißig ist sie als Realitätsprinzip, das im Namen des Reichspatentamtes eingreift. Der Schwager ist Graphiker und hat ein Plakat für das Produkt »Athletosan« entworfen. In seinem Atelier hängen Gemälde des favorisierten Adolf Ziegler und des verfemten van Gogh.

2

Dem erklärten Kauz tritt der Sonderling wider Willen entgegen. Ein Versehen treibt ihn ins Verhängnis, und Blindheit schlägt ihn bei dem Kampf, die Normalität wieder ungetrübt zu erblicken. Das ist ein tragisches Motiv seit »Ödipus«; seit dem »Zerbrochenen Krug« tritt die komische Natur daran zutage. Die machte sich auch Heinrich Spoerl in seinem Roman »Der Maulkorb« zunutze. Erich Engel verfilmte den Stoff unter dem gleichen Titel (10.2.38), der ab 1940 auch als Bühnenmanuskript vorlag und 1958 durch Wolfgang Staudte neu verfilmt wurde.

Ein Staatsanwalt (Ralph-Arthur Roberts) begeht im Alkoholrausch Majestätsbeleidigung und muß die eigene Tat, sich der Täterschaft nicht bewußt, anklagen. In der Aufklärung von Schuld durch Bewußtsein hielt Ucickys *Der zerbrochene Krug* (1937) sich an die Agenten der Vernünftigkeit (Evchens Liebe, Ruprechts Bauernverstand und die Gerechtigkeit des Rates Walter), die sich an der Evidenz beweisen mußten, den Scherben des zerbrochenen Kruges; *Der Maulkorb* nimmt das Indiz zum Anlaß, dessen Beweislast ständig zu verflüchtigen. Jede Peripetie ist ein Notausgang, durch den der Ermittelnde sich selbst entkommt. Die Aufklärung der Tat wird vertuscht, die Versöhnung erpreßt. Der Oberstaatsanwalt läßt Gnade vor Gerechtigkeit ergehen ohne Sühne. Er erpreßt zu wohltätigen Zwecken von der Frau des Täters jene Summe, die zur Ergreifung des Täters ausgelobt worden war. Das Verfahren wird niedergeschlagen.

Der Verdacht wird abgeschoben, auf zwei Vertreter, »offenbar dem Arbeiterstande angehörig«, wie der Roman sagt.[2] Als sei diese Platzanweisung politisch anstößig, sagt der Film statt »Arbeiterstand« nur »untere Schichten«. Das klingt wie ein Ersatzwort, von oben eingesetzt. Diese rheinischen Knallchargen Wim und Bötes (Paul Henkels und Ludwig Schmitz spielen sie) haben nicht, wie der wahre Täter, Pflichten und Gefühle. Sie haben nur sieben Kinder, Bierdurst und Hoffnung auf die Geldprämie. Der einzige Augenzeuge des Tathergangs, ein junger Maler (Will Quadflieg), vertuscht seine Aussage mit dem erotischen Interesse an der Tochter des Täters. So sympathisiert das Publikum im Gerichtssaal nicht mit den fälschlich Angeklagten. Ovationen gelten der symbolisch rechtskräftigen Verurteilung der Vertreter aus dem Arbeiterstande und der komplizenhaften Entlastung des Staatsanwalts. Urteilte hier vielleicht die Mittelschicht ihre Unterschicht ab?

Was war der Anlaß? Dem Denkmal des Landesherrn eines Fürstentums um die Jahrhundertwende wurde nächtlich ein Maulkorb umgehängt. War das Majestätsbeleidigung, im Sinne des Strafgesetzbuches für die preußischen Staaten justitiabel, wo es hieß: »Wer durch Wort, Schrift, Druck, Zeichen, bildliche oder andere Darstellung die Ehrfurcht gegen den König verletzt, wird mit Gefängnis von zwei Monaten bis zu fünf Jahren bestraft.«[3] Der Film von 1938 erhebt nicht Anklage wegen Majestätsbeleidigung (wurde der Fürst oder der preußische König verunglimpft?), sondern wegen »Staatsgefährdung«. War das eine Aktualisierung? Der Stammtisch des Staatsanwaltes beschwört andererseits »das Recht der Verfassung auf freie Meinungsäußerung« – auch das stand im Roman nicht. Liegt der Witz in der Unverhältnismäßigkeit der Mittel, der Umkehr der Verhältnisse, wenn das Volk sich Sorgen macht, daß in effigie dem Souverän (Landesherrn) ein Maulkorb umgehängt wurde, einem Standbild, das schon mundtot ist? Die Ahnungslosigkeit des Täters, im Verein mit dem Vorwissen des Publikums, ist komisch. Eine Einstellung im Weinlokal zeigt den Staatsanwalt, der zu seinem Hund sagt: »Wir lassen uns keinen Maulkorb vorbinden!« Das Tier erspart ihm die Antwort.

Komische Ausflucht aus der Klemme bietet eine andere Ersatz-Operation. Einem der Angeklagten wird souffliert, er habe das Denkmal für »eine allegorische Figur« gehalten, für »Goethe«, nicht den Landesherrn. Dann, entscheidet das Gericht, sei es nur grober Unfug gewesen und verhängt eine Ordnungsstrafe, durch Untersuchungshaft abgegolten. Der Täter kommt ohne Verfahren davon, der fälschlich Angeklagte wird nicht rehabilitiert. *Der Maulkorb* ist eine Komödie um einen Justizirrtum. Dieser Irrtum hat sich in den Apparat selber eingefressen, um die alten Prinzipien der Unbestechlichkeit zu korrodieren.

Der Staatsanwalt vertritt die absolute Loyalität zum Staat, seine Frau dagegen, die den Fall in ihrem Sinne löst, eine nur relative Loyalität. Nach dem Bühnenmanuskript, das mit dem Filmdialog übereinstimmt, sei die zentrale Auseinandersetzung hier zitiert. Der Staatsanwalt: »Oberste Pflicht eines jeden Beamten ist absolute Sauberkeit. Wird dagegen gesündigt, gleichviel unter welchem Vorwand, so wird ein Glaube zerstört, der Glaube an den Staat und seine Einrichtungen.« Seine Frau erwidert: »Wenn es auf den Glauben ankommt – *du* stehst ja gerade im Begriff, mit deinem Wahrheitsfanatismus diesen *Glauben* zu zerstören. Wem dienst du damit? Dir? Deiner Behörde, deinem Staat?«[4]

Der Imperativ relativer Wahrheit (ein Begriff des Romans, den sowohl dieser Film als auch die Bühnenfassung nicht verwenden) obsiegt. Nicht die Maulkorb-Verhängung ist die eigentliche Tat; die Vertuschung der Korruption ist die Tat, die im Namen staatlicher Reinlichkeitserziehung begangen wird. Die preußischen Prinzipien, auf die der »Tag von Potsdam« 1933 ostentativ soviel Wert legte, sind 1938 unterminiert und ein Anlaß zur Komödie geworden. Wäre der Stoff 1933 verfilmbar gewesen, oder hätte das eher wie eine Selbstbezichtigung zum Reichstagsbrand-Prozeß gewirkt? Der Film von 1938, der seine Akteure über das Verfassungsrecht auf freie Meinungsäußerung räsonieren läßt, zeigt Bilder, die dazu wenig passen. *Der Maulkorb* eröffnet mit der polizeilichen Beschlagnahme von Zeitungen.

Will Quadflieg versucht, einen Malerkollegen zu überreden, sich als Täter auszugeben. Mit einem Argument, das Kunst und Terror als »schön« verbindet: »Im Knast schaffste ein graphisches Werk

›Menschen hinter Mauern‹. Das ist das Schöne bei der Polizei. Da
brauchste nie hin. Die kommen auf Bestellung ins Haus.«
  Solche Bilder hätten 1933 schockartig neben der Wirklichkeit
außerhalb des Kinos gestanden. Nach der Konsolidierung des Regimes konnte man die schwache Erinnerung an eine historische
Wirklichkeit kaum noch für riskant halten. Andererseits muß die
Konfliktlösung, die selber zeitgemäß war: Justizirrtum, Korruption der Gerichte und Kriminalisierung von Unschuldigen, den
Zeitgenossen durch die historische Kostümierung des Konflikt als
zeitgenössisch undenkbar, als Zeugnis eines überwundenen Zu-
stands erschienen sein. Beim Hausball, der alles in Wohlgefallen
auflöst (ein komödienhafter Zwang), beglückwünscht der Oberstaatsanwalt den Täter: »Es freut mich für unser Land, daß die Tat
sich nicht als politische Demonstration, sondern als blöder Witz
eines Betrunkenen herausgestellt hat.«[5]
  Im Film *Kleines Bezirksgericht*, den Alwin Elling nach einem
gleichnamigen Volksstück drehte (10.11.38), spielt Hans Moser, ohne die Frage nach Lohn und Amtsauftrag aufzuwerfen, einen frei-
willigen Gerichtsdiener. Er schlichtet eine Beleidigungsklage unter verfeindeten Geschäftsfrauen, die Freundinnen sein könnten,
allein durch die gemeinsame, längst verflossene Jugendliebe. Am
12. März wurde die Republik Österreich von der Wehrmacht besetzt und dem Deutschen Reich als »Ostmark« angeschlossen.
  Braucht es noch Justiz, wo Moser als sanfter Anarchist im Dienste einer friedfertigen Ordnung an ihrer Abschaffung arbeitet?
Transzendiert nicht seine Liebe zur Gerechtigkeit die institutio-
nalisierte Rechtspflege? Der Diener des kleinen Bezirksgerichts
läßt zwei Straßenmusikanten in kalkulierter Zerstreutheit in den
Saal. Die Künstler frieren und heizen sich mit den Prozeßakten
der zerstrittenen Frauen ein. Das wärmt ihre klammen Finger. Jetzt
können sie wieder Kunst hervorbringen. Der Richter befindet, die
Parteien sollten sich versöhnen. »Gottseidank« seien die Akten
verschwunden. Moser schläft, als man ihn einen »Mann des Volkes«
nennt. Der Ordnung halber wird er für seine Fahrlässigkeit im
Umgang mit den Akten mit einem Tag Haft bestraft. Eine der
Frauen kauft ihn, um ihn zu ehelichen, frei. Ihr Caféhaus hat sich
mit dem Feinkostladen versöhnt. Den Frieden hat der Anarchist,

der die Justiz unterwandert, durch List und Güte gestiftet. *Kleines Bezirksgericht* ist die österreichische Antwort auf den deutschen *Maulkorb*.

Eine weniger provinzielle Variante unter den Sonderlingen stellte Curt Goetz dar, der als Autor, Regisseur und Darsteller einer Doppelrolle in *Napoleon ist an allem Schuld* (29.II.38) hoffte, als deutscher Dandy durchzugehen. Viele seiner Geistreicheleien erinnern an Sacha Guitry, der auch jedes Medium, das sich seiner Selbstdarstellung bot, bereitwillig ergriff. Curt Goetz schildert in seinem Lustspiel die Marotten eines englischen Lords und Napoleon-Forschers, der zu einem Historiker-Kongreß nach Paris reist, dort eine Tänzerin kennenlernt, die er und seine Frau, nach gehörigen Mißverständnissen, als Tochter adoptieren. Der Regisseur versucht nicht, Stimmigkeit zu konstruieren. Er arbeitet mit Diskontinuität und Zeichen, die eine Welt andeuten, die er nicht integral zeigen will. Das Ensemble von Park, Butler, Rolls Royce steht für die britische Upper Class; Paris ist eine Lichterstadt, wo die Harmonie der Herzen stärker ist als jede Klassenlage.

Die Kamera führt am laufenden Band vor, wie fabelhaft sie, ungeachtet des schlampigen Arrangements der Szenen, alle Tricks der Illusionsherstellung beherrscht. Doppelgänger im gleichen Bild (der Forscher *und* Napoleon), Kippblenden innerhalb einer Einstellung, Aufnahme einer Revue-Sequenz durch die Fixierung der Kamera auf Spiegel oberhalb der Kulissen. Goetz inszeniert hier eine Augentäuschung, die selber mit den Augen zwinkert. Die Begegnung des Forschers mit der Tänzerin ist witzig eingefädelt. Die Revuegirls in der Show »Napoleon«, die der Lord als Historiker aufsucht, bilden mit ihren durch eine Wand gesteckten Köpfen das Monogramm Napoleons; historisch falsch, aber im Revue-Tableau effektvoll, setzt eine Tänzerin einen Punkt hinter das imperiale N. Und so beginnt die Begegnung von »Pünktchen« mit dem Lord, ihr Aufstieg vom Girl zur Lady. Dieser Aufstieg wirkt 1938 als dramaturgischer Anachronismus. Das Drehbuch selbst wirkt wie ein Sonderling, der sich der Konvention des Tages nicht anpassen will, der zufolge ein Aufstieg nicht mehr vertikal, sondern horizontal erfolgt. Aber geht es um das Glück des Girls? »Die im gesamten Sozialleben mächtige Aufstiegsillusion findet ihre ungebrochenste Darstellung im Film, sei es, daß die Heirat als Eingangspforte in das Paradies der Großbourgeoisie gezeigt, sei es, daß allein schon treue Pflichterfüllung als genügende Legitimation angesehen wird«, schrieb 1933 Carl Dreyfuß, ein verschollener Soziologe aus dem frühen Dunstkreis der Frankfurter Schule.[6]

Da der Lord die Tänzerin nicht heiratet, sondern adoptiert, zielt die Aufstiegsillusion in horizontale Verflechtungen: die Tänzerin ist ein Appell an den Lord, die Marotten aufzustecken und väterliche Pflichten anzunehmen. Der Lord wird nach unten sozialisiert. Er entdeckt in seinem historischen Interesse, das der Film als abseitig, als tote Materie präsentiert, einen lebendigen Menschen. Dieser Mensch verkörperte den Punkt in der Revue und setzte einen Schluß unter das »falsche« Leben des Lords.

Dreyfuß' Analyse, die dem Film vor der Machtübernahme Hitlers abgewonnen war, gilt nun in umgekehrter Richtung. Nicht mehr die Ladenmädchen sollen vom Lord träumen, sondern dieser von jenen. Das spricht für eine Legitimationsschwächung der alten Führungskasten, denen in der Komödie Gelegenheit zur Abfuhr wie zur Korrektur ihres Fehlverhaltens gegeben wird. Aufstieg durch Abstieg war die in Bildern ausgegebene Devise. Rettung der alten Rolle durch Verwandlung, durch Doppelrollen und Disponibilität. Ebensolche Wendigkeit wie der Regisseur zeigte sein Kameramann Friedel Behn-Grund. Vor 1933 drehte er mit Regisseuren des proletarischen Films wie Fedor Ozep, nach 1933 nicht nur Lustspiele, sondern auch *Ich klage an* (1941), *Ohm Krüger* (1941) und *Titanic* (1942); nach 1945 arbeitete er bei der Defa, wurde zweifacher Nationalpreisträger der DDR, und ab 1950 drehte er in der BRD. Das ist keine Fußnote, sondern exemplarisch Teil jenes Textes, auf dessen Hintergrund die ungebrochene Kontinuität des deutschen Films sich behaupten konnte. 1940 ließ Goebbels *Napoleon ist an allem schuld* verbieten, vielleicht im Oberflächensinn vom Stoff befangen, in dem die Engländer, mit denen nun Krieg herrschte, zu liebenswürdig schienen.

Auch eine Doppelrolle spielte Heinz Rühmann in *Fünf Millionen suchen einen Erben* (1.4.38). Carl Boese, der den Stoff schon 1931 unter dem Titel *Man braucht kein Geld* ebenfalls mit Rühmann verfilmte, führte Regie. Ein New Yorker Industrieller vermacht demjenigen seiner beiden Neffen, in Schottland oder Berlin, 5 Millionen Dollar, der nachweislich eine glückliche Ehe führt. Das Motiv ist alt; Erbschaft und Heirat, sieben Millionen und sieben Gelegenheiten hatte Buster Keaton schon zu einer rasanten Komödie verknüpft, *Seven Chances* (1925). So temperamentvoll ging es hier nicht zu.

Der deutsche Neffe Peter fristet mit seiner Frau »Iks« ein bescheidenes Leben als Staubsauger-Vertreter in Berlin. Da er monatlich drei »Stafix« verkauft, 20 RM pro Stück als Provision erhält, wird fraglich, wie er seine geräumige Wohnung mieten kann. Jetzt trifft aus New York der Erbschleicher (Oscar Sima in seiner cast performance als Schmierenschurke) mit seiner Freundin Mable ein, lotst Peter und Mable mit gefälschtem Paß nach New York zurück, um sie als glückliches Paar auszugeben und von der Erbschaft einen gehörigen Teil zu kassieren. Der schottische Neffe Patrick reist mit Iks aus Berlin nach, löst den Schwindel und fügt sein Glück, mit Mable.

Im realen Sinn scheint es ein doppeltes Glück zu sein; im Wunschsinn ist es das alte Glück, durch einen Seitensprung nach New York befestigt. Denn Rühmann bleibt sich treu als braver Sünder. Aber die Sehnsucht ist geweckt, obwohl sie gleich durch seinen Vetter stellvertretend in einer neuen Heirat eingebunden wird. Das Geld spielt keine Rolle. Die Verfügbarkeit der großen Städte, der fremden Frau wiegt mehr. Die komischen Mittel dienen der Rückgewinnung der Institution Ehe. Wenn Rühmann so unvermittelt aufbrechen kann, scheint die Bindung in Berlin, nach drei Ehejahren, gelockert. In New York begrüßt er eine Demonstration der amerikanischen Frauenverbände. Sie protestieren gegen die Heiratsunlust und trinken Milch. Sie gelten als lächerlich. Wenn Rühmann als Kunstpfeifer in einem Kabarett auftritt, eine bescheidene Nummer im Fred Astaire-Kostüm steppt und mit weinerlichem Ausdruck singt: »Ich breche die Herzen der stolzesten Frauen«, gilt auch das als komisch. Seine Sehnsucht ist größer als die Fähigkeit, ihrer Herr zu werden.

Rühmann umarmt seine Iks, Schwenk der Kamera: in der Pfanne brennen Reibekuchen an. Er versetzt seinen Ehering im Pfandhaus, um für Iks zum Hochzeitstag Schuhe zu kaufen – und findet sich dann nackt im Badetuch vor ihr. Bei einer Jagd über die New Yorker Dächer rutscht Rühmann durch den Kamin und landet im Hotelzimmer seiner Frau, so angeschwärzt, daß noch der schwarze Hoteldiener vorm »Teufel« fortläuft. Iks löst den Ring im Pfandhaus ein. »Dann ist ja alles wieder in Ordnung«, befindet Rühmann erleichtert. Was war denn nicht im Lot? Sind die Dinge: Ring, Schuhe, Schlüssel (zum Safe der Nationalbank, in dem die 5 Millionen warten) nicht auch Symbole vagierender Wünsche, wie sie am Ende eingebunden werden? Wenn nicht das Geld die Menschen in Bewegung setzt, sind es die Sinne, die sich hier, in die Pflicht zum Glück genommen, auf die Wanderschaft begeben. Nicht fünf Millionen suchen einen Erben, sondern fünf Sinne suchten einen Verwalter, der sie zusammenhält.

In E.W. Emos *13 Stühle* (16.9.38) geht Rühmann erneut auf die Jagd nach dem Glück, begleitet von Hans Moser. Aus ihrer Reise durch wilde Situationen und verquere Klassen gewinnen sie eine Komik, wie sie in solcher Intensität nur von wenigen Unterhaltungsfilmen jener Zeit erzielt wurden. Der Provinzfriseur Rühmann wird von seiner Tante zum Erben eingesetzt, verkauft die 13 Stühle aus deren Wohnung dem Altwarenhändler Moser, um dann erst den Brief zu finden, in dem die Tante mitteilt, in einem der Stühle seien RM 100.000 eingenäht. Mit Moser als prospektivem Teilhaber des Glücks geht die Suche los. Ein Modesalon, ein Möbelgeschäft, eine Dandy-Wohnung, ein Panoptikum, eine Dame der Gesellschaft, ein Varieté, eine Nachtbar, das Hinterhaus armer Leute, ein Psychologieprofessor, ein Sanatorium, ein Auktionshaus, ein Rechtsanwaltsbüro und schließlich, als dreizehnte Station, ein Waisenhaus werden besucht. Frau Oberin preist die gütige Vorsehung, und ein Kinderchor intoniert, als Rühmann und Moser atemlos eintreffen: »Wer gibt, dem wird gegeben.« Pech gehabt? Der Friseur heißt Rabe, aber außerdem noch Felix und macht endlich sein Glück mit der Erfindung eines Haarwuchsmittels.

Unter dem Druck, sich dem jeweiligen Stuhlinhaber unbemerkt zu nähern oder ihn abzulenken vom Stuhl, um sodann mit einem Rasiermesser Polster zu zerschneiden, gerät die Komik der gehetzten Männer zur Zwangshandlung. Diese Komödie gibt weiteren Aufschluß über den Zusammenhang von Glücksmythen mit menschlichen Exkrementen. Der psychoanalytischen Geldtheorie eröffnet sich hier ein weites Feld.[7] Das Geld ist im Stuhl (Synonym für Exkrement) verborgen. Jeder Stuhl wird von den Prüfenden mit dem Gesäß ersessen, um das Geld zu spüren. Zum Bild der Tante gewendet, sagt Rühmann erbost: »Du hast ja immer auf dem Geld gesessen.« Moser erkundigt sich, ob die Erbtante verrückt gewesen sei. »Geizig«, erwidert Rühmann. »Dann ist sie seriös«, so Mosers Antwort. Der Witz ist in jenem Umfeld fundiert. Hinterlassen die beiden zerschnittene Polster wie im Modesalon, werden sie als »Sadisten« davongejagt. Der Psychiatrieprofessor, der sich für den Zwangscharakter Rühmanns interessiert, fragt, ob es ihn befriedigt habe. Österreichs berühmtester Professor, Sigmund Freud, war seit einem halben Jahr, zwangsexiliert, in London.

Rühmann benutzt seine leere Aktentasche als Kopfkissen und schläft vor Mosers Tür ein. Gerade hat er den Brief der Tante gelesen. Nun träumt er von einem Schimmel, auf dem er über die Barriere aus den 13 Stühlen setzt, es aber nicht schafft. Der Film läuft rückwärts. Der Träumer, von der Stadtreinigung mit Wasser bespritzt, erwacht. Ist der Friseur am Ende ein Sadist? Um seine »Erfindung« auszuprobieren, die ihm doch zu Geld verhilft, reibt er dem kahlköpfigen Gerichtsvollzieher, der ihn früher zu sekkieren pflegte, das Haarwasser samt der Scherben der zersprungenen Flasche auf der Glatze ein. Es hilft; aber Teil der Komik muß massive Schadenfreude sein. Ist auch der Zusammenhang von Kahlköpfigkeit und Haarwuchs ein Symbol für Pech und Glück? Schmerzfrei arbeitet die Komödie selten.

Im Panoptikum geraten Moser und Rühmann unter die Wachsfiguren. Rasch erstarren sie mit der ausgestellten Nr. 14 zu einer Dreiergruppe, weil ein Schwarm von Pensionstöchtern das Panoptikum besucht und kreischend vor der Scharade schreckt: »Staatsfeind Nr. 1« heißt die Figur, und die Erstarrung gibt Rühmann Gelegenheit, den Mädchen ungestraft aufs Strumpfband zu sehen. Die Ambivalenz selbst wird komisch, nicht nur Rühmanns gehemmte Schaulust. Auch umgekehrt herrscht eine Sensation der Sinne, wenn die Mädchen einen »Staatsfeind«, verdreifacht, vor sich sehen. Dritte Ebene ist, daß eben die Kleinbürger als Schreckbild posieren und aus Not der Verstellung die Maske eines Staatsfeinds wählen, die sie rasch und erleichtert wieder fallen lassen. Die Maske selber aber wirkte insofern durchlässig, als daß die Pose täuschend echt gelang. Für einen Augenblick des Banns wurden die »sadistischen« Kleinbürger zu etwas anderem, was als begriffliche Notlösung in *Der Maulkorb* noch lächerlich sein durfte: zur allegorischen Figur.

Die visuelle Komik basiert auf den schnellen Übergängen, der ständigen Arbeitsteilung in der Destruktionslust an Objekten, der Rücksichtslosigkeit, d.h. scharfen Diskrepanz von Interesse und Idee. Hier setzt das Interesse sich durch. Mag das proletarische Paar im Hinterhof, das jüdische Paar in der Stadtwohnung sich streiten, die Komiker ziehen ihnen in Wort und Tat den »Stuhl unter dem Hintern« weg. Daß sie mit ihrem brachialen Materialismus wider Willen Ideen (Versöhnung der streitenden Paare, Caritas im Waisenhaus) befördern, ist ihre Sache nicht. Sie eignen, wo immer sie auftreten, sich alle widersprüchlichen Ideen an und unterwerfen sie ihrem eindeutigen Interesse. Das ist genuine Arbeit für Komiker, war aber selten der Auftrag im deutschen Film.

Warum der Film *13 Stühle* hieß, ist nur mit immanenter Symbolik (die »Pech«-Zahl) nicht hinreichend erklärt. Vorlage des Films war der Roman von Ilja Ilf und Evgenij Petrov mit dem Titel »Die 12 Stühle«, ein satirisches Meisterstück aus der jungen Sowjetunion, woran deutlich zu erinnern, nicht opportun war.[8]

Vor dem Krieg hieß die Komödie *Ich liebe dich* (21.7.38), nach dem Krieg, beim Neueinsatz: *Bange machen gilt nicht*. Es handelt sich wieder um die Nachahmung einer sophisticated comedy, den Geschlechterkampf der kalkulierten Unterwerfung. Herbert Selpin führte Regie, Behn-Grund die Kamera, Felix von Eckardt, der in seinen Memoiren über diesen Film nichts meldet, schrieb das Drehbuch. Viktor de Kowa und Luise Ullrich spielen ein Stück Hollywood nach.

Er entführt sie bei einem Kostümfest in das Haus eines Freundes und stellt ihr ein Ultimatum. Binnen 48 Stunden habe sie sich, wolle sie freikommen, in ihn zu verlieben. Dann reise er ab, und zwar nicht allein. Die Frau hat keine Chancen zu entfliehen. Versucht sie es, bewahren sie (bestellte) Einbrecher im Garten davor. Angst, nicht List treibt sie in seine Arme. Wer die Bilder vom Zerbrechen weiblicher Autonomie nicht eindeutig lesen kann, dem wird geholfen. In de Kowas Pyjama nimmt sich Ullrich ein bekanntes Stück zur Bettlektüre: »Der Widerspenstigen Zähmung«. Wie wird die Frau komisch degradiert?

Durch ihre Unfähigkeit, mit Hammer und Meißel umzugehen, das Anschlagen der Wasserleitung, das gerade abgewendete Ertrinken im überschwemmten Keller; durch das arglose Bad in der Wanne, vom Manne bespäht; durch einen angeklebten Kinnbart zum Kostümfest, den sie wählt, um mit dem Mann »im Kampf um Liebe« konkurrenzfähig zu bleiben: ein Satz von sexueller Ambivalenz, der keine bildliche Entsprechung findet. Die Montage des Films arbeitet, langsam, mit alternierenden Rückblenden.

Erst wird seine Version erzählt, dann ihre – als Bestätigung seiner Version, nicht als bloßes Komplement oder gar Korrektiv. Einige Rückblenden bedienen sich des in der Dialogkomödie besonders deplazierten Mittels des Zeitraffers und der Zeitlupe. Damit wird nicht die Bewegung in einer Situation analysiert, sondern der Determinismus der männlichen Version der Ereignisse befestigt. Die sexualpolitische Devise, die de Kowa schließlich ausspricht, überrascht Luise Ullrich, die seine Gewalt erfuhr, am wenigsten. »Freiwillig müssen die zu uns kommen, die wir lieben!«

Dagegen äußert sie keinen Einspruch. Sie, längst Komplizin seines Plans geworden, hatte die Betäubung durch sein Schlafmittel willentlich vorgetäuscht.

De Kowas Maxime der einsichtigen Unterwerfung sollte auf Frauen sich nicht beschränken. Im Spielfilm zur Napola-Schulung (»Nationalpolitische Erziehungsanstalt«) unter seiner Regie: *Kopf hoch Johannes* (1941), galt sie auch dem politischen Nachwuchs. Sein Angstkalkül ironisiert er hier im Ehekrieg mit Luise Ullrich. »Angst? Erblich? Vielleicht kriegts unser Junge auch?« Das kann eine frivole Erinnerung an die Rassegesetze von 1935 sein; jedenfalls komisch genug ist die Figur der Rede, die von ungeborenen Kindern spricht und schon die Hälfte der Menschheit vom Nachwuchs ausschließt. Außerdem fahndet de Kowa bei der Tante der Ullrich nach »intakten Ahnenpapieren«. Als Bildanalogie der unversöhnlichen Versöhnung soll gelten, daß, nach allen Reibereien, ihr Hund und seine Katze in der Küche friedlich nebeneinander schlafen.

Eher einem Katz-und-Maus-Spiel ähnelt Georg Jacobys *Eine Nacht im Mai* (14.9.38), eine Komödie über die legitime Angst der Frauen vor männlicher Autorität, der sie sich trotz aller Fluchtmanöver nicht zu entziehen wissen. Marika Rökk leitet, als Tochter des Hotelbesitzers Oskar Sima, eine Tanzschule. Da kann sie zeigen, was an Sportlichkeit und Anmut in ihr steckt. Aber was sie auch unternimmt, sie gibt sich Blößen, zur Erheiterung der Männer. Sie kann nicht autofahren, ihr wird der Führerschein entzogen. Sie fährt trotzdem und verursacht im Zusammenstoß mit Karl Schönböck einen Unfall. Nun ist sie ständig auf der Flucht. Vor der Polizei, potentiellen Anwärtern, dem Vater und Großvater. Von diesem Irrweg einzig befreien kann sie Viktor Staal, der zum Schlußbild ihr Rennauto mit einem Kinderwagen vertauscht. Staal empfiehlt sich aber auch dadurch zum Schwiegersohn eines emporgekommenen Hotelbesitzers, daß er Prinz heißt und Kellner ist.

In der Seemannsuniform, die Marika Rökk zum Schluß trägt, macht sie eine bessere Figur als in allen Rollen einer selbständigen Unternehmerin. Visuell hinlänglich einfallsreich ist ein Ausflug ins Spiegelkabinett und das mimische Zusammenspiel von

Rökk und ihrer Bediensteten, Ursula Herking. Rökk leiht sich RM 50 von ihr, als sie kein Bargeld hat. Komisch daran ist nicht, daß sie es nie zurückzahlt, sondern die anachronistischen Sitten des städtischen Proletariats, zu dem man Herking hier rechnen muß, einen Strumpf nicht zur ostentativen Reizlenkung zu benutzen, sondern eher zur verborgenen, um darin Erspartes aufzuheben.

Viktor Staal gibt in *Capriccio* (11.8.38), den Karl Ritter verantwortete, den Liebhaber von Lilian Harvey ab. Die spielt insofern einen Sonderling, als daß sie sich einer Zwangsheirat durch Flucht entzieht, ohnehin als »Junge« von ihrem Großvater erzogen, die männliche Rolle bevorzugt. Sie tritt als »Don Juan Graf de Casanova« auf. Das ist eine große Chiffre und gilt als Pointe. Lilian Harvey gibt nicht so schnell klein bei wie Marika Rökk. Sie kämpft. In der Hochzeitsnacht, die ihr droht, schlägt sie einen Pagen bewußtlos, dessen Kleider sie sich anzieht, um dann dem ihr aufgezwungenen Mann ihre Brautkleider anzulegen und ihn ins Bett des Präfekten zu schaffen. Das sind derbe Scherze in einem deutschen Film. Es kommt noch schlimmer. Alle Schauspieler dürfen hier in vollkommener Kunstlosigkeit und abgründigen Faxen das ausspielen, was ihnen die Gemessenheit des Staatstheaters und die Restriktion des Films nie erlaubte: enthemmte Körperlichkeit.

Die Provokation von *Capriccio* liegt nicht nur in der Ferne zum Produktionsalltag von 1938. Sie liegt in der flagranten Verletzung des als gut geltenden Geschmacks, in der Normenüberschreitung, man könnte auch sagen, in der ungestraften Normenunterschreitung. Der Film ist ein Nonsense-Musical des permanenten Stilbruchs. Das Sinndefizit ist sein Grundeinfall. Ein Capriccio ist zunächst eine musikalische Genre-Bezeichnung für ein Tonstück der parodierenden Anspielung. 1942 wird Richard Strauss in seiner Oper »Capriccio« die Form thematisieren. Die Musik zu diesem Film schrieb Alois Melichar, als Autor bekannter geworden durch seine Attacken auf Schönberg und die Wiener Schule.[9]

Capriccio ist eine Hohe Schule der falschen Töne, der keine musikalische Ferne schwierig wird, ob aus Mozart-Opern die Bildnis-Arie des Tamino, die Register-Arie des Leporello, die Verführungs-Arie des Don Giovanni. Aus Verdis »Il Trovatore« wird eine grandiose Ulk-Arie geschmettert, Webers »Freischütz«

wird geplündert, Beethoven bleibt nicht verschont. Aus dem Fidelio-Finale hört man den utopischen Imperativ anklingen: »Wer ein holdes Weib errungen, stimm in unseren Jubel ein!« Damit nicht genug: die Marseillaise wird angespielt, und als das Tanzgelage beim Präfekten Barberousse (Rotbart, Barbarossa) – in der Empire-Zeit, die *Capriccio* reklamiert – anhebt, spielt eine Big Band unzeitgemäße Töne.

Andererseits waren diese Klänge genau das, was den Zuschauer in der Gegenwart verankerte. Hier war endlich Schluß gemacht mit eingedeutschtem Amerikanismus. Hier war der Film zur eigenen Parodie geworden, die durch jene Fusion zustandekam, an der sich die sophisticated comedy mit dem Musical treffen wollte. Die Paramount hatte diese Tendenz in Raoul Walsh' Komödie *Artists and Models* (1937) aufgegriffen; die Tobis versuchte eine untaugliche Antwort mit Zerletts *Es leuchten die Sterne* (17.3.38). Die Ufa traute sich weiter vor und überließ die Gestaltung dieser Extravaganz, die *Capriccio* im deutschen Unterhaltungsfilm darstellte, Karl Ritter und seinem Drehbuchautor Felix Lützkendorf. Die waren eine gut eingespielte Produktionseinheit; ansonsten spezialisiert auf Kriegspropaganda-Filme.

Diesem Musical entfernt verwandt ist ein anderer Ausflug in die Sängeroperette, die Erna Sack und Johannes Heesters in *Nanon* (15.11.38), unter der Regie von Herbert Maisch, unternahmen. Wieder schrieb Alois Melichar die Musik, und die Kamera führte Irmen-Tschet, der sich bei der Ufa durch die Fotografie der großen Revue-Filme ausgezeichnet hatte. Nanon ist ein sängerisches Naturtalent vom Lande, das seine Talentprobe am Hofe Louis XIV als Liebesprobe bestehen muß, die Heesters ihr zumutet. Für eine galante Wette geht er ein Eheversprechen ein und wird durch den patriarchalisch gütigen Witz eines Molière nun wider Willen eines Besseren – zur Ehe – belehrt. Alle eleganten Normabweicher werden eingefangen, und sei es durch die Kunst. Molière greift das unaufgeregte Geplänkel, das hier jede abrupte Wendung des Geschehens meidet, als Quelle der Inspiration auf. Das Leben selber, verkündet die Nebenhandlung von *Nanon*, schreibt die besten Stücke. Hier hieß es »L'école des maris«, und Otto Gebühr als Molière studiert es ein.

Paradies-Vorstellungen

I

In der Komödie sind die Utopien leichter aufgehoben als im Propagandafilm. Propaganda wie Unterhaltung entwerfen einen Zustand. Beide Genres gehen von einer sinngerichteten Geschichte aus, die sie verschieden nachvollziehen: in der Propaganda als eingreifend, in der Komödie als vorgreifend. Der Nationalsozialismus, der so viele Versprechen im Programm hatte, konnte sie nur erfüllen im größten Versprechen, dem auf Zukunft. Da diese nicht darzustellen war, bot sich die Teleologie an. Sie entwarf die Hoffnungen als Wünsche der Gegenwart. Daß sie diese nicht entband, sondern nur aufgriff in der Doppelbewegung von Mobilisierung und Immobilisierung, spricht nicht von der Aufgabe frei, die Form zu erfassen, die jene Wünsche annahmen.

Das Dritte Reich wollte ein tausendjähriges werden.[1] Diese Vorstellung von Chiliasmus war aber gemeinhin nicht auszudenken als Zeitspanne, die eine neue Evolution einleiten, eine Umerziehung des Menschengeschlechts befördern könnte. Aber die tausend Jahre wurden als immerwährend, also Zeitstillstand gedacht, was der Anstrengung enthob, die Zukunft zu denken. Die einzig produktive Anstrengung, die der Faschismus in die Realisierung des tausendjährigen Reiches und dies mit aller gebotenen und usurpierten Macht investierte, war die Vernichtung von Zukunft. Der angespannteste élan vital der Massen brachte nur den Massentod als Produktionsverhältnis hervor. Wenn die Zeit stillstand, dann, weil man sie stehen ließ und vorwärts nicht bewegte. So versuchte man es in der anderen Richtung. Wenn die bis 1933 erlebte Geschichte von Nationalsozialisten eben als Trauma durchlitten wurde, mußte das Rad der Geschichte so weit zurückgedreht werden, bis keine Geschichte mehr erfahrbar war. So kam es unverhofft schnell zu einer Paradies-Vorstellung, zu der als nationalsozialistische Besonderheit es zählte, auf jenes Rad der Geschichte, das man rückwärts drehte, die Frauen zu flechten, die für ihre bloße Existenz, die Männerbündelei bedrohte, bestraft und verachtet wurden. Natürlich nicht in der Wirklichkeit der Mutterkreuze und des Winterhilfswerks, aber in der anderen Wirklichkeit der Wünsche, im Film.

Paradies der Junggesellen (1.8.39) war Kurt Hoffmanns erfolgreiches Debüt als Regisseur. Im gleichen Jahr konnte er einen zweiten Film verantworten: *Hurra, ich bin Papa* (16.11.39). Beide machen eine Politik, die über zunächst verweigerten Ehestand als auch nicht verweigerte Vaterschaft hinausweist. Der erste Film vereint ein singendes Trio, wie es sich seit Wilhelm Thieles Urbild *Die Drei von der Tankstelle* (1930) als zugkräftig erwies. Hier ähneln die Männer eher einem schauspielernden Gesangsverein, dem Joseph Sieber (als Apotheker Caesar), Hans Brausewetter (als Studienrat und Dichter Balduin) und Heinz Rühmann (als Standesbeamter Hugo) angehören. Enttäuscht von den Frauen, beschließen die drei alten Marinekameraden bei einem Erinnerungstreffen, zu dritt eine Wohnung zu mieten, beim Schwur, daß ihnen keine Frau über die Schwelle käme. Wie läuft der Abwehrkampf, bevor die Kameraden kapitulieren und dreimal Hochzeit feiern?

Sie verzichten auf erotische Wünsche an Frauen und spielen mit der Modelleisenbahn. Sie regredieren zu einer Bruderhorde, die Frauen und ihre Avancen wie Feinde behandelt. Die neugierige Wohnungswirtin – »erschreckendes Beispiel des Weibes als solchem« – wird aus dem Staub gejagt; eine Kundin, die sich dem Apotheker nähert (»Ach, Frühling ist es!«), wird abgeblitzt als »olle Seekuh«. Xanthippe, so lehrt der Studienrat in der Schule, war zänkisch und störte Sokrates beim Denken. Unter sich äußern die Männer ihren Wunsch nach einem »Paradies, in dem nur Adams zugelassen sind«. Mit der »Schlange« seien schließlich die Männer fertiggeworden. Das galt als Witz; aber der Witz beansprucht Geltung auf Grundlage seiner Hyperbolik, noch im Paradies den status quo ante wieder herzustellen.

Einerseits ist die Komödie ein misogynes Manifest; andererseits spricht sie auch diesen Männern positive Wünsche vor: »Das Kapitel Weiber ist für uns erledigt, und sollte je eine Frau unsere Räume betreten, so stehen wir wie ein Mann auf und halten uns ge-

genseitig ab«, so lautete der Schwur, im Alkoholrausch geleistet. Nüchtern betrachtet sieht er so aus, daß alle erotischen Wünsche nun nicht außen abgeleitet, sondern innen eingebunden werden. Die Frauen haben keinen Platz hier; aber das Realitätsprinzip, das stärker ist als alle Restriktion, schlägt gleichwohl durch. »Wie ein Mann« dazustehen, reicht nicht. »Los Jungs, wir bemuttern uns«, sagt Rühmann, nachdem er eine Frau der Schwelle verwies. Das Tabu scheint sich zu lockern, aber nun sind die Frauen schon ins Rollenspiel der Männer eingedrungen. Das reißt ein. Denn heimlich treffen alle drei Männer Verabredungen mit Frauen; nur geben sie dabei vor, jeweils ihre Mutter, Schwester, Tante zu besuchen.

Ein familiärer Witz, der aber auch von der Einbindung der Wünsche in den Familienverband spricht, also am Tabu inzestuöser Wünsche rüttelt, was die ungleich schärfere Schamverletzung wäre, als einen Männerschwur zu brechen. Wenn Lilian Harvey sich von Willy Fritsch gesungen sagen ließ: »Ich kenn den Weg zum Paradies genau« (*Der blonde Traum*, 1932), so war nicht das Junggesellentum gemeint, auch keine Krisenlösung, sondern bloß unverhohlen ein erotisches Versprechen. Damit ist es jetzt vorbei. Der Wunsch nach Ausschweifung wird ersetzt durch den Wunsch nach Einbindung. Heinz Rühmann weiß es ganz genau, als Standesbeamter, der insgeheim zum Spielleiter im *Paradies der Junggesellen* ernannt wurde; die Ehe sei das Paradies auf Erden. Dazu müssen die Kameraden sich ziemlich viel Mut antrinken und ansingen. »Das kann doch einen Seemann nicht erschüttern – keine *Angst*, keine *Angst*, Rosmarie!«, ist ihr Schlager, der ebenso bieder wie naßforsch klingt. Denn der Philister, so brav er geworden sein mag, muß immerhin für seine zweite Existenz: den altgedienten Militär, als deutscher Mann ernst genommen werden. Wer ist Rosmarie? Die Braut des Seemanns, die Freundin aller? Warum singen sie auch wie *ein* Mann? Die Angesungene fehlt bei der Darbietung des Männergesangs. Sie wird nicht vermißt, ist sie doch längst als Komponente, wie heftig auch immer, verdrängt in den Singenden selbst. Die Angst ist ihre Braut; um das nicht zu entdecken, wurde die Projektion einer Frau benötigt. Der Seemann ist, entgegen aller Behauptung, erschütterbar. Deshalb singt er so laut. Die Nummer schlug ein. 1940 durften die drei sie wiederholen, im Film *Wunschkonzert*.

Die Wirkung war nicht mehr dieselbe, denn nun hatten deutsche Soldaten auf dem Kriegsschauplatz Europa nach den singenden Seemännern verlangt: um sich von ihrer Angst abzulenken. 1939 schien die gleiche Gesangsnummer in einem Film, der in Berlin 14 Tage vor Kriegsbeginn ins Kino kam, eher auf jene Angst zuzulenken. *Paradies der Junggesellen* war ein Wunschmanöver, das ohne Frauen auszukommen sich einbildete und in der Wirklichkeit von 1940 keine Einbildung mehr war. Eine Einübung in den Mangel, ein vorsichtiger Entwurf, der sich selber korrigiert. Ein Paradies der Junggesellen ist ein erwünschtes Paradies, aber kein wünschenswertes, sagt der Film. Eine Freundin der drei Männer sagt es: »Schließlich kommen *wir* Frauen ja auch nicht ohne *euch* Männer aus. Ohne Frauen? Das ist ja wider die Natur!« Das war ein starker Vorwurf, denn erst das dreifache Happy-End entlastet die Männergemeinschaft vom Verdacht widernatürlicher Wünsche. Allein die Angst, die könnten noch unter dem Deckmantel der Komödie frei flottieren, war so groß, daß sie noch die Kamera affizierte. Sie ist hier starr geführt und kadriert Dialogpointen, mimische Bonhommie und theatermäßige Auf- und Abtritte. Visuellen Witz entfaltet sie nicht. Unter den bemerkenswerten Kalauern ist ein explizit politischer festzuhalten. Klingelt es an der Tür der Männerwohnung, wird der Apotheker vorgeschickt, »unser Volksempfänger«, wie Rühmann verschmitzt aufmerksam macht. Wieder wird ein Witz über einen Ersatz gemacht. Das »Radio« implizierte technische Gegebenheit, »Volksempfänger« die emphatische Machtergreifung des Massenmediums, das hier, situativ und wörtlich eingesetzt, doppelt wirkt. Zum einen verspottet es die Institution, zum anderen rettet es deren Emphase durch Personalisierung. Nichts anderes hatte Goebbels im Sinn, als er 1939 von den Medien insgesamt sprach, Rundfunk, Film und Presse einerseits zu den »*modernsten* Volksführungsmitteln« rechnete, andererseits sie als »*stärkste seelische* Macht« des Nationalsozialismus bezeichnete.[2]

Die Ehe als Paradies auf Erden, wenn es mit der Männerbündelei zu riskant wird, war das Gebot der Jahresproduktion. Auch noch, wenn man dergleichen ironisierte wie Helmut Käutner in seinem sehr sehenswerten Debütfilm *Kitty und die Weltkonferenz* (25.8.39), der schon nach der Kriegserklärung an England wieder verboten wurde: weil ein Engländer das Happy-End stiftete. Als käme es auf eine Figur an und nicht auf die Produktionsideologie, die jene Figur entwarf – so verrät sich auch die gängige Einschätzung dessen, was als politisch an einem Film gelte, anstatt dies in den Strukturen selber aufzusuchen. Die Figur des englischen Glückspenders stand nicht im Widerspruch zur visuellen Politik der Filme aus dem Jahr 1939. Das junge Paar – dessen Geschichte hier nicht interessiert – ist schon im Fenster des »Hotel Eden« beieinander zu sehen. Der englische Minister steht links unten im Bild. Jetzt erlischt die Leuchtschrift, ganz »unrealistisch« bleibt die Inschrift »Eden« stehen. Das junge Paar ist einquartiert über der Inschrift, und die Kamera fährt diagonal vom Standpunkt des Ministers von links unten nach rechts oben ins Bild, bis nur noch das Zeichen »Eden« zu lesen ist.

In Hans Schweikarts *Fasching* (14.9.39) finden sich eine Modeschülerin und ein Architekt. Aber nicht ihr Lebensplan interessiert, sondern die hier waltende Aufspaltung. Er entwirft »Familienhäuser mit ein bißchen Land dazu«, und, solange sie noch in der Modeschule arbeitet, ist unzweideutig, welchen widernatürlichen Einflüssen sie dort ausgesetzt ist. Die Leiterin der Modeschule wird in kurzer Frisur und strenger Kleidung als lesbisch »charakterisiert«, ebenso wie der Verkäufer, der den jungen Architekten beim Faschingskostüm berät, durch näselnde Sprechweise, erlesene Wortwahl und flatternde Hände, die ein Seidentuch zerknüllen, als homosexuell zu gelten hat. Durch eine Verschärfung des Strafgesetzbuches allein (1935) waren die »Perversionen« nicht unterdrückt. Sie brachen sich, im Alltag getarnt, eine Bahn in den Komödien.

Wenn die Eheringe (schon ein Märchenmotiv in *Fünf Millionen suchen einen Erben*, 1938) nicht mehr reichen, werden stärkere Symbole gereicht. Kriminalkommissar René Deltgen wird aus Versehen mit Handschellen an eine Jurastudentin gefesselt, oder sie an ihn. Bei gemeinsamer Flucht rettet sie nur vorgespielte Liebe, bis die Ehe, die getauschten Ringe, sie von den Handschellen befreit. *Zwölf nach Zwölf* hieß dieser Spaß, den Johannes Guter inszenierte (27.9.39).

Um eine Schreibmaschine auszuprobieren, tippt Heinz Rühmann versonnen einen Satz hinein. Der liest sich so: »Frauen sind das allerbeste im Leben der Männer. Man sollte sie verschrotten«. Wen, die Frauen, die Männer, die Maschine? Rühmann will sich nicht festlegen. In *Hurra, ich bin Papa* (16.11.39) hat er andere Sorgen. Anstatt sein Studium abzuschließen, was seinen Vater, Plantagenbesitzer, erfreute, plant er eine Weltreise. Beim Aufbruch findet sich in seinem Bett ein kleiner Junge, den Rühmann liebgewinnt. Er sagt die Weltreise ab, nimmt die Mutter des Kindes als Pflegerin bei sich auf und macht Examen. Das Kind ist sein Kind, die Mutter noch nicht seine Ehefrau. Der Vater hatte die Familienzusammenführung eingefädelt. Pfand der Versöhnung ist der Enkelsohn, Lohn das Einfamilienhaus, das schon schlüsselfertig da steht, als hätte der Architekt aus *Fasching* es entworfen, als hätte das Paar aus *Drei Unteroffiziere* (1939) schon von ihm geträumt. Auch das Einfamilienhaus zählt zu den Paradiesvorstellungen des Jahres.

Rühmann muß erfahren, daß er seine künftige Frau in *Hurra, ich bin Papa* in einer Faschingsnacht schwängerte und sitzen ließ. Nicht ohne Grund betreibt sein Vater die Aussöhnung: er sucht einen Nachfolger. So kann der verbummelte Student sich bewähren. Er mausert sich zum künftigen Chef der Plantage, dann zum Familienvater. Statt um die Welt reist er an den Rhein. In Aßmannshausen geht er auf Vaterschaftssuche. Ein Männerchor versichert: »Ich denk' auch in der Ferne an den schönen Rhein.« War das auch eine Einübung in den Abschied, ein Trennungsmanöver, noch in der Heimat, ehe man derlei wieder außerhalb des Kinos in der Ferne sang?

Da sitzt er, der lachende Erbe, wo er 1933 mit Ophüls schon einmal saß, in Aßmannshausen. Was passierte damals? Da der Filmvorspann diesen Titel: »Wir zeigen den Heinz-Rühmann-Film *Hurra, ich bin Papa*« in Sütterlinschrift angibt, was zuvor noch nie erfolgt war, fragt sich der Zuschauer, ob diese Schrift nicht zu einer anderen Lesart nötigt. Der Junge, der Rühmann 1939 ins Nest gelegt wird, ist rund sechs Jahre, wäre also 1933 gezeugt worden.

Die Vaterschaft fiel in die Anfangszeit der Diktatur, die Anerkennung der Vaterschaft in jene Zeit, da die Diktatur einen Krieg entfesselt. Da will man sein Haus bestellen; womöglich wird Vater bald Soldat. Da er aber sein Leben bislang ohne die rechte Reife vertrödelt, muß der mächtige Großvater des Jungen alles ins Lot bringen. Denn es gilt, den Besitzstand zu wahren. Plantagen hat man in Übersee, da wären Kolonien hinzuzugewinnen. Thea von Harbou schrieb das Drehbuch, die im Stummfilm Fritz Langs Phantasien beflügelte und nach seiner Exilierung die Karriere des Veit Harlan *(Der Herrscher,* 1937*)* durch ihre Mitarbeit förderte.

Als komödiantisch gilt hier der erzkonventionelle Kreiselschwenk, der ein Besäufnis visualisieren soll (in jedem Rühmann-Film unvermeidlich), sein Prahlen mit Promiskuität (das Fotoalbum mit den verflossenen Freundinnen) und die Scheinkonkurrenz von Vater und Sohn um die gleiche Frau. Liebe gilt nur als Liebe zum Kind. Da gibt es feuchte Augen, als hätte Detlef Sierck ein Melodram inszeniert. Die witzigste Replik, die Thea von Harbou je geschrieben hat, fällt in jener Szene im Speisewagen, wo Rühmann, sein Sohn und dessen junge Mutter zusammentreffen. Einer älteren Dame, konsterniert über das Gebrüll des Jungen nach Schokoladenpudding, hält Rühmann die philosophische Frage entgegen: »Gnädige Frau, ist Ihnen das Leben nie einen Schokoladenpudding schuldig geblieben?« Das war witzig, aber wahr auch als Selbstaussage der ewig Zukurzgekommenen, die zu ihrem Glück immer einen Stifter, sei es das Geld, sei es einen starken Vater brauchten. Rühmann hatte gut lachen. Er erbte.

2

Ein Journalist entlarvt Frankreichs Kolonialpolitik in Marokko. Der Kolonialminister ist durch Landkäufe auf eigene Rechnung in spekulative Gewinne verwickelt. Als der Journalist Amtsnachfolger wird im Ministerrat, unterbindet er die private Spekulation in den Kolonien, zugunsten der staatlichen. Guy de Maupassant beschrieb die Karriere jenes Journalisten in seinem Roman »Bel Ami«. Willi Forst griff den Stoff als Produzent, Regisseur, Ko-

Autor und Hauptdarsteller auf. Sein *Bel Ami* hatte am 21.2.39 Premiere.3

Ein luxuriös ausgestattetes Boudoir einer Maitresse, die allen Liebhabern den Weg zu einer journalistischen Karriere ebnet, Can-can-Revuen, gezähmte Sottisen und einige Lieder evozieren die Belle Epoque. Nur Forst, der Bel Ami, trägt einen schlecht sitzenden, zu kurz geratenen Anzug, dessen Façon eher an die Dreißiger Jahre als an die Belle Epoque erinnert. Macht er sich vielleicht zum Delegierten des Gegenwartsinteresses in diesem Film? Sowohl die Rolle des Journalisten wie die des Kolonialministers spielt Forst müde, wie einer, der die Rolle nichts als durchstehen will. Ging es hier um die Eroberung Marokkos, wenn die Zeitungen »Sofortiges Eingreifen gefordert« melden? War nicht Marokko vom Mutterland abgeschnitten wie Ostpreußen vom Vaterland? War die Forderung nach »sofortigem Eingreifen« vor dem Münchner Abkommen 1938 nicht die Forderung des Tages?

Dies drückte der Film selbstverständlich nicht aus, aber er übte die Zuschauer im analogischen Denken. Denn je weniger französisch die dargestellten Szenen waren – kein Wunder, daß Courtade/Cadars erleichtert waren, kein antifranzösisches Ressentiment in *Bel Ami* entdecken zu können –, desto stärker mußten sie larviert wirken, als Kostümvehikel, die über die deutsche Gegenwart etwas aussagten. Daß *Bel Ami* ein Ressentiment gegen die demokratische Presse nährt, hat die französischen Filmhistoriker nicht gestört.4 Ilse Werner spielt die Tochter des Deputierten Laroche, der zum Kolonialminister avanciert ist und von Bel Ami entlarvt wird. Die Tochter ist moralisch empört und hält Journalismus für den »schmutzigsten, ekelhaftesten Beruf«. Ihr Vater, der als korrupt gelten muß und keine Sympathie erfährt, äußert sich über das Wesen der Zeitung: »Wahr ist, was man glaubt; unwahr alles, was man bestreitet.«

So spricht ein Zyniker. Aber der stand nicht allein da. Denn was der Zyniker äußert, ist eine Projektion auf die Herrschaftstechnik der Medien. Goebbels hätte sich kaum kürzer fassen können. Aber auch Leni Riefenstahls Filme *Sieg des Glaubens* (1933) und *Triumph des Willens* (1935) waren Realisationen jener Devise in Begriff und Bild. Nicht, daß ein Zyniker schon Faschist ist, scheint bemerkenswert; sondern daß der Faschismus selber zynisch ist, im Maße wie er seine Positionen in Projektionen darlegt. Analog dazu scheint mir Harlans *Jud Süß* (1940) weniger als Produkt des Antisemitismus von Belang (da schließt er nichts Neues auf), sondern als Produkt, dessen Bilder faschistische Herrschaftstechnik selbst beschreiben: darin ist er aufschlußreich.

Eine andere Szene aus *Bel Ami*, auch von zweifelhafter Komik: In einem populären Cabaret entscheidet das Publikum über das Schicksal derer, die sich zum Sängerwettstreit an die Rampe begeben. Eine beleibte Sängerin wird an den Galgen befördert, symbolisch, mit einer Bühnenmaschine. »Wer mißfällt, muß hängen«, sagt des Volkes Stimme. Eine Bombenstimmung herrscht im Cabaret-Saal; aber wie hat man die Szene im Kino aufgenommen?

Ko-Autor des Drehbuchs war Axel Eggebrecht. In seinem Bericht »Der halbe Weg« (1975) teilte er über seine Mitarbeit an *Bel Ami* mit: »Diesmal kapierte das deutsche Publikum die Anspielungen, die indessen zu fein dosiert waren, daß Goebbels sich durch ein Verbot demaskiert hätte. Er verhinderte aber, daß der ungemein erfolgreiche Film nach Venedig zur Biennale geschickt wurde, was wiederum auffiel.«[5] An dieser Erklärung des Films durch einen Mitwirkenden, der für seine Mitgliedschaft in der KPD und seine Artikel in der WELTBÜHNE 1933 vorübergehend ins KZ mußte, in der Filmindustrie bis 1945 überwintern konnte und sich 35 Jahre nach der Produktion an *Bel Ami* erinnert, läßt sich verdeutlichen, was Wandel am Rezeptionshorizont bedeutet. Wie verhält sich die Erinnerung Eggebrechts zur Quelle, dem Film? Mit »Anspielungen« meint Eggebrecht vermutlich jene Szene, in der Forst als Minister Trostaudienzen für seine vielen Liebschaften gibt, die sich in seinem Ministerium die Klinke in die Hand geben. In der Filmindustrie gab es nur einen Minister, Goebbels, auf dessen Film-Amouren angespielt wird. Nur so ist zu verstehen, warum Goebbels sich durch ein Verbot des Films »demaskiert« hätte. Aber: nur durch ein Verbot, aus diesem persönlichen Grund, erst 1939, als die Maske längst gefallen war? Eggebrecht, der Insider, personalisiert, um seine Kritik, in feiner »Dosierung« eingeschmuggelt, zu retten. Was waren die anderen Anspielungen, die das Publikum »kapierte«? Es mögen ganz an-

dere Passagen gewesen sein als die hier verhandelten, zu denen
Eggebrecht nichts sagt in seiner Bilanz. Er bedauert aber, daß der
Film nicht zum faschistischen Festival (das war die »Biennale« in
Venedig 1939) entsandt wurde, wo es um offizielle Auszeichnun-
gen und Preise ging. Schließlich war *Bel Ami* diesem Zeugnis zufolge (was andere erhärten) »ungemein erfolgreich«. Dann hätte
das Publikum von 1939 die »Anspielungen« kapiert, worauf letztlich das Einverständnis: durch angenommene Kritik beruhte?
Dann wäre *Bel Ami* vielleicht als Zeugnis ästhetischer Opposition
zu lesen, demgegenüber selbst Goebbels nicht wagte, seine wahre
Natur zu demaskieren?

Ungemein erfolgreich war vor allem ein Schlager aus dem Film:
»Bel Ami, du hast Glück bei den Frauen!«, so sehr, daß ihn die
Fliegeroffiziere, als es gegen Frankreich ging, in *Stukas* (1941) aufgreifen. Allerdings als Kontrafaktur, zum geselligen Skatspiel, in
den Angriffspausen. Das dem Frauenhelden zugeschriebene erotische Glück erklären die Herren Flieger sich auf ihre Art. »Bel
Ami, du hast Schiß vorm Kommiß.« Als Hans Albers ein Festmahl für Ilse Werner vorbereitet, die doch lieber zu Hans Söhnker eilt, brummt Albers, in frischer Erwartung der Werner, eine
plattdeutsche Version des Liedes in *Große Freiheit Nr. 7* (1944) –
Eggebrecht ist nicht zu widersprechen, *Bel Ami* war ungemein erfolgreich. Aber deshalb, weil das Publikum Schadenfreude über
einen erotischen Karrieristen äußert, der es vom Journalisten zum
Minister brachte? Eher lag doch der Erfolg in dem erotischen Versprechen, das *Bel Ami* den Zuschauern verhieß. Die Sehnsucht ist
ein stärkerer Motor als der Neid, denn die Libido-Maschine Kino
bedient lieber positive Affekte als negative. So ist sie geplant.

3

»Die Posse«, so schrieb der Pressedienst der Tobis, um einen neu-
en Film anzupreisen, »ist ein altes, beliebtes Planschbecken des
Volksgemüts«. Der Film, dem diese Werbung galt (die für die aller-
meisten der hier behandelten Filme gilt), hieß *Robert und Bertram*
(14.7.39), den Hans H. Zerlett in Regie und Buch verantwortete,

wobei er auf die gleichnamige Posse von Gustav Roeder zurück-
griff, die zuvor schon zweimal verfilmt wurde.[6]

Im Mittelpunkt steht die possenhafte (der Vorspann rollt auf einer Puppenbühne ab, wie um die Historizität zu verniedlichen),
das heißt gefahrenlos zärtliche Beziehung zwischen Robert und
Bertram, einem Vagabunden-Duo in Preußen 1839. Sei es im
Duett, sei es im Musizieren, beim Tanzen, Foppen, Nasführen,
die beiden bezeichnen sich als »eine Seele, ein Herz und ein Traum«.
Stimmen sie das Verführungsduett aus Mozarts »Don Giovanni«
an, so geht es als Parodie durch. Inmitten eines Spreewald-Mark-
tes dürfen sie als Frauen verkleidet mit dem Dorfschulzen anbän-
deln, bis ihre Perücken gelüftet werden. Der Transvestismus ist eine alte Komödienschachtel; entscheidend ist, daß sie hier für die
Positivität der Helden aufgemacht wird. Wenn hingegen im politischen Propagandafilm *Der ewige Jude* (von Fritz Hippler, 1940)
ein Mann in Frauenkleidern auftritt (Curt Bois in einem Ausschnitt aus *Der Fürst von Pappenheim*, 1927), schreibt der Kontext
dem Kostüm eine andere Bedeutung zu: die des effeminierten,
»perversen« Juden.

Die Paradies-Vorstellung des Männer-Trios der Junggesellen aus
Paradies der Junggesellen war infantil und ängstlich. In *Robert und
Bertram* werden die Wünsche innerhalb des Männerduos eher
schwebend und leicht behandelt, weil das Genre sie referentiell als
risikofrei bezeichnet. Ein weichlicher Jüngling vom Lande wird
zum Militär eingezogen. Beim Exerzieren schnauzt ihn der Kor-
poral an, er werde ihm, dem Rekruten, seine besondere Liebe an-
gedeihen lassen. Jener, tumb und Michel geheißen, erwidert, das
brächte ihn in Verlegenheit. Die Verweichlichung wird kuriert.
Michel kehrt als männlich geltend heim. Jetzt strahlt er für sein
Gretchen ein Versprechen aus: »Was die Preußen aus einem Menschen machen können!« 1939 war auch das Jahr der Filme der vor-
greifenden Mobilmachung. *Der Gouverneur, Kadetten* (1939 produziert), *Drei Unteroffiziere, D III 88* zeigten, was die Nazis aus den
Film-Preußen machten: Kriegsmaschinen.

Nun war das Glück für das erzdeutsche Paar Michel und Gretchen so einfach nicht zu haben. Es wurde in *Robert und Bertram*
von außen bedroht, nämlich durch die Aktionen des jüdischen

Bankiers Ipelmeyer. Politik als Nebenhandlung war ein wichtiges Prinzip der Dramaturgie. Hier wartet sie 40 Minuten, um auf Roeders Ipelmeyer-Akt zu kommen. Was Roeder 1839 am Aufsteigertum der Berliner Juden karikieren wollte, weitet Zerlett zur Verschwörung aus. Preußens Not und fremde Gloria. Der Bankier wird im Café Kranzler als Kunde von Kaviar und Sherry eingeführt, er liest das Börsenblatt (die Deutschen lesen nichts, in diesem Film) und sieht aus wie als Jacques Offenbach hergerichtet. Wie komisch macht der Film die Juden?

Das Palais Ipelmeyer hat gigantische Dimensionen, wie sie Hollywood in Xanadu erreichte; die Bewohner des Palais laufen als wandelnde Pamphlete umher, denen die Ressentiments jeweils vorgehängt werden. Die Tochter des Bankiers kostümiert sich zum Ball als Cleopatra und wird »Kleptomania« genannt. Tatsächlich war eine Einstellung davor zu sehen, wie Robert und Bertram, die liebenswerten Vagabunden, die der Film fast aus den Augen verloren hätte, käme hier nicht reiche Beute, der alten Frau Ipelmeyer die Perlen vom Leibe pflücken. »Kleptomania« einerseits, eine liebenswerte Gaunerei andererseits, das macht zweierlei Maß. Das Kostümfest endet im wilden Taumel der Tanzenden. Die Kamera lastet die von ihr entfesselte Sinnlichkeit den »anderen« an. Sie schwelgt in einer Offenbachiade und ruft am Ende: Haltet den Dieb!

Noch gab es Gerichte in Preußen; aber sie waren nicht mehr gefragt. Steckbriefe laufen zwar gegen Robert und Bertram um. Aber die Posse wäre keine Posse, wüßte sie nicht einen kürzeren Weg als den der behördlichen Instanzen. Eine Sequenz unterläuft sie alle und schiebt die Gaunerakte dem preußischen König zu. Der trifft eine Entscheidung, die wie in *Jud Süß* als ein Handlungsappell ans Publikum wirkt: der Jude sei der große Gauner, die Kleinen soll man laufen lassen. Das ist vielleicht eine märchenhafte Lösung, aber als realistische, die sie inmitten der Wünsche auch ist, stellt diese Lösung sich an die Seite von *Der Maulkorb* und *Kleines Bezirksgericht* (beide Filme von 1938) – als schwere Demoralisierung des preußischen Rechtes, als Aufforderung, die Legalität zu überspringen. Jetzt wird das Recht gesprochen, wo das Gesetz geschrieben nichts mehr gilt. Seit 1812 waren, aufgrund einer Initiative von Hardenberg und Humboldt, Juden preußische Bürger; seit 1850 garantierte ihnen die Verfassung Preußens völlige staatsbürgerliche Gleichheit. Eine Posse ist keine Geschichtsstunde; diese hier will selbst Geschichte schreiben. Wie der Regisseur Zerlett mit der Textvorlage verfuhr, äußerte er 1939: »Ich habe, abgesehen von der Grundidee, viel an Dialogen streichen müssen. Dramaturgisch verlagert ist der Komplex im Palais Ipelmeyer insofern, als er durch die auf weitere Personenkreise übergreifenden Machenschaften des hebräischen Bankiers vorbereitet wurde.«[7]

Mit *Robert und Bertram* wurde die zweite Welle des nationalsozialistischen Propagandafilms vorbereitet, die in den 40er Jahren den Antisemitismus schüren half, der in der »Endlösung« sein Ziel erblickte. Annonciert war aber nur ein filmischer Ausflug ins »Planschbecken des Volksgemüts«. War dazu auch die »Reichs-Kristallnacht« zu zählen, die 1938 vom Zaun gebrochen wurde? 1936 konnte man noch andere Zeichen im Film sehen – im Vorübergehen funktionslos: etwa eine ganzseitige Annonce des Warenhauses Wertheim in einer aufgeschlagenen Zeitung; oder das Firmenschild: »Kohn und Mittler, Transporte« *(Das Veilchen vom Potsdamer Platz)*. Zwei Jahre später wurden jüdische Warenhäuser angezündet, Synagogen in Brand gesetzt. 1938 suchen Heinz Rühmann und Hans Moser auf der Jagd nach einer Erbschaft das Geschäft »John Springer Erben« auf. Der Geschäftsinhaber ist durch Barttracht, Brille und Hut als orthodoxer Jude bezeichnet. Seine Frau ist eine herrische Kreatur, die J. Springer mit Scheidung droht. Sie verkauft den Drängenden den Stuhl, den ihr Mann erworben hatte *(13 Stühle)*.

Wenn Moser im Bild ist, übersieht man leicht, was ihm im Weg steht. Aber wenn er da ist, wollen ihn alle sehen. Seine Pópularität ist ungebrochen.[8] *Anton der Letzte* (30.11.39), in E.W. Emos Regie, ist eine Herr/Knecht-Komödie mit der Variante Knecht als Herr; »verkehrte Welt« also. Auch Diener haben ihre Dynastie, nicht aus Selbstherrlichkeit, sondern aus Treue. Da der Adel, dem Hans Moser dient, zur Selbstabdankung der Herrschaft aus Legitimationserschöpfung bereit scheint, wird auch die Diener-Dynastie erlöschen: Anton ist der letzte. Aber er findet, nachdem er die Weiche zum Herrschaftsübergang gestellt hat, auch ein neues Selbstverständnis.

Der alte Graf hat seinen Grund verpachtet, an einen tüchtigen Pächter, der am Bach, der den Grund durchzieht, ein kleines Kraftwerk betreibt und das Land bewässert. Bislang diente der Bach zum Forellen-Fischen und Hirschetränken; der alte Graf hält an dem Privileg fest, auch wo Moser dem Schein durch Realität nachhilft und Fische in den Bach werfen läßt, einen Hirsch an der Leine zur Tränke führt. Die alte Generation versteht sich nicht; die Pächterstochter aber liebt den jungen Grafen (O.W. Fischer), der wie der Pächter das Luxusprinzip durch Utilitarismus ersetzte. Er erbt nicht nur, er arbeitet und will als Geologe auf Expedition nach Persien ziehen. Als Strafe für die vermeintliche Mesalliance, die sie anstrebt, wird die Pächterstochter in die Stadt verstoßen. Sie besucht die Hauswirtschaftsschule. Aber das ist keine Strafe, das ist eine ihr auferlegte Liebesprobe. Sie mochte nicht warten und wird schwanger. Das Produkt der Allianz von Nützlichkeit und Herrschaft gebiert sie im gräflichen Schloß.

Der alte Graf würde nun seinen Sohn und seinen Enkelsohn verstoßen, griffe nicht Moser in Windeseile ein. Dieser deckt auf, daß sein Herr sich selbst zwei Stiftsfräulein ins Schloß zog, die Gouvernante in Kauf nimmt und auf die Jungfer spekuliert. Auf der Freitreppe des Schlosses baut sich Moser auf, kündigt seine Dienste und hält als »freier Privatmann« eine flammende Rede. Der Diener kanzelt die Vertreter des alten Adels ab, nennt sie »Schmarotzerpflanzen« und gibt die Prozeßvollmacht gegen den Pächter zurück. Moser macht flugs aus Todfeinden Freunde fürs Leben. Er versöhnt Vater und Sohn, Adel und Volk. Sein schönster Lohn ist, daß der Enkel »Thassilo-Anton« heißen soll, nach dem Urahnen und dem Diener, als berge das Kind das Versprechen der Auflösung aller Stände in seiner Zukunft.

Mosers Szene auf der Freitreppe ist die größte raumgreifende Bewegung der Kamera in diesem Film. Station um Station verfolgt sie im Schwenk die Adressaten, an die der gewesene Diener seine Brandrede richtet. Der Redner macht sich Luft, und die Kamera verschafft ihm Raum zur Rebellion. Die Rebellion hingegen wird am Schluß des Films wieder eingebunden. Der zuvor raum-

greifende Schwenk weicht der Fixierung des Bildes in der Zentralachse, in der das Festmahl der Versöhnung von Herrschaft und
Dienern gezeigt wird. Der alte Graf sagt zu Moser: »Anton, lassen wir alles beim alten.« Der Friedensvorschlag ist ein Programm
zur Niederschlagung der vorsichtig geübten Rebellion. Wie sehr
Moser selbst, einst Rebell, in dieser Rolle niedergeschlagen ist,
zeigt seine zweite Ansprache an der Tafel der Versöhnung. Sein
Geständnis bringt jeden Aufruhr ins Lot. Moser prostet mit seinem Glas direkt in die Kamera: dem Zuschauer zu, der nun als
Komplize in diese vertuschte Rebellion eingebunden wird.

Tatsächlich verkündet Moser: »Dies Kind ist eines von uns
allen!« Was ist das Rätsel der Vielväterschaft? Nichts anderes als
die Versöhnung von Luxus und Utilitarismus, von Forellen und
Kraftwerk, von Stadt und Land, von Hauswirtschaft und Grafen-
schloß. Wahrscheinlicher aber, als daß die Familie des jungen Grafen nun nach Persien zieht, ist, daß sie bleibt. Moser hatte ihr die
Reform der Herrschaft ermöglicht, indem er – und das ist hier die
Sinngebung des Topos der »verkehrten Welt« – zeitweilig, als die
Herrschaft bedroht war, diese selbst als Karyatide der Komik stütz-
te. Der Diener tat gräflicher als der Graf. Wo die Formen des alten
Umgangs dahinschwanden, herrschten sie im Körper des Dieners
fort, der, derart mechanisch angetrieben, den besseren Herrn spielte als sein Herr. Wenn O.W. Fischer statt eines Reiteranzugs einen Pullover trägt, so gilt er bei Moser schon als »ausgesproche-
ner Revolutionär; ein Modernist«.

Der junge Graf demonstriert damit den Übergang, Moser be-
schleunigt ihn, mag er bei dieser Übung auch leicht aus den Schu-
hen kippen, sich eben zwischen Tür und Angel aufrecht halten,
auf den Hacken wippen, den Oberkörper in der Hüfte abknicken,
kehrtmachen auf dem Absatz, um hier zu schlichten, da zu
stichen, und am Ende mit der Hand sich an die Stirn schlagen
und matt empört ausrufen, er sei überlastet. Moser ist überlastet,
denn er steht zwischen Tür und Angel, zwischen Volk und Adel,
zwischen Aufruhr und nervösem Quietismus. Das konnte zum
Eindruck führen, er sei »der schlampigste Techniker der Komik«,
wie Herbert Ihering ihn ausspielte gegen Theo Lingen, »den größten Techniker der Komik in Deutschland«.[9] Lingen bleibt präzis,

weil er den Standort selten wechselte. Moser trieb es immer, aus der Haut zu fahren und die Gestalt der Versöhnung anzunehmen. Deshalb demonstrierte er keine Technik. Er demonstrierte eine Sehnsucht. Auch Hans Moser war eine Paradies-Vorstellung.

In *Anton der Letzte* schaukelte er das Kind, das den Zerstrittenen Zukunft versprach. Welche? Warum jener Doppelname Thassilo-Anton, der zum einen sehr bayerisch, zum anderen sehr österreichisch klingt, wobei der bayerische Teil die Ahnen der Herrschaft, der österreichische den Diener der Herrschaft reklamierte? Wer ist der neue Herr im Haus? Warum wird jenseits der biologischen eine allseitige Vaterschaft auf das Kind beansprucht, setzt sich das Naturrecht gegen Staatsrecht durch, daß sogar die Diener als Amtswalter der Tradition opportunistisch die Farbe wechseln und nun eine Tradition des Naturrechts ausrufen?

Anton der Letzte ist eine Komödie, die mit dem (am 12.3.38) gewaltsam erfolgten »Anschluß« Österreichs ans Deutsche Reich versöhnen soll. Das Großdeutsche Reich ist die letzte Paradies-Vorstellung. Dann kommt der Krieg, der andere Sehnsüchte weckt und alle vernichtet. So sehr deutlich ist die Anschluß-Emblematik des Films, daß die Übersetzung fast überflüssig scheint: der alte Graf »ist« Österreich, der Pächter das Reich, das Wasser die Grenze: die aufgehoben wird als Kraftwerk. Die Hochzeit von Pächterstochter und dem jungen Grafen ist nur noch Nachvollzug einer längst lebensfähigen, zeugenden Verbindung: denn Thassilo-Anton hatte das Licht des Großdeutschen Reiches als natürlicher Sohn erblickt.

4

Die Männer suchen ein galantes Abenteuer, und ihre Frauen nehmen sich vor, die Treue der Männer zu prüfen: »Così fan tutt*i*« könnte der Titel vieler solcher Lustspiele heißen, die eine Wunschproduktion nach massiver Promiskuität in Gang setzen, um sie am Ende mit der Verfehlung des Ziels der Wünsche zu düpieren. *Opernball* (22.12.39) ist ein Beispiel, das Geza von Bolvary inszenierte. Multiple Kupplergeschäfte werden getätigt, aber nie zum

Abschluß gebracht. Das deutsche Lustspiel erweist ein realistisches Gespür für die außerhalb des Kinos zirkulierenden Wünsche. Aber die Angst, sie zu zeigen, ist größer als die Lust. Soll diese einmal abgebildet werden, dann wird alles inszeniert, um den Wunsch nach der Sehnsucht zu wecken, der doch nicht erfüllt wird. Ein Beispiel, vom dramaturgischen Werkzeug dieses Films *Opernball* geboten, das die erotischen Wünsche der Herren auf die Mägde, die der Mägde auf die Herren in gehöriger Konfusion vermittelt. Das mußte Hans Moser sein, Geschäftsführer im Restaurant des Opernballs. Er instruiert seine Kellner, wie man diskret ein chambre separée betritt: mit dem Rücken durch die halb geöffnete Tür, das Serviertablett als Spiegel und Spion handhabend, um den Grad der Verfänglichkeit, in dem Kunden sich befinden, richtig einzuschätzen. Schon als Trockenübung ist das eine witzige Szene. Aber selber in den Spiegel hineinzusehen, ein Abbild der geweckten Imagination situativ zu entwerfen, versagten sich die Kamera, die Regie und die Produktion.

Peter komponiert Schlager, Nora ist seine Frau. Sie will sich trennen. Sich öfter scheiden lassen, sei das Paradies auf Erden, sagen beide. Durch eine Neuerung im Eherecht bedingt, zieht sich die Scheidung hin. Sühnetermine erfolgen. Der Künstler träumt von einer Frau, deren Namen nicht den Makel historischer Emanzipation trägt. »Wildkatze, Schlange, Panther, Mickey Mouse, Königin und Dirne« soll seine Frau: ihm sein. Träumten so wild nur die Künstler?

Nora verzichtet auf Mode und Schminke, möchte »nichts weiter sein als die Frau meines Mannes« und wird, da sie Nora nicht werden durfte, sein »kleiner Liebesrekrut«. Keine unpassende Manöverwendung für einen Film *Ehe in Dosen* (Regie: Johannes Meyer), der am 18.8.39 in die deutschen Kinos kommt, zwei Wochen vor dem Krieg. Der Titel des Films soll besagen, die Ehe in dosierten Portionen sei genießbar, spielt aber in der Nebenhandlung den Doppelsinn von Dose als »Konserve« aus: die Ehe, eingeweckt. Denn Nora hat, bevor sie als Liebesrekrut eingezogen wird, Gelegenheit, sich auszutoben. Sie tingelt in Lissabon, bringt ihr Vermögen durch, entzieht sich im Grunde aber der Scheidung durch temporäre Trennung. Die Selbständigkeit? »Es ist zwecklos, ich komme wieder«, schreibt sie. Als Versöhnungsgabe produziert sie ein Kind für den Komponisten. Der Onkel fragt sie: »Hat er dich akzeptiert?« Nora: »Vorläufig nur den Sohn.«

1939 oder das Jahr der Söhne: ob in *Hurra, ich bin Papa*, in *Anton der Letzte* oder *Ehe in Dosen*. Ernst hatte der letztgenannte Film sein Thema nicht genommen, oder vielmehr komisch gefunden, es erst zu dosieren, um es sodann einzuwecken. Die Ehe ist ein biologisches Produktionsverhältnis, keine Liebe. Ein streitendes Paar kennt für seinen Zwist keinen sozialen Grund. Noch bevor der Film realistisch beginnt, zeigt der Vorspann, was der Zuschauer davon zu halten hat. Emblem des streitenden Paars werden balzende Tiere. »Frauen sind wie das Wetter. Wir Männer müssen sein wie das Donnerwetter!«, lautet ein Wortwitz aus der Junggesellenkomödie *Ich bin gleich wieder da* (21.4.39), bei dem Peter Paul Brauer die Regie führte. Nick (Paul Klinger), ein Handelsstudent, will nur schnell Zigaretten holen, und um die Ecke erwartet ihn das Abenteuer. Eine Schießartistin im Zirkus, ein Revuegirl, eine gelangweilte Generaldirektorstochter. Der Mann im Paradies exotischer Verlockungen: Er hat die freie Wahl. Aber nicht die traumhafte Verfügbarkeit soll hier als komisch gelten, sondern die reale Verfügbarkeit des Nicht-Verfügbaren. Der Student hat Schwierigkeiten, eine Frau seiner Wahl zu finden. Sein Freund (Rudolf Platte) macht sich in dieser tollen Nacht auffällig Sorgen um ihn. In realer Abwesenheit der erträumten Frauen verkörpert sein Spiel der weiblichen Gesten die stellvertretende, und so »natürlich« komisch wirkende Anwesenheit »der« Frau. Zur Paradies-Vorstellung gehört die Evokation der Wünsche *und* die Unmöglichkeit, diese, einmal gerufen, wahrzunehmen. Es sei denn in verzerrter, frau-gemachter, »komischer« Gestalt.

Paul Klinger ging im gleichen Jahr auf Paddeltour mit seiner Verlobten (Karin Hardt) in *Sommer, Sonne, Erika* (22.12.39), Rolf Hansen führte Regie. Die Isar-Strecke von München bis Wolfratshausen war lang genug, um Erika einem Drama der Verdächtigung auszusetzen, das ihr keine Demütigung erspart. Für den Ingenieur Klinger (der sich bei den Münchner Karosserie-Werken Feldmann bewirbt) und seinen Studienfreund von der Technischen Hochschule ist es kein Drama, sondern die Erniedrigung der Frau ein Lustspiel, das sie reif zur Ehe machen soll. Der Filmtitel *Sommer, Sonne, Erika* hatte ja drei Männerwünsche in einem Atem genannt. Von dem Versprechen auf Freiheit, das er birgt, zeigt der Film keine Spur. Unterordnung ist die Devise, noch wenn der Witz auf eine Unordnung anspielt. Der Werksdirektor sagt über seinen Ingenieur, der müsse »Frau einrichten, Wohnung heiraten«. Wie gezielt solche Konfusion denkt, verdeutlicht jene Stelle, wo der Direktor seiner Frau, die den Wagen steuert und dem Ingenieur auffährt, weiterzufahren befiehlt und das als »Fahnenflucht, äh, Fahrerflucht« deklariert. Dieser Witz paßt gut zum Liebesrekruten aus *Ehe in Dosen*. Aufschlußreich für das Nebenthema, die Erniedrigung der Frau, ist, daß Paul Klinger seinem Freund sofort Glauben schenkt, wenn der seine Verlobte eines Diebstahls bezichtigt; erst später kann sie sich selbst entlasten. Der Freund holt sich das Geld, das im Rausch ihm von einem Dieb abgenommen wurde, bei Karin Hardt zurück. Diese RM 500 waren aber die Kaution, die Klinger benötigte für seine Stellenbewerbung. Das scheint Reflex einer im öffentlichen Leben gehandhabten Praxis zu sein, derzufolge – so stellt es der Film dar – ein Arbeitnehmer, um einen Arbeitsvertrag abzuschließen, dem Arbeitgeber eine Kaution leistete.

Telegrammbote und Kriminalpolizei grüßen mit »Heil Hitler«, was auszusprechen die Komödien bis 1939 sorgsam vermieden. Der Ingenieur grüßt den Direktor der Feldmann-Werke mit »Feldmanns-Heil«, was der quittiert mit »Feldmanns-Dank!«

Nicht mehr die Unterwerfung, die Kapitulation der Frau wird verlangt in Fritz Peter Buchs *Ein ganzer Kerl* (22.12.39 – nicht zu verwechseln mit dem gleichnamigen Filmlustspiel, das Carl Boese 1935 drehte). Heidemarie Hatheyer – später als *Geierwally* (1940) Typus der harten Frau par excellence – ist der ganze Kerl, der zu einer ganzen Frau erst werden soll. Hier wächst sie auf einem Gut auf, dessen Erbe sich auf und davon machte nach Brasilien. In Stiefeln und Reithosen, die Haare hochgesteckt unterm schwarzen Hut, gut zu Fuß, zu Pferd und auf dem Herrenfahrrad führt Hatheyer das Regiment auf dem verschuldeten, verluderten Gut. Sie treibt das Gesinde zur Arbeit an und verjagt die Gläubiger. Das Waisenkind spielt Herrin.

Bis der verlorene Sohn (Albert Matterstock) in der Heimat auftaucht, mit seinem verbitterten Vater, Oberst a.D. (Paul Henkels), sich aussöhnt, die Schulden mit dem Scheckheft regelt, im Morgenrock zum Baden ausreitet, mit hochnäsigen Comtessen flirtet und sich an der Verwalterin seines Gutes reibt. Die zieht sich auf die Buchhaltung zurück. Aus Not wurde sie: zum Feldwebel, zum »gnädigen Herrn – äh Frau«, wie der Lohndiener sagt; zum »verknautschten Frauenzimmer, aufgeblasenen, arroganten Hosenmatz, zum Mannweib«, wie Matterstock – in Wahrheit der *ganze* Kerl – ihr ins Gesicht sagt.

Haus und Hof, Wände und Äcker scheinen jetzt unter dem starken Mann aufzuleuchten, sich seiner Herrschaft anzudienen, obwohl der außer Reichtum in der Fremde nichts erworben hat, was ihn zur Führung eines Gutshofes befähigte. Aber neben ihm muß alle Erfahrung der »Amtsherrin« verblassen. Die gilt nichts. Glück, behauptet der lachende Erbe, sei eine Ausrede der Schwachen. »Was einer will, gelingt!« Er will den Hof und Hatheyer, obwohl er ihr gegenüber damit kokettiert, wieder auszuwandern. Vielleicht Batavia! Diese javanische Stadt scheint nicht nur Topos deutscher Sehnsucht, sondern auch Terrain deutscher Interessen gewesen zu sein, denn viele Unterhaltungsfilme formulierten als Traumziel Batavia: von *Allotria* bis *Hurra, ich bin Papa*.

Sieben Jahre der Entbehrung hat Hatheyer *(Ein ganzer Kerl)* hinter sich, als sie mit 25 Jahren ihre Herren-Jahre als verlorene Frauen-Jahre entdeckt. Nun könnten im biblischen Verheißungssinn die »sieben fetten Jahre« kommen. Die Wende läßt nicht auf sich warten. Hatheyer will der Arroganz von Matterstock entfliehen. Sie zieht sich ein extravagantes Kleid ihrer verstorbenen Mutter an und »erblüht«, so malt es das Halbdunkel um den Spiegel aus, zur Frau. Ohne anzuklopfen, ja durch die gewaltsam eingetretene Tür erscheint Matterstock, fegt mit einem Stoß (Großaufnahme) die Herren-Stiefel der Frau aus dem Weg und trägt Hatheyer auf Händen: zum See.

Der verlorene Sohn bleibt auf der angestammten Scholle, die er gleichsam nur vorseherisch verließ, um sie aus fremden Händen freikaufen zu können. Hier ist der Schuldner ein feister Gastwirt, der auf dem verschuldeten Waldgrundstück des Gutes Baupläne verwirklichen möchte. Ihn verjagt der junge Erbe, der selber bauen will in Blut und Boden. Feindbilder werden durch Kontinuität geschaffen. Der Darsteller des öligen Gastwirts hatte 1937 in *Panzerkreuzer Sewastopol* den sowjetischen Kommissar, perfiden Hundefreund und Henker der Weißgardisten gespielt. Daran mag sich nicht nur das Besetzungsbüro der Filmproduktion, sondern auch mancher Zuschauer, mit »Abscheu«, erinnert haben. Diese Erinnerung durfte nicht verblassen.

Die Scholle, die auf ihren Erlöser wartete, war größer als ein Gutshof. Die Scholle hieß Deutschland, das nach »Fremdherrschaft, Verschuldung« (Versailler Vertrag, Rheinland-Besetzung, Saarland-Abtrennung) seinen neuen Herrn suchte. Rechnet man vom Produktionsjahr des Films die sieben Jahre, die Hatheyer zählte, zurück, so ist man im Jahr 1932, dem für die Machtergreifung der Nationalsozialisten entscheidenden Krisenjahr. Sieben Jahre später feierte Hitler seinen 50. Geburtstag. Er stand im Zenit seiner Macht. Aber die fetten Jahre, Matterstock und Hatheyer verhießen, waren schon vorbei. Jetzt kam, der sie versprochen hatte, der Krieg.

Gehemmte Schaulust

> *»Seit wann hat eine Revue eine Idee?«*
> *Der weiße Traum, 1943*

I

Das Wort »Revue«, im allgemeinen Sinne »Rundschau«, begann sehr rasch, einen spezifischen Sinn, den der militärischen Truppeninspektion, der Parade anzunehmen, bevor sich die Nebenbedeutungen für »Bühnenschau« oder Zeitschriftentitel auszweigten. Der Revuefilm des Dritten Reiches, dessen Ideologie ohnehin den Ursprung fetischisierte, durfte sich das Verdienst zuschreiben, diese sprachliche Wurzel im radikalen Sinne eingedeutscht zu haben. Im Revuefilm paradieren die zivilen Truppen, oft im Kostüm der Uniform und meistens in der Choreographie des kostümierten Gleichschritts. Daß Girls in diesen Uniformen stecken, mag den erotischen Reiz erhöhen, erniedrigt ihn in Wahrheit aber durch die massenhafte Entindividualisierung jener Girls. Der Regisseur oder »Spielleiter«, wie es zeitgenössisch lauten mußte, inspiziert in den Revuegirls stellvertretend die weibliche Reservearmee, die die Heimat hält, noch als die Front der Männerarmeen zusammenbricht.

Die Revuefilme sind die Heerschau des Propagandaministeriums, seine Paradebeispiele der höchsten Produktionskapazität und zugleich der höchsten Rezeptionsintensität, viel stärker noch als die manifest politisch intendierten »Filme der Nation« von *Heimkehr* (1941) bis *Kolberg* (1945). Bis 1914 erhielten bei deutschen Paraden vor dem obersten Kriegsherrn Unteroffiziere eine Mark, Mannschaften dagegen fünf Pfennig als Revuegeschenk, unterrichtet »Meyers Lexikon«, um dann erst Revue als Darbietungsform der Unterhaltungsindustrie zu definieren, und zwar als »musikalisch-dramatisches Theaterstück mit lose geschürztem Stoff aus sensationellen (Tages-) Ereignissen mit glänzendem Prunk in der Ausstattung«.[1] Für die Revuegeschenke, die der oberste Kriegsherr seit 1939 verteilte, mußte die Reichskasse, wie für *Der weiße*

Traum (1943), oft über zwei Millionen Mark berappen. Dieser Schauwert speiste sich aus der Akkumulierung einzeln vorangetriebener Effekte, deren wesentlichster Wert und Wirkungsfaktor die Überwältigung gewesen ist. In den geometrisch hierarchisierten Anordnungen ist nicht nur Disziplinlosigkeit, sondern auch die Angst vor dem Chaos gebändigt. Wenn die Girls in *Wir tanzen um die Welt* (1939) in triumphaler Siegespose allabendlich von Lissabon bis Genua, von London bis Kopenhagen im Stechschritt die Treppe heruntermarschieren, treten sie in lackierten Stiefeln den noch unsichtbaren Aufstand nieder. Das ist Tanz im Dienste; die einen reiten für Deutschland, die anderen tanzen und exerzieren im Bereich der Unterhaltung eine Form vor, die ihren Ausdruck im Krieg findet. Die wechselseitige Übersetzungsarbeit von militärischem und theatralischem Bereich wird weiter unten aufgegriffen, anläßlich der Hypothese: ist der *Triumph des Willens* (1935) ein Revuefilm?

Das Aufkommen der Girl-Kultur zur Zeit der Neuen Sachlichkeit, jener Stilrichtung des sogenannten weißen Sozialismus (das meinte: die Entproletarisierung der Arbeiter im Aufstieg zur Zwischenschicht der Angestellten, befördert durch die Rationalisierungsprozesse des Kapitals), ist an das Phänomen der Krise geknüpft, an ihre Gleichzeitigkeit in den USA wie Westeuropa. Die Rolle des Girls ist der Preis, den die Frau für ihre Entzauberung, das hieß: ihre Eingliederung in den industriellen Arbeitsprozeß der Republik zu zahlen hatte. Über die Schürze zog die Hausfrau den Kittel und wurde zum Kameraden, zum Kumpel des Mannes. Das ist ein Grund, warum die Unterhaltungsrevuen von Weimar und in Verlängerung: die Revuefilme im Dritten Reich so massiv weibliche Darsteller beschäftigten, deren Unterhaltungswert wiederum im halben Verstecken der Weiblichkeit besteht, die vorzugsweise männliche Rollen zu spielen hat. Und taucht mal eine Männerriege auf, wie in *Kora Terry* (1940), muß sie von einer Generalin kommandiert werden, der Maria Koppenhöfer die eisern-grantige Verfassung des Alten Fritz mitgibt. Die Tiller-Girls waren die englische Tanztruppe, die auch in Berlin den Ton angab. Erik Charell, der sich seinen Namen als Top-Showman durch seine Filmoperette *Der Kongreß tanzt* (1931) machte, inszenierte ihre Revuen im Großen Schauspielhaus. Siegfried Kracauer, der Kritiker der kulturellen Zwischenzonen, erfaßte ihren Auftritt als Allegorie des rationalisierten Wirtschaftsbetriebes:

»Sie waren nicht nur amerikanische Produkte, sie demonstrierten zugleich die amerikanische Produktion. Wenn sie eine Schlange bildeten, die sich auf und nieder bewegte, veranschaulichten sie strahlend die Vorzüge des laufenden Bands; wenn sie im Geschwindtempo steppten, klang es wie: Business, Business; wenn sie die Beine mathematisch genau in die Höhe schmetterten, bejahten sie freudig die Fortschritte der Rationalisierung: und wenn sie stets wieder dasselbe taten, ohne daß ihre Reihe je abriß, sah man innerlich eine ununterbrochene Kette von Autos aus den Fabrikhöfen in die Welt gleiten.«[2]

Wem diese Allegorie nicht einleuchtet, der mag sich die Eröffnungssequenz von *Gold Diggers of 1933* vor Augen halten, dieses schamlos-verschämte Depressionsballett, in dem die Girls mit überdimensionierten Silberdollars Schlangenbewegungen vollführen, in denen mal das Gesicht, mal das Geschlecht verdeckt wird.

Es war Kracauers Erkenntnis, daß im massenhaften Ornament die Masse sich als Ornament erkennt, und zwar als eines, das nicht ein ästhetischer Wille, sondern »das Formprinzip der Büros und Fabriken« formte. Im Massenornament, sei es im Kino oder dem Varieté, erblickt das Publikum sich selbst, gleichfalls hierarchisch eingezwängt. Ungezählte Gegenschüsse von der Bühne zeigen im Revuefilm, wenngleich verdächtig oft aus ewiggleichem Archivmaterial, das Publikum, das den Darbietungen zuschaut.

»Ein Blick auf die Leinwand belehrt, daß die Ornamente aus Tausenden von Körpern bestehen, Körpern in Badehosen ohne Geschlecht. Der Regelmäßigkeit ihrer Muster jubelt die durch die Tribünen gegliederte Menge zu.«[3]

Zeugnisse der Rezeption dieser Revuen vor 1933 finden sich bei Schriftstellern, die, mit dem Blick der Neuen Sachlichkeit begabt, Tuchfühlung hielten mit der Realität. Und die sah, vom Publikum betrachtet, nicht immer so glänzend aus wie im Medium des Films. Gabriele Tergit beschrieb einen traurigen Auftritt einer vermutlich deutschen Spielart von Tiller-Girls im »Wintergarten«:

»Zuerst beugten auf der Bühne die berühmten Mädchen Rümp-
fe, streckten Beine in die Luft, ohne Zweifel eine gesunde Turn-
übung für Fünf- bis Sechzehnjährige. Aber ein Teil der Mädchen
befand sich an der Wende der Vierzig. Zweimal neunhundert Augen, davon mehr als die Hälfte männliche, starrten aus dem Dunkel. Nackte Beine als Massenerscheinung sind ungemein peinlich,
Lächeln als Massenerscheinung ist schamerregend, weil unver-
hüllte Prostitution.«[4]
In welchem Maß die Unterhaltungskunst geradezu vom Ratio-
nalisierungszwang geprägt wurde, ihr Drill vom Fließbandsystem,
zeigte das Depressions-Musical *42nd Street* in unverhohlener Bru-
talität: wer beim Training vor Erschöpfung umfällt, scheidet aus;
wer helfen will, ist schon bedroht. Das soziale Elend, aus dem die
Glanzstoff-Industrie sich produzierte, hat Heinrich Mann erfaßt,
als er 1932 die trübe Tanzveranstaltung eines Revue-Etablissements
Nähe Kurfürstendamm beschrieb:
»Die engagierten Tänzerinnen schwebten in den Augen auf-
nahmefähiger Gäste überirdisch die Treppe herab. Tatsächlich war
es der Direktion möglich gewesen, für diesen Zweck eine Treppe
von ungefähr fünfzehn Stufen nutzbar zu machen. Diese führte
zwar geradewegs zu den Toiletten, aber daran grenzte ein ganz enger Raum, wo die Damen des Balletts sich umzogen. Aus armen
Mädchen in offenbare Feen verwandelt, stelzten die Langbeini-
gen von Stufe zu Stufe, die Kleineren hüpften vor ihnen her, alle
hielten sich große Federfächer hinter die ondulierten Köpfe, und
ihre Glieder, die sie wie ausgemachte Kostbarkeiten herbeiführ-
ten, gleißten im Licht des Scheinwerfers, als käme ihre Haut vom
Juwelier – oder wenigstens aus dem Leihhaus.«[5]
Die Nationalsozialisten, nie verlegen um den wehleidigen Gestus, beklagten die Mechanisierung der Schauelemente, die bereits
zum Zeitpunkt der Machtergreifung längst zu Fertigteilen des
Unterhaltungsgewerbes ausgestanzt vorlagen, als seelenlos. Sie
schafften ihrerseits, trotz vehementer Kampfansagen, die Taylorisierung der Revue nicht ab, sondern wattierten sie bloß mit Sen-
timents der Rührung. Nur, was an den Schauelementen sich zu
verselbständigen drohte, schnitten sie ab und zwängten den Rest
ins Korsett der Dramaturgie.

Wo die amerikanischen Musicals stets den Primat der Show über die Handlung behaupten konnten, wird diese Hierarchie umgekehrt: das heißt unter Sinnzwang, unter Legitimationsüberdruck eingedeutscht. Dieser Sinnzwang des Revuefilms frißt sich, selbst wo die Show schon begonnen hat, ganz ungeniert in die Nummer hinein, einzig um dem Zuschauer einzureiben, daß hinter dem Ausdruck der reinen Form etwas Höheres steht, der Sinn. Der Widerspruch zwischen verschärfter Taylorisierung der Show und der behaupteten Zurücknahme dieser Verschärfung durch seelischen Ausgleich findet seinen schlagenden Ausdruck darin, daß in den späten 30er Jahren im Berliner »Wintergarten« eine Truppe auftritt, die sich Hiller-Girls nennt. Wie Maria Milde, 1938 eines jener Girls, sich 1978 erinnert, tanzten die Hiller-Girls, die mit ihrem Namen vorsätzlich beim Publikum an den immer noch nicht unterdrückbaren Amerikanismus appellieren, »noch disziplinierter, ausgeglichener und – mit mehr Herz«. Worin lag denn der Ausgleich, wenn die Disziplin gesteigert wurde? Der Zuwachs an Emotionalität schien immer mit einem Verlust an Bewußtsein erkauft, insbesondere über die tatsächliche Lage. 1939 sind die Girls schon Teil der gigantischen Uniformierung, die die gesamte Zivilbevölkerung erfaßt und die die Künstler zu Produktionsgemeinschaften zusammenschließt, die Trupps zu Truppen, aus denen die Soldaten der Kunst hervorgehen sollen.

»Das Hiller-Ballett ist eine Welt der Schönheit und Kameradschaftlichkeit. Jedes Mitglied, dieser nicht nur gemeinsam arbeitenden, sondern auch wie im Pensionat miteinander wohnenden Familie vollbringt den Tag nach einem genau festgelegten Plan: Vorstellung, gemeinsames Essen, Ausruhen, Haushaltführung und immer wieder Proben bei der Ballettmeisterin Frau Hiller.«

Da liegt es nur zu nahe, daß der Auftritt der Truppe nahtlos in eine Manifestation militärischen Geistes übergeht. Über die Festvorstellung zum 50jährigen Jubiläum des Berliner »Wintergarten« schrieb – eine nicht identifizierte – Zeitung:

»Mit einem Schmiß ohnegleichen, legt das Hiller-Ballett, das später in hauchzarten ›Gedichten‹ von Kleidern in einem ungemein anmutigen Walzer und in einem fabelhaften Step entzückt, gleich zu Anfang vor dem Hintergrund des Brandenburger Tores in schmucken blauen Vorkriegsuniformen einen Parademarsch hin, mit zackigem Beinewerfen und Tuchfühlung – aber so! – daß Oberbürgermeister und Stadtpräsident Dr. Lippert im Parkett über so viel Adrettheit nur staunen und schmunzeln konnte. Dieser Schwung wurde – ganz ins Militärische übertragen – nur noch übertroffen vom Musikkorps der Leibstandarte SS Adolf Hitler, das unter seinem Dirigenten Müller-John auf der Bühne für die Winterhilfe spielte und tosenden Beifall erntete.«6

Es ist eine Binsenweisheit in der Geschichte der Unterhaltungsmedien, daß der Revuefilm ein Derivat der Operette ist, wobei in der deutschen Tradition belastend hinzutritt, daß die Revue eher den albernen Faden der Wiener Operette aufgegriffen hat, als die Satiren der Pariser Operette fortzuspinnen. Es war der Tonfilm, der einer arg zerrupften Operette zu neuem Glanz verhalf, weil er selbst, unter dem ökonomischen Diktat, die Ausschlachtung der Tonpatente zu maximieren, vor dem Absturz in die stoffliche Leere stand. Da kam ein ramponiertes Genre wie die Revue gerade recht für den Tonfilm, der seine technischen Parameter hemmungslos als ästhetische entfalten konnte, um Musik, Dialog, Gesang und Tanz als zusammengerafften Reichtum zu präsentieren.

Die letzte Depravation des Revuefilms ist das Fernsehballett, das heute, im hoffnungslosen Anachronismus zum Ereignischarakter des Mediums, seine tänzerischen Darbietungen auf einem ästhetischen Standard offeriert, den die Mitte der vierziger Jahre festschrieb. »Fernsehballett: Lust der Massen an der Vermehrung der Zahl, regressiv ins Militärische gewendet.«7

2

Die deutschen Revuefilme heute im Zusammenhang zu sehen, heißt, ihre Gleichförmigkeit trotz der Mannigfaltigkeit der Stoffe erkennen. Die Reaktion ist eine Art Langeweile. Im amerikanischen Musical geht es kurzweiliger zu. Dort herrscht vorab statt psychischer Bewegtheit physische Bewegung, die in die Formen selbst eingeht. Im Musical ist eine Mannigfaltigkeit der Formen zu erkennen, die die relative Gleichförmigkeit der Stoffe beherrscht, das heißt auch, in Konsequenz: spielend von ihr ablenkt. Gleichwohl scheint die Uniformität der Form für die Wahrnehmung eine ungleich schärfere Restriktion als die Uniformierung der Stoffe. Denn eine Funktion der Form ist es, im Erfahrungsmuster der Zuschauer die Qualität der Realzeit gegenüber der Filmzeit, die der Stoff okkupiert, durchzusetzen.

Die Gleichförmigkeit der Form eines Genres droht, den Film zu entsubstantialisieren, seiner konkreten Aufgabe: die physische Realität festzuhalten, den Boden zu entziehen. Was im Musical Mobilität war, gefriert im Revuefilm zur Hierarchie; was in Bewegung war, erstarrt. Das zieht zum einen eine Reduktion der ästhetischen Mittel nach sich, die der Zuschauer aber viel empfindlicher verspürt als Restriktion seiner Sinnlichkeit. Die Schaulust, die er im Ausstattungsfilm liebend gern entfaltet, wird gehemmt. Was Augenweide und Ohrenschmaus gewesen ist, war ein Zuviel der sinnlichen Verheißung. Sie darf fortan nur noch mit halbem Ohr und blinzelndem Auge genossen werden. Das Maß der selbstverhängten Beschränkung gilt dabei im ästhetischen Urteil als vernünftiger Ausdruck des Massengeschmacks, dessen Auswüchse für den deutschen Revuefilm beschnitten werden. Diese Ästhetik gründet sich erstens auf die »Angst vor dem Chaos«[8] und zweitens auf die »Angst vor der Dekadenz«[9].

Ein Zeugnis zum Selbstverständnis der faschistischen Ästhetik des Tanzes von 1936 mag belegen, was als visuelles Urteil an der Filmproduktion selbst abzulesen ist.

»Die Neigung zur Abstraktion, der Drang nach dem überpersönlichen Gesetz spricht ebenso aus der Anlage der Tänze (des Deutschen, meine Erg.) wie aus der Art, mit der er seine Welt erobert, aber auch organisiert und geordnet hat. Aus der Kühle, Klarheit und Sparsamkeit der Bewegungen spricht die Abneigung gegen den bloß ungebändigten Rausch.«[10]

Daß es die Angst vor der Dekadenz ist, die in die Erstarrung treibt, diese Erfahrung beschreibt Hanns Johst, der Dramatiker, am eigenen Leibe, als er während seiner »Reise eines Nationalsozialisten von Deutschland nach Deutschland« in Paris Station machte, einer Stadt, deren Anziehungskraft der deutsche Spießer sich nie entziehen konnte, auch wenn er über die eigene Schwäche den Stab brechen mußte, um sein Verdikt über das »Babylon an der Seine« zu fällen. Johst besucht 1935 die »Folies Bergère«. Der Vorhang öffnet sich zu Klängen einer Jazz-Musik. Das Revuebild zeigt einen Tannenbaum, in dem zwanzig splitternackte Jungfrauen als Kerzen erstrahlen. Eine Matrone tritt auf und möchte die Kerzen bekleiden. Es fehlt an Geld. Die Kapelle schwenkt um vom Jazz zur Messe; die Matrone singt ein Gebet, das erhört wird. Ein hastiges Dank-Couplet, ein hektischer English Waltz und ab ins nächste Bild. Johst empört sich: »Die ganze Welt drückt beide Augen zu! Wie verarmt muß der gallische Witz sein, daß er zu solchen billigen seelischen Sadismen greift.«[11]

Er wird schon beide Augen aufgerissen, und als er sich seiner Schau-Lust inne wurde, sie im Nu abgetötet haben. Das Schauspiel der physischen Gewaltlosigkeit stellt in seinem Kopf sich als Theater seelischer Sadismen her. Er weiß auch, warum. »Das ist keine Erotik mehr, wenn ein Regisseur Hunderte von Nacktfröschen über die Bühne treibt. Es bleibt nur ein Eindruck von Sklavenhandel zurück, der den Aspekt auf Abenteuer restlos zerstört.«[12]

Immerhin blieb auch ein Eindruck der Explosivität jener sinnlichen Winke zurück, der aber heftig abgeleugnet wird, ehe er seine Gefahr recht wittert. Die nackten Girls dürfen diesen Reisenden in Sachen nationalsozialistischer Ästhetik höchstens an Kindhaftigkeit (»Nacktfrösche«) erinnern. Der nicht unzutreffende Vorwurf vom Sklavenhandel, der den industrialisierten Charakter des Schauspiels zu kritisieren vorgibt, fällt insofern flach, als erkennbar wird: hier wird ein Mann um seine Phantasie betrogen, der seine Abenteuer, die er sich geistig ausmalt, durch die physische Darstellung zerstört sieht. Die Schaulust, die er genoß, frustriert ihn, weil sie, bevor er ausschweift, quälend abbricht. Die Energie der so gehemmten Schaulust muß als Gewalt nach innen schlagen. Die kann Johst nur im Vorwurf des Sadismus äußern.

Wie sahen die Säuberungsaktionen, die nach der Gleichschaltung der Artistik 1933 die deutschen Varietébühnen ereilten, denn aus? Steckten dann im Tannenbaum der Revue nur Rauschgoldengel? Zwar war der Film als das Medium der intensivsten Öffentlichkeit von der schärfsten Restriktion betroffen, doch die Augen der Zensur scheinen, was die Bühnen angeht, geschlafen zu haben, und das freilich im Interesse der psychologischen Kriegführung. Im nationalsozialistischen Alltag herrschte nicht jene Desexualisierung, die Heinrich Himmler sich erträumte.

»Darbietungen, die dem faschistischen Ideal von Kraft und Schönheit entsprachen, wurden besonders gefördert, und mit Beginn des Krieges trat die Ablenkungsfunktion des Varietés stärker in den Vordergrund, die psychologische Kriegführung ebenso unterstützend, wie die ›Standfestigkeit der Heimatfront‹. Jahrelang verpönte Nackttänze zum Beispiel eroberten sich wieder die Bühne, revuehafte Züge prägten sich aus, nun vor allem auf der Basis des Schlagergesangs (Rosita Serrano, Lale Andersen, Zarah Leander u.a.).«¹³

Und über die Zielgruppen herrscht auch kein Zweifel mehr: »Die faschistische Arbeitsbeschaffung für die Artisten ist mit zwei Begriffen verbunden, die in den Bereich des Tourneevarietés gehören: KdF-Tourneen und Wehrmachtsbespielung.«¹⁴

Für die stiefmütterliche Rolle, die der Tanz tatsächlich im deutschen Revuefilm spielt, sind neben den technischen Unzulänglichkeiten Mängel der Ausbildung verantwortlich. Diese machte Arthur Maria Rabenalt, Regisseur speziell von Varieté- und Zirkusfilmen geltend.

»Da es in Deutschland – im Gegensatz zu Hollywood – aber nur Bühnenballettkörper, Theatertanzgruppen gibt, wenn wir von der sehr kurzlebigen Einrichtung eines nationalsozialistischen Filmballetts absehen, das mehr eine wirtschaftlich-gewerkschaftliche als eine künstlerische Institution war, so bleibt bei der ökonomischen Unmöglichkeit, einen eigenen Tanzkörper für einen einzigen Film zu gründen, ihn für diese eine Aufgabe zu trainieren und zu erziehen, nur übrig, auf bestehende Ballettensembles zurückzugreifen.«¹⁵

Aber die Mängel der Ausbildung erstrecken sich weiter als auf das professionelle Tanztraining oder die filmspezifische Ausbildung eines Ensembles, wie sie im Musical der fünfziger Jahre, z.B. für *An American in Paris*, üblich war. Die Mängel, die sich im Revuefilm ausbilden, sind Defizite der Ästhetik. Zwar wird die dominierende Rolle des Tanzes für den Film behauptet, eingelöst wurde sie nie: weil das Genre weder über eine Background-Choreographie der Girls, noch über eine hochgradige Spezialisierung seiner Stars hinauskam. Marika Rökk kann zwar reiten, schießen, schwimmen, turnen und singen, doch aus der Addition sportiver Disziplinen erwächst schwerlich eine Meisterschaft des Medienmetiers, zu dem Nuancierung oder, robuster gesagt: Unterscheidungsvermögen im Einsatz der Mittel notwendig ist. Der Revuefilm hat seine Sparten, anstatt sie spezialisiert voranzutreiben, rundum gleichförmig ausgebildet: da reichte es nur zur Perfektion des Mittelmaßes.

Die Ästhetik des Revuefilms konnte sich in der Dekadenzabwehr nicht erschöpfen. Das hätte auch die Dämme zur Schaulust aufgerissen, denn das Verworfene muß erst sein Abbild finden, ehe es verwerflich scheint. Eingedämmt wurde die Schaulust der Massen am Körper, der im Revuefilm begrenzte Bewegungsfreiheit erhielt durch andere Medien wie Musik, Gesang und Dialog, die ungezügelt über die Tanznummern fortliefen oder sie sogar fragmentierten, zerstückelten, um auf anderem Schauplatz als der Bühne Ablenkung für den eklatanten Aufmersamkeitsmangel am Bühnengeschehen zu finden.

Es gibt Versuche in schriftlich fixierten Fragmenten zu einer Ästhetik des deutschen Revuefilms, Hierarchien im Ausdruck von Körperlichkeit herauszubilden, doch scheint man seitens der Produktion ihrer physischen Überzeugungskraft so wenig getraut zu haben, daß die Körpersprache, bevor sie eine Syntax im Bild entwickeln konnte, schon in der Grammatik mit dem Vorwurf des vermeintlich falschen Ausdrucks korrigiert wurde. Wie sah der Entwurf, wie seine Umsetzung aus?

»Im Film wird dem Tanz wieder seine Rolle übertragen, stets dann in Erscheinung zu treten, wenn das, was zum Ausdruck gebracht werden soll, durch ihn am wirksamsten gesagt werden kann, sei es als Pantomime oder in der Harmonie schön bewegter Körper, als eindringliche Geste oder in der Rhythmik des Balletts als gelöstes Gemeinschaftsempfinden.«[16]

Wer tanzt, dem hat es die Sprache verschlagen; wer nicht tanzen kann, der singt, und wer auch das nicht kann, führt seinen Gesang mit der gesprochenen Bemerkung ein: »... davon kann ich ein Liedchen singen«. So mogelt Johannes Heesters sich in *Gasparone* (1937) über alle Ausdrucksschwächen hinweg. In *Leichte Kavallerie* (1935) soll Marika Rökk in die Artistentruppe eines Zirkus aufgenommen werden. Der Direktor prüft, wohlwollend, ihren Bizeps, befindet: »Talent hat sie ja!«, und engagiert sie. Dann kommt das Revuebild, dessen Titel Hochbaums Film trägt. Rökk führt einen Trupp Frauen zu Pferde – als Kavalleristin – an, reitet in die Manege und wieder heraus. Tosender Beifall des Publikums, begleitet vom obligaten Gemurmel wie »Begabt!« und »Die kann was!« Was die Künstler können sollen, das müssen sie – zu – selten zeigen. Wenn nur jemand im Filmpublikum, das direkt sich zum Kinopublikum hinwendet, Beifall zollt, braucht der Beweis der Leistung oft nicht erbracht zu werden. Kaum hat Marika Rökk in *Hallo Janine* (1939) ihre erste Talentprobe hinter sich, heißt es, in bezeichnender Verdeutschung des Begriffs vom Star: »Die Kleine wird eine Kanone!« Die Zweifel im Bild sind, wenn nicht auszuräumen, zu zerstreuen. Das deutsche Publikum ist deshalb so gutgläubig, weil es an der Realitätstüchtigkeit des Films nie radikal gezweifelt hat. Der volkstümliche Realismus läßt an Wunder glauben, die nur in der Zuschauerphantasie sich ereignen. In Ritters Propagandafilm *Stukas* (1941) will O. E. Hasse für einen durstigen Flieger französischen Wein in Wasser verwandeln, doch taucht die Kamera vor dem Trick weg. Charlie Rivel hingegen in Staudtes ironischem Schwanengesang auf den deutschen Revuefilm *Akrobat schö-ö-ön* (1943) kann zaubern, sich von der Kamera auf die Finger schauen lassen, wenn ein Ei verschwindet.

Als der neue Star in *Es leuchten die Sterne* (1938), ehedem Komparsin, bei Probeaufnahmen versagt, schleppt der Regisseur seine Darstellerin zur Sichtung von Mustern in die Vorführkabine, einzig um sie zu belehren mit dem Satz: »Die Kamera läßt sich nichts vorschwindeln, gar nichts!« Die Ideologie einer wirlichkeitsgetreuen Abbildung von Realität noch inmitten einer inszenierten Filmrevue zu behaupten, ohne das Risiko der Lächerlichkeit zu fürchten, erhärtet die Vermutung von der sträflich getäuschten Illusion der Zuschauer. Zwar werfen sie in diesem Beispiel einen Blick hinter die Kulissen der Phantasie-Maschine, doch was sie erhaschen können, gleicht der illusionären Erfahrung von der durchschauten Illusion, wie sie heute Werbefilme einer gewissen Eiscreme dem Publikum weismachen.

3

Konstantin Irmen-Tschet, Kameramann der Revuefilme *Viktor und Viktoria* (1933), *Gasparone, Hallo Janine, Kora Terry* (1940) und *Die Frau meiner Träume* (1944), der die Maximierung visueller Gestaltungsmittel am weitesten vorantrieb, fällt zwangsläufig auch jener Ideologie der abbildtreuen Kamera anheim, was hier aber nicht weiter interessiert. In seinem Beitrag »Objektiv am Objektiv« gibt er Auskunft über die ästhetischen Kriterien, die ihn bei der Arbeit leiten:

»Die Kamera ist der Star unter den Apparaturen des Filmateliers; sie steht auf der einsamen Höhe jener Vollendung, die auch die Kunst der großen Darsteller trägt. (...) Es kommt nicht darauf an, schön zu sein; es kommt darauf an, klar zu sein! Wer klar sieht, sieht zutiefst künstlerisch.«[17]

Irmen-Tschet, der seit seiner Kameraführung in *Hitlerjunge Quex* (1933) bewiesen hat, welche Bedeutung ästhetische Valeurs für politische Stimmungen haben, stellte im Gegensatz zum oben zitierten Selbstverständnis nie karge, sondern eher glamouröse Bilder her, von deren Schmelz noch ein Märtyrer der Bewegung, Heini Völker alias Quex, profitierte. In den Revuefilmen hat Irmen-Tschet bevorzugt in der Produktionseinheit Max Pfeiffer mit dem Regisseur Jacoby und dem Star Marika Rökk gearbeitet: wie sollte sich da seine Kamera als Star im Studio behaupten? Und wenn dieser Kameramann die Schönheit im Namen der Klarheit disqualifizieren will, mag das eine vage Kritik am amerikanischen Revue-Barock eines Busby Berkeley sein, der sich gerade durch seine manierierte Überproduktion ästhetischer Zeichen auszeichnete. Klarheit wäre hier für den Revuefilm zu übersetzen: als Überschaubarkeit der Szene.

Das Bild und der Star sowie die in den kargen Kulissen agierenden Girls werden bevorzugt aus der Perspektive der Theater-

Totale gefilmt; gelegentlich gleitet ein Kamerawagen den Tanzenden in halbnaher Einstellung auf der Bühne nach. Aber selbst, wo die Kamera zusammenhängende Bewegungsabläufe festhält, funkt häufig der Schnitt dazwischen, um den Fluß der tanzenden Bewegung zu zerschneiden. Anstatt bei Detailaufnahmen Anschlüsse zu wählen, die die Tanzenden in einer raumgreifenden Bewegung nach links oder rechts erfassen, wird desorientiert und der Anschluß nach oben oder unten vermittelt. Anstatt das Bein im nächsten Sprung zu verfolgen, müssen wir nach dem gezeigten Sprung auf einen lachenden Mund sehen. Alles, was über die Dynamik der tanzenden Figur hinausgeht, um in den die Figur umgreifenden Raum sich zu erstrecken, wird weggeschnitten. Die Bewegung eines bewußt nationalsozialistischen Körpers darf ja, wie oben gewarnt, nicht in unbändigen Rausch ausarten und soll, wenn sie nicht plump völkisches Schreiten widerspiegeln will, gedämpft in einen höfischen Schritt einmünden. Wo ein Körper sich in akzelerierte Gesten werfen will, die Energie dem Sprung halb nachfliegt, darf das Bild im deutschen Revuefilm diesen Sprung oft genug nicht in Bewegungsfragmente auflösen; wohl aus Angst, daß die Körperlichkeit, im Tanz schon entfesselt, sich dem Zerfließen hingibt. Stattdessen stückelt der Schnitt durch Bilder, die einzig den Tanzenden mit einem Schwenk zum Knie, zum Kinn begleiten, die Figur in vertikaler Ordnung zusammen. Die ästhetisch hergestellte Zerrissenheit dieser Körper wird durch die Schnitt-Technik geheilt. Was durch Sprünge nach links und rechts die Schwerkraft für einen kostbaren Augenblick der Kunst aufheben sollte, erhält durch diese Technik Bleisohlen an die Füße geschraubt.

Extreme Beschleunigung oder Drosselung des Bewegungstempos können auch durch wechselnde Brennweiten erreicht werden. Für die Totale mit kurzer Brennweite des Kamera-Objektivs gilt die Regel:

»Da der agierende Tänzer bereits nach Überwindung kürzester Distanz (...) in Großaufnahme gelangt, erhält diese Totale ein außerordentliches Bewegungstempo, vorzüglich in der filmisch äußerst aktiven Richtung der Kameraachse«, schreibt der Regisseur Rabenalt. »Die Aufnahme mit langer Brennweite, in der strengen Bewegungsrichtung des Tänzers vom Hintergrund auf die Kamera zu, wirkt demgegenüber verlangsamend in einer zauberischen, unnatürlichen, aber reizvollen Art und bewirkt fast einen Zeitlupeneffekt.«[18]

Irmen-Tschet war, so weit ich sehe, der einzige Kameramann im deutschen Revuefilm, der sich dieser Techniken bewußt war, ja unermüdlich nach höheren Raffinessen seiner Arbeit forschte und selbst für seine Kranfahrten, die noch ohne elektrischen Strom zu bewältigen waren, akzeptable Lösungen fand, an denen durch den Schnitt nicht viel zu verderben war.

Wo die Kamera im deutschen Revuefilm innerhalb der Szene oft elliptisch springt, allerdings eher aus krudem Unvermögen als aus ästhetischem Erzählprinzip, stellt das amerikanische Musical die Entfernung zwischen zwei Punkten der Handlung her, vorzugsweise durch Fahrten. Im Revuefilm sind die travellings nicht ausgespart, sie beginnen bloß ihre Fahrt an einem anderen Punkt. Dieser Ausgangspunkt der Kamerafahrt im Revuefilm ist die Totale, aus der dann in strengem Sinn zur Mittelachse vom umgebenden Bühnenraum in das Revuebild hineingefahren wird, wie z. B. in das Feuerballett zum ersten Auftritt Zarah Leanders in *Die große Liebe* (1942). Ausganspunkt des travelling im Musical ist oft das konkrete Detail, sei es das Augenklimpern der Ruby Keeler oder das Kavaliersstöckchen des Fred Astaire; auch ein unbelebtes Objekt aus der Ausstattung des Raums ist denkbar. Wichtig ist die Richtung, die dann eingeschlagen wird: nämlich oft die vom Detail in Mittelachse zurück, bis die Totalen sich zu Supertotalen ineinanderschieben und der Zuschauer einen schwindelnden Blick auf den immer noch steigerungsfähigen Gigantismus wirft. Dies sei keineswegs als höherer Schauwert gegenüber dem kümmerlichen Revuefilm ausgespielt, sondern nur als ein Hinweis auf das Verfahren der Raumerschließung verstanden. Der deutsche Film, von der Abstraktion zur Konkretion voranschreitend, neigt zur deduktiven Methode, Räumlichkeit darzustellen, während der amerikanische Film, die Konkretion zur Abstraktion vorantreibend, die induktive Methode bevorzugt.

4

Wenn man denn unbedingt an einem Vergleich in Kinofabeln fest-
halten will, darf man sagen, daß, in der krudesten Vereinfachung,
die Musicals Aufstiegsphantasien behandeln, wo der Revuefilm
Hochzeitsphantasien aufgreift. Beide Formen der Phantasie gründen in der Krise, einer tiefen Erschütterung des nationalen Selbstverständnisses, wie sie als Erfahrung der Weltwirtschaftskrise die
Massen gleichzeitig in den USA und Europa zeichnete. Die Angst,
die hinter der Aufstiegsphantasie steckt, heißt Arbeitslosigkeit,
während die Angst am Boden der Hochzeitsphantasie die Furcht
vor der Freiheit ist. Die Ungebundenheit, in die jene Wünsche
ausschweifen, zumeist in das Land der Promiskuität, muß fest im
Korsett der Produktionsideologie verankert werden. Leo Slezak
als Statthalter von Olivia gibt in *Gasparone* singend die Devise aus,
an Stelle einer Rede am Hochzeitsbankett:»Glück kann es nur im
Joch des Ehestandes geben!« Wie so oft ist aber das Happy-End,
das sich als glücklich ausgibt, nur ein »Notausgang«, um die tref-
fende Formulierung von Douglas Sirk hier aufzugreifen. Wenn
zum Finale drei vereinte, oder vielmehr: durch die Dramaturgie
verkuppelte Paare chorisch singen:»Heiraten, heiraten, das ist
schön!«, sind sie die ersten, die sich von der Glaubwürdigkeit dieser Phrase überzeugen müssen. Denn wie schön auch das Aus-
schwärmen der Gefühle, die mechanische Übertragung der Liebe
von einem zum anderen Partner sein kann, erleben die Filmfiguren ja als alltägliches Schicksal. Das heißt: wo der Film achtzig
Minuten lang dem Zweifel, dem lockenden Seitensprung und verbotenen Wünschen einen Weg zeigt, steht zehn Minuten vor
Schluß des Films ein Schild: Einfahrt verboten! Die Energie, die
schon in der Wuncharbeit mobilisiert war, wird gebremst, ver-
schoben, wo nicht immobilisiert.

In der Hochzeitsphantasie des Revuefilms sichert der Zuschauer, sich mit den Hauptdarstellern identifizierend, nicht nur ein Se-
xualmonopol auf die begehrte Frau ab, sondern will qua Ehekon-
trakt auch die künstlerische Konkurrenz, die ihm in ihr erwächst,
niedermachen. Freuds Vorstellung, der zufolge die Kunst sich in
erster Linie aus Sublimation und Triebaufschub zu speisen hätte,

ist dem Patriarchat entlehnt. Diesem Ursprung ist die Männerphantasie des deutschen Revuefilms noch rigider verfallen, wenn die zielgehemmte Erotik der Künstlerin sich im Rollenwechsel zur Hausfrau nicht nur entsublimieren soll, um die schweifende Libido enger anzubinden, sondern sogar bis zur völligen Selbstaufgabe zu desexualisieren hat. So gewiß scheinen die Männer, ob Heesters oder Söhnker, sich ihres Sieges, daß ihr Draufgängertum sich physisch nie entfalten muß. Schneid, Frechheit und Witz in ihren zeichenhaften Eroberungen denaturieren zur Lähmung, Gutmütigkeit und Schrulle. Traut man dem Bild mehr Beweiskraft zu als dem Dialog, der die Widersprüche behende zukleistert, erkennt man, daß der Revuefilm mit gewisser Vorliebe Männer mit mangelhaft ausgeprägter Ichstärke zeigt, die mithin ihre Identität umso aggressiver gegen die Frauen erst entwickeln müssen. Diese Sänger sind vor aller Kunst dem Patriarchat verpflichtet, das ihnen selbst in den realitätsfernen Revuen kaum einen weichen, einen emotionalen Ton erlaubt. Könnten diese Männer, wie ihnen sichtbar zumute ist, dann wären sie lieber Waschlappen als Draufgänger, was aber bei Strafe des Ehrverlustes nur den fürs komische Fach festgeschriebenen Männern von Lingen bis Moser erlaubt ist.

Waren die amerikanischen Musicals Vorbild für die deutschen Revuefilme? Jedenfalls wurden sie bis 1939 in den Kinos der Großstädte gezeigt und bestimmten derart die Erlebnisstruktur des Publikums der Revuefilme konkurrierend und vergleichend mit. Erst, als das Propagandaministerium den antifaschistischen Film *Confessions of a Nazi Spy* (1939) zum Anlaß nimmt, den Import amerikanischer Filme einzustellen, war für den deutschen Revuefilm, wie für die gesamte Produktion des Reichs, das Programm-Monopol gesichert, wo zuvor noch, auch in der Einschätzung des Publikums, Programm-Konkurrenzen herrschten. Ein seltenes Rezeptionszeugnis zu diesem Komplex der Programmkonkurrenz zwischen Musical und Revuefilm findet sich in einem Roman, der die Erlebnisse eines Wehrmachtssoldaten im okkupierten Paris beschreibt.

»Seine Vorstellungen vom *American Way of Life* bezog er aus Frank Capras Filmen, aus den Revuen mit Fred Astaire und Ginger Rogers. Die noch bis 1938 in Deutschland zu sehen waren. Er hatte keinen ausgelassen, einige mehrmals gesehen, wie *It Happened One Night*. Ihn interessierte nicht die Lustspielhandlung, sondern die unvorstellbare persönliche Freiheit und der amerikanische Sinn für Humor, die diese Filme ausstrahlten.«[19]

Ich lese dieses Zeugnis als Beleg, daß in Umkehrung der zentralen These die Rezeptionsweise des amerikanischen Musicals in Deutschland (für die Rezeption in den USA gelten andere Gründe) bestimmt wurde durch eine ungehemmte Schaulust. Wobei das manifeste Desinteresse, das der Autor der Filmhandlung gegenüber bekundet, meine These erhärtet, daß die Mannigfaltigkeit der Form im Musical die Uniformität seiner Handlung verdeckt und im Zuschauer dessen Filmerfahrung stärker als die Fabel strukturiert. Denn eine wesentliche Funktion der Form ist es, so hatte ich oben behauptet, im Erfahrungsmuster der Zuschauer die Qualität der Realzeit gegenüber der Filmzeit, die der Stoff okkupiert, durchzusetzen.

Diese Wünsche – inmitten der schärfsten Restriktion, die Zielhemmung der Erotik propagierte, um deren Energien in die Kampfmaschinen des Krieges umzuleiten – waren nicht nur Wünsche eines kleinen Wehrmachtssoldaten. Auch sein oberster Kriegsherr genoß die persönliche Freiheit, die sich in den Musicals ausdrückte; vorausgesetzt, wir können der fingierten Dokumentarität, die Hans-Jürgen Syberberg für die Figur Hitler leistete, Glauben schenken. Geschichte aus der Kammerdienerperspektive, die Weltgeschichte in der Projektionskabine des Führerhauptquartiers aufspürt:

»Ich, SS-Mann Ellerkamp, Filmvorführer Hitlers, ich bin der Mann, der Hitlers geheimste Wünsche kannte. Seine Träume, das, was er jenseits der realen Welt wollte. Jeden Tag zwei bis drei Filme, *Broadway Melody* mit Fred Astaire, *Schneewittchen* von Disney, *Der Mustergatte* mit Heinz Rühmann (…).«[20]

Welche Musicals konnten zum Beispiel im Deutschen Reich vom Publikum gesehen werden? *Dancing Lady* (1933) lief unter dem deutschen Verleihtitel *Ich tanze nur für dich*, *Broadway Melody of 1936* als *Broadway-Melodie*, *Born to Dance* (1936) als *Zum Tanzen geboren* (mit einer Laufzeit in Berlin von knapp vier Wochen), *On the Avenue* (1937) als *Gehen wir bummeln*, *Broadway Melody of 1938* lief als *Broadway-Melodie 1938* im Marmorhaus fast vierzig Tage, *Rosalie* (1937) als *Hoheit tanzt incognito* und *Honolulu* (1938) als *Südsee-Nächte*. Einer Aktennotiz des Ufa-Vorstands vom 17. Januar 1939 zufolge erging dann die Anordnung, daß amerikanische Filme nicht mehr in Ur- und Erstaufführung gespielt werden sollten.[21] *Top Hat* (1935) und *Gold Diggers of 1933* wurden zur öffentlichen Vorführung im Reich ausdrücklich nicht zugelassen. Von dieser Regelung war die Filmindustrie selbst nicht betroffen. Reichsfilmintendant Hinkel trat in einem Brief an den Propagandaminster (vom 12. Dezember 1944 – und das ist nicht der erste Beleg) für die Vorführung ausländischer Filme ein, obwohl frühere Vorführungen einem »Genießen verbotener Früchte« gleichgekommen seien. Dennoch müßten die Filmschaffenden »über den Stand der Feindproduktion auf dem Laufenden gehalten und es muß dafür gesorgt werden, daß sie alle künstlerischen und technischen Fortschritte unserer Feinde studieren können.«[22]

Marika Rökk, die unbefangen genug einräumt, erst auf das Vorbild Eleanor Powell in *Broadway Melody of 1936* den Step in *Gasparone* gewagt zu haben, berichtet über den Filmarchitekten Kettelhut ihrer Produktionseinheit: »Er dachte sich die herrlichsten, verrücktesten Sachen aus, schulte sich unermüdlich an den vorbildlichen amerikanischen Revuefilmen, die man anfangs noch sehen konnte.«[23]

5

Im folgenden unternehme ich den Versuch, vier Filme miteinander zu vergleichen, um das Verhältnis von Vorbild und Abklatsch, von Übereinstimmung und Abweichung zu studieren. Zwei Elemente sollen bei diesem Vergleich zur Sprache kommen, die Show und die Propaganda. Die Differenzierung in formale und inhaltsanalytische Momente steht dabei, für einen Augenblick, quer zu dem Verfahren, das von der unablösbaren Einheit beider Elemente ausgeht.

Der *Broadway Melody of 1936* (MGM, 1935) soll die Ufa-Produktion *Und Du, mein Schatz, fährst mit* (1937) kontrastiert werden, mit

Augenmerk auf die Show-Elemente. Elemente der Propaga a
sollen sodann an der Gegenüberstellung von Busby Berkeleys F m
For Me and My Gal (MGM, 1942) und *Die große Liebe* (Ufa, 1 2)
herauspräpariert werden.

Broadway Melody of 1936, Regie Roy Del Ruth: Die Tänz in
Irene Foster (Eleanor Powell) kommt aus dem provinziellen Alb ny
nach New York, um ihren Schulfreund, unterdessen ein erf lg-
reicher Broadway-Produzent, zu bewegen, ihr aufgrund der ten
Schulromanze in seiner neuen Show eine Chance zu geben. wei
Hindernisse stehen ihr im Weg. Erstens die Millionenerb und
Mäzenin der Show, die mit eigenem Geld sich als Star la eren
möchte und beim Produzenten erotische Rivalin der Tänz n ist.
Zweitens bedroht der mächtige Kolumnist einer Zeitung ie auf
Gesellschaftsklatsch und das fällige Zerwürfnis von Sh master
und Mäzenin aus ist, die Show und damit das beruflich wie private Glück der Protagonistin. Der Produzent setzt s mit der
Macht der Presse handgreiflich auseinander. Mit H e der erotisch resignierten Sekretärin, die sich dem Glück der nzerin verbündet, gelingt die List der Frauen, beide Männer roduzent und
Kolumnist zu foppen, die unbekannte Nachw sbegabung als
französischen Gast-Star am Broadway herau bringen, wo sie
tanzt, singt und siegt.

Schon die ersten Nummern auf einer Ter se in Manhattan sind
so angelegt, daß sie die ornamentalen F mationen der Musicals
von Warner Bros. durch ein explosiv Gemisch aus Jazz Dance
und Ballett sprengen. Die Sprüng er Tänzer werden anstren-
gender, akrobatischer. Die Vielf der Schritt-Figurationen wird
gesteigert durch die häufigen rwandlungen des Dekors. Ständig wechseln die Girls das stüm, so schnell, daß dem Tempo
nur durch Überblendun n beizukommen ist. Die choreogra-
phischen Höhepunkt zielen auf Zaubergesten; wie auf einen
Wink verschwind ische, tauchen Klaviere aus der Versenkung
auf.

Die Kam a vollführt gewagte Kranoperationen, überklettert
Wände helos, spaziert aus einem Set ins nächste Bild, stürzt
und lt, ohne je ins Stolpern zu geraten. Wo die Warner-Musi-
cals ihre Show-Nummern in eher langen Einstellungen durch-

drehen, herrscht bei der MGM ein hektischer, oft scharf beschleunigter Schnitt, der in die Bewegungsphasen abrupt hineinfährt, das Tempo der Szene durch kürzer werdende Einstellungen steigert, um dann an eine abrupt unterbrochene Phase eher sprunghaft als fließend anzuschließen. Eine Nummer wird in kleinere Nummern zerlegt, ohne daß die große Nummer zerfällt. Nur die Wahrnehmung der Effekte am fließenden Band wird schärfer kontrolliert: durch eine Dramaturgie der auskalkulierten Schritte.

Und Du, mein Schatz, fährst mit, Georg Jacobys Film, hat diesen Film schon im Gepäck auf seiner Rundreise durch das amerikanische Show-Geschäft. Die Sängerin Maria Seydlitz (Marika Rökk) ist der Provinz überdrüssig und geht nach New York, um das Angebot eines Finanzmagnaten anzunehmen, der sie in der von ihm finanzierten Show zu sehen wünscht. Welche Hindernisse stellen sich ihr in den Weg? Erstens die skrupellosen jungen Anverwandten des Magnaten, die um ihr Erbe fürchten, falls der Alte sich für die Ausländerin interessiert. Zweitens muß sie sich gegen den rüden Regisseur und den beleidigten Star durchsetzen. Mit Hilfe eines erfahrenen Deutschen, der sich ihrer annahm, gelingt der Durchbruch, der nicht von Dauer ist, weil die deutsche Künstlerin, des deutschen Mannes wegen, auf die Bühne und Amerika verzichtet.

Die Kritik am harten Konkurrenzbetrieb der Show kommt nur nebenbei zum Ausdruck, vor allem, niemand weigert sich: außer den Deutschen, die programmatisch sich zum Schluß aus der Zirkulationssphäre der Unterhaltung wie des Kapitals ausklinken. Was als Ausfahrt in die große Welt begann, endet als Heimkehr ins Städtele, mit dem Schatz. Das Talent, das bei Powell sich visuell beweisbar entfaltet, wird bei Rökk nur als Option auf Talent sichtbar, als ein doppelter Rückschritt nach einem Schritt geradeaus. Das deutsche Talent bildet sich bekanntlich in der Stille, mag in der zweifelhaften Metropole natürlich ausbrechen, aber nie dort sich in ständiger Kontrolle und Steigerung weiterbilden.

In der Figur des gnadenlosen Regisseurs der Revue, der nur ein Schinder und kein Künstler ist, kritisiert der Film die allen Tänzern antrainierte Taylorisierung, mittels derer sie sich im Revuegeschäft behaupten. Dieser Regisseur ähnelt aber eher dem stage director in *42nd Street* (1933), das heißt: der deutsche Film greift hier bewußt auf die Frühphase des Musicals der Depressionserfahrung der Weltwirtschaftskrise zurück, die in den Musicals der Roosevelt-Ära wie *Broadway Melody of 1936* triumphal Lügen gestraft wird. Die Imitation wirkt anachronistisch, erhält aber propagandistisch ihren Sinn durch das Interesse, das Vorbild, das man ausschlachtet, mit Vorurteilen anzuschwärzen.

Die sensationslüsterne Boulevardpresse, mit der der Produzent der Show in *Broadway Melody of 1936* sich physisch auseinandersetzt, wird im eingedeutschten Revue-Beispiel rein begrifflich attackiert: »Sicher ist das alles Schwindel, aber das wollen die Leute hier!«, erklärt der Pressechef Rökk den Rummel um den Star. Die Methoden der amerikanischen Auseinandersetzung mit Show und Presse mögen, im Verweis auf Western-Muster, eher sportiver Natur sein und anachronistisch, doch erweist sich im Vergleich zum deutschen Film ein bestimmbarer Unterschied klar: das Musical setzt auf physische Aktion, der Revuefilm (in diesem Beispiel) auf verbales Handeln, um die so schon eingeengte Erwartung des Publikums auf ein Schauspiel noch zu drosseln. Der Wort-Bild-Beziehung wird in jedem Fall das Konfliktpotential ausgetrieben, wobei das Wort die Vorherrschaft des Bildes dort bricht, wo die Schaulust droht, sich ohne Hemmung breitzumachen.

Beide Figuren, Irene Foster und Maria Seydlitz, folgen dem Weg zum Ruhm; doch wo die eine auftritt, tritt die andere ab. »A Star Is Born« wäre das Motto beider Karrieren, wobei es das typische Schicksal der deutschen Künstlerin zu sein scheint, daß ihr Talent, kaum geboren, gleich erstickt wird. Die deutsche Hochzeitsphantasie konkurrenziert hier nicht nur die amerikanische Aufstiegsphantasie nieder, sondern tötet auch den Überschuß weiblicher Energien ab. Das Stück Erstarrung, in dem der Revuefilm sein Moment gewinnt, bestärkt nicht zuletzt auch Theweleits Befund, demzufolge die Produktionsform der Faschisten sich aus lebensvernichtenden Energien speist.[24]

Der Vergleich der Show-Werte beider Filme ergibt für Jacobys Film eine ziemlich unbewegliche Kameraarbeit, die selbst in die Räume aktiv nicht eingreift, sondern sich auf deren Aufzeichnung beschränkt. Mögen die Dekorationen im holländischen Bild aufwendig gebaut sein, die Kameras häufig zu anderen Schauplätzen wechseln, so finden diese Raumüberschreitungen doch selten mittels der Kamera statt, sondern durch traditionelle Theatertechniken: im Atelier wird umgebaut. Der Step-Versuch der Rökk in Holzpantinen, auf einer überdimensionierten Zigarre, manifestiert einmal mehr, daß jedwede tänzerische Entfaltung im Raum beschwert war. Im Musical herrscht eine horizontale Ordnung, die der Revuefilm in die Vertikale verlegt: weil sein Blick nicht ausschweifen darf. Die Dominanz der Bauten als fester Rahmen um die Tanzenden kennzeichnet den visuellen Eindruck im Revuefilm, wo die Kamera im Musical selbst sich ihren Raum in durch die Fahrten suggerierten Linien baut.

Der Eindruck, daß der deutsche Revuefilm dem Musical die Showelemente entwendet hätte, um ihnen subtile Propaganda als genuin deutschen Schauwert einzutreiben, täuscht. Die Antinomie von Schau und Propaganda ist nur als falsche in Form und Inhalt übersetzbar. Beide Genres, Revuefilm und Musical, existieren nur als unreine Mischformen, die in verschiedenen politischen Umfeldern ihre Elemente verschieden stark ausprägen. Verfallen die Schauwerte, dann gewinnen die Propagandawerte an Profil. Dieser Prozeß ist nun nicht als Depravation des Schönen *zum* Politischen zu beklagen – was die Rede von der Ästhetisierung der Politik letztlich meint –, sondern als Dekadenz des Politischen zu kritisieren, das sich im Musical und Revuefilm traumhafte Territorien der Utopie unterwirft.

Busby Berkeley, dessen Choreographie in den Musicals darauf abzielte, das Ornament der Masse in ein Ornament der Natur zurückzuverwandeln, sah selbst, wie seine Filme belegen, diesen Prozeß nicht als irreversibel an. Denn was an seinen Massenornamenten für die Musicals der Warner Bros. naturhaft war, wird in den späteren Filmen für die MGM zurückübersetzt in die Form von Gesellschaftstänzen, deren Schritte, nun bevorzugt paarweise statt massenhaft geführt, dem Ornament gegenüber einen Schein von Natürlichkeit bewahren.

Das Publikum, ermüdet vom ständigen Anblick seiner in Fabriken und Großraumbüros erfahrenen Rationalisierung, die sich in den allegorisierenden Ornamenten der frühen Musicals ausdrückt, lehnte sich nun, da ihm mehr Freizeit zufiel und im Bewußtsein, an Bewegungsspielraum zu gewinnen, gegen jene Allegorien auf. Dieser Wandel der Wahrnehmungsinteressen vollzieht sich im Stilwandel von der Ornamentalisierung zum Schein von Natürlichkeit. Für die Geschichte der Zuschauer dokumentiert er darin einen Zuwachs an Realität und den Hunger, sich in Gesellschaft des Films als Individuum repräsentiert zu sehen.

Dieser Stilwandel ist auch ein Funktionswandel, der gegen die Verdinglichung der Zuschauer, angesichts jener Ornamentik, protestiert. Die vierziger Jahre blicken, befremdet, auf die dreißiger zurück, die als exotisch gelten, wo die Zeitläufte so aktualitätsverfallen sind. Das Ornament der Natur wird nun, wo die Depression durch den New Deal überwunden schien, als Exotismus abgetan. Da wollte der Zuschauer seine Schaulust nicht länger an Girls stillen, deren Körper Berkeley so arrangierte, daß sie in den Körper einer fremden Materie eingingen, die schöner als der menschliche Körper schien. Daß die Girls in der Entkleidung ein Stück weiblicher, und in den Kostümen ein Stück wilder Natur verkörpern, riß oft die Schaulust in tiefere Verstrickungen, in den Dschungel sinnlicher Winke. Diese Gefahr wird in der Regel durch forcierte Niedlichkeit abgebogen, gleichwohl erst längst nachdem die Schaulust schon geweckt war. Die Show, die Berkeley als Rahmenstory zum Film *Dames* (Warner Bros., 1934) arrangiert, heißt:»Sweet and Hot«, das heißt: sie trägt zwei Titel, von denen einer bekundet, was die Show sein soll – sweet –, und der andere anzeigt, wie sie ist – hot. Damit die Schaulust aber das Augen-Petting nicht bei Strafe der Hemmung überschreitet, wird sie in exotische Gefilde entführt.

Claude Lévi-Strauss, der Ethnologe, der noch im Dschungel Brasiliens, mit allegorischem Blick begabt, die Raumbilder der ihn umgebenden Natur erforschte und sie als von der Wunschproduktion des Exotismus hervorgebrachte sah, erkannte den Zusammenhang zwischen Schaulust, wilder Natur und Girl-Kultur: »Die Flora der Tropen war (...) eine Pflanzenschar gleich einer Truppe riesengroßer Tänzerinnen, von denen jede ihre Bewegung in der sinnfälligsten Gebärde hatte erstarren lassen, wie um eine Absicht zu verdeutlichen, die offenkundiger wäre, hätte sie vom

Leben nichts mehr zu befürchten; ein regloses Ballett, einzig vom mineralischen Beben der Quellen durchzittert.«[25]

Erstarrung, das reglose Ballett in der vertikalen Ordnung gegenüber der horizontal organisierten Bewegung – in diesem Befund hatten sich Differenzen vom Musical zum deutschen Revuefilm herauskristallisiert. Die Hemmung der Schaulust muß tiefer liegen als nur in der Angst vor Dekadenz, die sich in bewußt nationalsozialistischen Körpern festfraß. Diese Angst vor dem Zerfall war eine physische Angst vor dem Zerfließen. Deshalb setzte die Schnitt-Technik die fragmentierten Tänzer so hastig wieder zusammen, als müßte sie sich für jeden Luftsprung, jeden Ausflug in den Tagtraum, kurz: für die tanzende Eroberung der Schlösser in Spanien schämen. Die Scham trieb diese Körper in die Erstarrung. Daß der Bewegungsfreiheit im Musical auch keine indische Morgenröte garantiert war, zeigt sich daran, daß in Berkeleys Show: »Sweet and Hot« die sexuellen Wünsche am Ende doch durch Infantilisierung gedrosselt werden, der Schmelz ihr Fieber verdrängt. Sicherlich aber geraten diese Wünsche erst einmal in Bewegung und werden nicht gleich, wo sie an den Tag treten, mit Erstarrung gebannt. Lévi-Strauss wies darauf hin, in welcher Form – freilich exotische – Völker Schamgefühl durch das Maß der Bewegung ausdrücken:

»Auch Völker, die völlig nackt leben, kennen das, was wir Schamgefühl nennen; sie verschieben nur dessen Grenze. Bei den Indianern Brasiliens wie in bestimmten Gegenden von Melanesien scheint diese nicht zwischen zwei Graden von Körperentblößung, sondern der Grenze zwischen Ruhe und Bewegung zu verlaufen.«[26]

Als Busby Berkeley 1942 für die MGM *For Me and My Gal* inszenierte, war die Zeit des Backstage-Musical abgelaufen. »Die Kunst für die Kunst« war nicht länger die Losung des Tages, der die Parole ausgab »Die Künstler für den Krieg.« *For Me and My Gal* ist, im gleichen Produktionsjahr wie *Die große Liebe*, ein Mobilisierungsmelodram. Eine Vaudeville-Truppe tingelt sich, kurz vor Ausbruch des ersten Weltkriegs, durch die USA. Judy Garland stellt die Anfängerin dar, die sich erstaunlich rasch entwickelt und zu ihrem Tanzmeister – Gene Kelly in seiner ersten

Filmrolle – eine schnippische Romanze pflegt, aber: die Profession geht vor Passion. Die »Lusitania« sinkt, Nordamerika tritt in den Krieg ein, Judy bringt ihren Bruder, schon in Uniform, zum Bahnhof. Nach dem Abschied überredet Gene sie im leeren Bahnhofsrestaurant zu einem Kaffee. Beiläufig klimpert er an einer Tanznummer mit Gesang, die beide dann spielend, virtuos entwickeln. Im Titelsong »For Me and My Gal« träumen sie den Friedenstraum von Eigenheim und vier Kindern.

Schon hat ihr Manager das einverständige Duo für den »New York Palace« gebucht, als Gene einen Einberufungsbefehl erhält. Kämpfen oder tanzen? Er entzieht, durch Selbstverstümmelung der Hand, sich dem Krieg und spart sein Talent für die Show. Judy, deren Bruder an der Front fiel, bestraft Genes wehrkraftzersetzenden Akt mit Liebesentzug. Gene läßt sich zur Truppenbetreuung in Frankreich einschreiben, löscht heldenhaft ein feindliches MG-Nest aus: um einen Weg für verwundete Amerikaner frei zu räumen, den er dann als Königsweg zu Judy beschreitet.

Zur Siegesparade in New York sind Dokumentaraufnahmen von Präsident Wilson eingeschnitten. Judy tritt am Broadway auf, erkennt im Publikum Gene, mit der »Medal of Honor« dekoriert. Als sie gemeinsam auf der Bühne ihren Titelsong improvisieren, fällt auf ihre Kunst der Glanz der Wahrheit. Jetzt darf die Kunst auch in ihr Leben treten, das den Traum vom Heim, den vier Kindern erfüllen wird. Das Glück des deutschen Films dagegen ist das Leben als höchste Kunst, die dann befiehlt, den niederen Ausdruckskünsten zu entsagen.

Zeigt *For Me and My Gal* den Beginn einer großen Karriere, ja einer gemeinsamen Laufbahn, so steht am Ende der *Großen Liebe* der Verzicht auf die Karriere. Die Rollen der Schuldzuweisung sind anders verteilt. Hatte sich im deutschen Film die Frau Schuld am moralischen Verkennen zuzuschreiben, so wird in Berkeleys Musical der Mann belastet. Der Krieg, immer gut als Katalysator der Konflikte, räumt ihm die Chance der Bewährung ein, wo Hanna Holberg, die deutsche Sängerin, erst lange warten muß, bis sich ihr ziviler Liebhaber als Offizier enttarnt. Zwei Stufen der Beschämung, zwei Arten der Mobilisierung des subjektiven Faktors für den großen Krieg.

Die große Liebe konstruiert das Revueprinzip des Krieges in die Psyche der Liebenden hinein, die den permanenten Aufschub wie die permanente Unterbrechung ihrer Liebe erleiden müssen. *For Me and My Gal* trennt sehr viel schärfer zwischen den Revuenummern und dem Krieg, der, abgesehen von der kurzen und rasanten Episode von Gene Kellys Bewährungs-Coup, im Film nicht stattfindet. Er ereignet sich weit weg in Europa, und zudem in fingiert ferner Zeit, dem ersten Weltkrieg. *Die große Liebe* ist ein Melodram der Gegenwart, der zweite Weltkrieg wird als Realität präsent. Die Schauplätze des Krieges zwischen Berlin, Paris und Rom werden zu den wahren Revuebildern des Films. Wo *Die große Liebe* den Raum allegorisiert: der Krieg als Eherevue, allegorisiert *For Me and My Gal* die Zeit: die Revue als Ehekrieg. Beide Filme sind darin politisch, daß in ihnen der subjektive Faktor zu temporärer Tapferkeit sich auswächst, wobei der Krieg als die härteste der möglichen Liebesproben erfahren wird. Worin sich das Mobilisierungsziel beider Filme grundsätzlich unterscheidet, ist in der Frage nach den Folgen. Was passiert dem subjektiven Faktor bei Friedensschluß?

In *Die große Liebe* scheint er zum Schluß sich im objektiven großen Ganzen zu verflüchtigen, bricht aber gleichwohl bei der Frau als schwere neurotische Störung durch. Denn im Gegensatz zu ihrem Lied weiß Leander, daß *kein* Wunder geschehen wird, das sie für ihren permanenten Aufschub entschädigt. Ihr letzter Blick gilt nicht dem künftigen Gatten, sondern dem Himmel, aus dem eine Fliegerstaffel bricht. Diese Verheißung des militärischen Siegs besiegelt nur ihre erotische Niederlage, ihr Zerbrochenwerden durch den Krieg. In *For Me and My Gal* hingegen wird sich Judy Garland an den heroischen Auswüchsen von Gene Kelly abarbeiten. Der subjektive Faktor, der im Namen privater Interessen zur öffentlichen Tapferkeit sich aufschwang, wird nicht zur permanenten Verheißung stilisiert. Gerade weil er nur temporär in die Sphäre der Öffentlichkeit eintauchte, kann er kein heroisches Lebensgefühl wie *Die große Liebe* garantieren. Der subjektive Faktor, mit dem der Film hier Politik macht, wird wieder auf seine Alltäglichkeit zurechtgestaucht.

6

Im Revuefilm paradieren die zivilen Truppen, oft im Kostüm der Uniform und einer Choreographie des kostümierten Gleichschritts. War nun der *Triumph des Willens* (1935), der in der Ekstase des Tages diese Masken fallen ließ, deshalb ein Revuefilm? Diese Theorie, die von der Durchlässigkeit des Politischen in allen Genres ausgeht, ist weniger kapriziös als jene Theorien, die aufgrund von Filminhalten Genrekategorien entwickeln, die jedem Befund der Formen widersprechen. Die Filmproduktion des Dritten Reiches in politische und unpolitische Filme aufzuteilen, hat die Geschichtsschreibung von Rabenalt über Riess zu Hull und Cadars/Courtade bereitwillig aufgegriffen und darin von der Sozialwissenschaft noch Schützenhilfe erhalten. Gerd Albrecht war es, der in seiner Untersuchung »Nationalsozialistische Filmpolitik«[27] dieser Genreeinteilung durch inhaltsanalytische Kategorien Vorschub leistete: ihr zufolge gab es die sogenannten P-Filme, Filme mit manifest politischer Funktion ohne Rücksicht auf ihren sonstigen Inhalt und ihrer Grundhaltung gegenüber den H-Filmen, Filmen »heiterer Grundhaltung mit nur latenter politischer Funktion«, um von den anderen Spielarten zu schweigen. Daß der »Himmel auf Erden«, den die Filmkomödien im Dritten Reich verhießen, nie so heiter war wie behauptet, habe ich bereits nachgewiesen.

Nach Albrechts Einschätzung der nationalsozialistischen Spielfilme sind fast alle Revuefilme, einschließlich *Wir tanzen um die Welt*, sogenannte H-Filme. Diese Einteilung hat die präzise Funktion der Entlastung – wenn jene Filme allesamt nur heiter waren, konnten sie kaum politisch sein, und wo die Komödienform intendierte Ideologien verzehrt, dürfen die Filme einer fraglosen Aneignung harren. Die Filmgeschichtsschreibung zu Produkten des Dritten Reichs hat ausschließlich die P-Filme im Visier oder kümmert sich am Rande um die repräsentativen Großproduktionen des Revuefilms. Der H-Film im Dritten Reich ist von ihr, die auf die Soziologie der sekundären Verkehrsformen fixiert ist (noch die jüngsten Untersuchungen von Spiker und Becker: »Film und Kapital« sowie »Film und Herrschaft« bieten dafür ein Beispiel), noch gar nicht zur Kenntnis genommen. Um so stärkere Aufmerksamkeit gilt, aus der beschriebenen Einstellung der Ignoranz gegenüber materialästhetischen Analysen, den P-Filmen vom *Triumph des Willens* bis hin zu *Kolberg*. »Wenn man heute in Filmen und Bildern der Zeit die national-sozialistischen Massenveranstaltungen sieht, haben sie ihre Wirkung verloren: die Flammen seitlich des Nürnberger Stadions, die riesigen Fahnen, die Aufmärsche und Sprechchöre sind für den heutigen Betrachter jenen amerikanischen Musicals der 1920er und 1930er Jahre nicht unähnlich, die sich Hitler abends so gern vorführen ließ. Damals stand für die Teilnehmer der symbolische Gehalt, der rituelle Ausdruck gemeinsamer Ehrfurcht an erster Stelle, der für ihr Zusammengehörigkeitsgefühl entscheidend war. Eine Beschreibung in Worten oder auch ein visueller Ablauf der Zeremonien in einem Film kann den moralischen Auftrieb nicht erfassen oder verständlich machen, der von der seinerzeitigen tatsächlichen Teilnahme ausging«, schreibt George L. Mosse in seiner Untersuchung zur »Nationalisierung der Massen«.[28]

Der *Triumph des Willens* sei also den amerikanischen Musicals nicht unähnlich, befindet Mosse, was aufs Neue die Gleichzeitigkeit der Ornamentalisierung der Massen im kapitalistischen Rationalisierungsprozeß belegt, die sich gleichwohl in den Filmen des Dritten Reiches formal verschieden von denen des Musicals ausprägt: wie, ist oben beschrieben. Das eingangs zitierte Zeugnis zum Selbstverständnis des deutschen Revuefilms, das die »Harmonie schön bewegter Körper« pries und deren »(Revue-)Ballett als gelöstes Gemeinschaftsempfinden«,[29] ist nun mit den Augen eines Teilnehmers am Reichsparteitag in Nürnberg zu lesen. Die gewaltigen Schlußtableaus der Revuefilme von *Premiere* bis *Die große Liebe* setzen den *Triumph des Willens* fort, übersetzen dessen ritualisierten Ausdruck in die populären Filmgenres. Das überwältigende Erlebnis der deutschen Massen, die sich auf dem Terrain von Nürnberg selbst gegenübertraten, muß in der Alltagsproduktion Kontinuität gewinnen. Nicht von ungefähr hat der Alltag für die Erlebnisqualität der massiven Überwältigung damals den Ausdruck vom »inneren Reichsparteitag« geprägt. Die Revuefilme verleihen jenem einmaligen Erlebnis Dauer, in der die

Zuschauermassen im Kino sich sammeln, um dort ihren inneren Reichsparteitag wiederholt zu zelebrieren.

Der *Triumph des Willens* wurde intentional als gigantische Show inszeniert. Albert Speer läßt in seinen »Tagebüchern« erkennen, in welchem Maß er für die Bauten des Sets am Reichsparteitag verantwortlich war. Leni Riefenstahls Film ist ein einziger Triumph des Regiewillens. Keine Bewegung läuft von Anfang bis zu ihrem Ende durch, sondern wird aufs Stichwort mit Gegenbewegungen, nachgestellten Großaufnahmen unterschnitten, die leere Räume füllen und volle Räume entleeren. Stilprinzip ist die angestrengteste Dynamisierung. Jeder Schnitt ist ein Appell, bei dem das Aufgerufene, ob Mensch oder Requisit, stramm steht und »Hier!« meldet. Selbst noch der Gänsemann, eine Nürnberger Brunnenfigur, wird von der Kamera so umfahren, als blicke sie dem Führer nach. Die schwindelerregenden Fahrten der Kamera arbeiten mit induzierter Bewegung, die die unbelebte Materie in Wellenbewegung versetzen soll und die Menschenmassen zu Steinblöcken erstarren läßt. Die Masse kommt ins Bild, aber nur ihre Führer kommen zu Wort. Hitler selbst ist der Hauptdarsteller, der hier seine Hochzeitsphantasien mit der Masse feiert.

Der Schnitt nimmt die Richtung einer Sehbewegung auf, stellt aber deren Linie erst durch die Montage sehr kurzer, fragmentierender Einstellungen her: die Kinder blicken in Großaufnahme auf die Massen der Marschierenden in der Totale, während die leuchtenden Augen der Frauen auf den defilierenden SS-Truppen ruhen. Die Anschlüsse schneidet Leni Riefenstahl nach dem Prinzip: Kampf und Lust (Zeltlagersequenz), um in ihnen eine visuelle Aggression aufzubauen, die, schon hypertroph, noch übertroffen werden soll.

Leni Riefenstahl teilte über das Gestaltungsprinzip ihres Filmes folgendes mit: »Die Gestaltungslinie fordert, daß man instinktiv, getragen von dem realen Erlebnis Nürnbergs, den einheitlichen Weg findet, der den Film so gestaltet, daß er den Hörer und Zuschauer von Akt zu Akt, von Eindruck zu Eindruck überwältigender emporreißt.«[30]

Wenn es eine faschistische Filmästhetik gibt, dann liegt in der hier bekundeten Intention ihr Schlüssel. Erst wird der Zuschauerblick überwältigt und dann, vom Boden, emporgerissen: wie soll dieser Blick, immobilisiert, sich vom Bann befreien?

Das emotionale Crescendo, das die Massen unter der Ansprache Hitlers erfahren, wird durch die permanent kreisenden Kamerafahrten hergestellt. Hitler selbst wird in einem kalkulierten Ritardando umfahren, die Kamera vollführt in zwei Halbkreisbewegungen Schwenks um ihn herum, ohne sich je ihm zu nähern. Dazu ist sie in der Untersicht postiert, um Hitler gegen den Himmel gestellt den Massen zu entheben.

Ein überwältigender Augenblick entsteht, wenn die Führer zur Totenehrung schreitend das Meer der Massen zerteilen. Die Kamera hebt von der Augenhöhe zur Kranfahrt (im Aufzug, am Fahnenmast montiert) ab und zieht in vertikaler Achse den Zuschauerblick nach oben. Während die Führer der Bewegung sich in Mittelachse zum Bildhintergrund entfernen, schnellt die Kamera in die Aufsicht. Aus dem dynamischen Verhältnis beider Bewegungen im erblickten Raum entwickelt sich für den Zuschauer ein fast physisch erfahrener Sog. Es ist, als ob das flächige Bild die Gestalt eines Kubus annimmt, der durch die imaginäre Linie des gelenkten Blicks nun diagonal zerschnitten wird. Auf dieser Schnittlinie, die sich aus der Spannung von bewegtem Objekt und bewegter Kamera ergibt, rutscht der Zuschauerblick nun in zentraler Achse abwärts in das Bild hinein, um dem bewegten Objekt, das heißt hier: den Führern der faschistischen Bewegung zu Füßen zu fallen.

Die Inszenierung, die Hitler selbst in der Schlußkundgebung »das imposanteste Schauspiel politischer Machtentfaltung« nennt, ist erkennbar hergestellt durch Maximierung der Mittel. Der *Triumph des Willens* ist darin dem Revuefilm nicht unähnlich, als er extreme Perspektiven auf extreme Gleichförmigkeit herstellt. Die Organisation des Raumes zehrt sichtlich von den Arrangements der Revue, die hier als Liturgie, als säkulares Weihespiel erscheint. Die Ungleichzeitigkeit, die in diesem Organisationsprinzip der Massen zum Ausdruck kommt, hat Joachim Schumacher im Pariser Exil 1937 so beschrieben:

»(Hitler) hat die Massen räumlich organisiert, ›organisch‹ organisiert nach völlig ungleichzeitigen disparaten Ständen, als wäre der Finanzkapitalismus von 1936 die Burg- und Marktgenossenschaft von 1300.«[31]

Die Fetischisierung des Ursprungs, die sich im *Triumph des Willens* ausdrückt, wird im Revuefilm als paradiesische Sehnsucht nach der heilen Welt übersetzt. Der *Triumph des Willens* ist die größte Entfaltung des Wunsches nach dem »Himmel auf Erden«, den die Revuen allenthalben verhießen. Daß dieser Wunsch stets die Hölle produzierte, darauf hat Ernst Bloch an vielen Stellen seines Werks »Prinzip Hoffnung« mit Nachdruck verwiesen.

Diese Wünsche wurden nicht nur im deutschen Revuefilm bedient. Das Musical *Broadway Melody of 1936* widmet diesem Wunsch den Song »Moments of Paradise«, und *Wonder Bar* (1934) läßt Al Jolson sogar das Paradies betreten: ein Territorium der Utopie, das die zielgehemmte Schaulust zu entfalten verspricht. Davon fiel auf den deutschen Revuefilm ein größerer Schimmer, als er zu verstehen gibt. In ihm manifestiert sich letzten Endes die »Utopie paradiesischer Verantwortungslosigkeit«, die nach den vorgelegten Befunden nicht allein der Faschismus als typisch ausprägte, wie Klaus Theweleit herausgearbeitet hat.[32] Die Utopie paradiesischer Verantwortungslosigkeit speist sich vom Wahrnehmungsinteresse jener Zuschauermassen, die im Musical wie gleichzeitig im Revuefilm ihre Schaulust ungehemmt entfalten möchten. Dieser Wunsch aber, am laufenden Band reproduziert, wird so massenhaft arrangiert dargeboten, daß der Zuschauer in ihm sich verliert.

Revue als montierte Handlung

Knock-out / Ein junges Mädchen – ein junger Mann (1935)

Von Carl Lamac und Hans H. Zerlett, mit Anny Ondra und Max Schmeling

Max Breuer ist Oberbeleuchter in einem Revuetheater, in das Marianne Plümke als Buchhalterin hineinstolpert, um sich dann auf der Bühne als Nummerngirl zu behaupten. Im Kampf um Marianne schlägt er während der Vorstellung einen Rivalen zu Boden, was ihm prompt Entdeckung und Förderung durch einen Manager einträgt. Aus dem Beleuchter wird der Boxer Schmeling, den weder die Korruption um ihn rivalisierender Manager noch die Liebe um ihn rivalisierender Frauen vom rechten Weg nach oben abbringen. Im Final-Kampf liegt er, fast ausgezählt, im Ring, als ihn Marianne anblitzt. Schon erwacht im Geschlagenen ein Schläger, der sich zum Sieger mausert. Um den Preis, daß seine Anbeterin, die schon im Husarenkostüm ihrem Leutnant nachstapft, die Revuekarriere an den Nagel hängt und fraglos zur Buchhalterei zurückkehrt, und zwar bei Maxens Manager. Er tanzt, sie arbeitet vor Freude; ihr Glück ist, den Sieg dem Feudalherren zu Füßen zu legen.

Immer, wenn die Herrschenden bekunden, daß es in einer neuen Ära aufwärts gehe, tritt die Phantasieproduktion an, diese Aufsteiger um jeden Preis zu flankieren. Mit den Boxern im Film klettert der Sozialdarwinismus in den Ring. Unverhohlen zeigen Boxerfilme, wer den Aufstieg von der Straße zu Ruhm und Herrschaft finanziert, das Kapital, das gleich finster in den Filmen der Roosevelt-Ära auftaucht, so in Mamoulians *Golden Boy* (1939), der gleichwohl den alltäglichen Faschismus in diesen Kämpfen bloßstellt. Der gute Manager trägt einen deutschen Namen, wird von Otto Wernicke, dem Polizeikommissar vom Dienst bei Fritz Lang, verkörpert, tritt also hier als Vaterfigur schon mit staatsgeborgter Autorität auf, der Schmeling sich unterwirft.

Die Revue trägt den Titel »Für jeden etwas« und beginnt, konsequent, mit einer Modenschau, was einmal mehr Adornos Hinweis auf die Affinität von Revue und Konfektion erhärtet.[1] Neben dem Show-Kampf zwischen Ex-Weltmeistern (Samson Körner, das legendäre Krafttier, ist dabei, den der junge Brecht für seine Rohheit bewunderte) findet eine Box-Revue statt, in der die Girls am Laufband den K.o.-Schlag trainieren. »Zum Sport gehört ein fröhliches Gesicht«, fordert, schon im Geiste der KdF-Revuen, Schmelings Manager, dessen Arbeit darin besteht, aus Kämpfen ein abgekartetes Spiel zu machen.

Die Vorgeschichte des Weltmeisters aller Boxklassen (ab 1930) spielte wohl in Hamburg, doch durchlief Schmeling keine Karriere hinter der Bühne, sondern eine kaufmännische Lehre. Daß der Film ihn zunächst Breuer nennt, verwundert: ließ dies doch jeden an Max Brauer, später Hamburgs Erster Bürgermeister, denken, der zum Zeitpunkt der Dreharbeiten zu *Knock-out* im amerikanischen Exil lehrte, wo Gustav Knuth, zu Aufnahmen in New York, ihn überraschend traf. Hans H. Zerlett, Regisseur und Autor speziell von Revuefilmen, war vor 1933 Hausautor an Rudolf Nelsons Revuetheater und definierte damals die Revue als »zeitgenössische parodistische Komödie«.[2]

Mach mich glücklich (1935)

Von Artur Robison, mit Albert Lieven, Harald Paulsen,
Else Elster, Ursula Grabley

Der junge Forschungsreisende William Davenport trifft auf der Überfahrt nach Ägypten auf eine Revuetruppe. Das Girl Cherry verliebt sich in William, der seinerseits mit ihrer Freundin Fleurette flirtet, die ihrerseits dem schönen Henry Davenport, Star der Truppe, versprochen scheint. Inmitten dieser Konfusion wird William an Bord mit Fleurette aus Versehen getraut. Kaum gelandet, zieht William ins Innere Afrikas auf Expedition, während die Freundinnen auf Tournee gehen. Cherry steigt zur Solistin auf;

ihr immer noch geliebter William gilt als im Busch verschollen; die Mutter in England wünscht, seine Witwe zu sehen. Fleurette, die legal Getraute, bleibt lieber bei Henry und schickt Cherry, die als Lady in die feine Gesellschaft Einzug hält. Auch Henry entpuppt sich als Lord – der australischen Seitenlinie – und kann nun von der ambitionierten Fleurette geehelicht werden. Zu guter Letzt taucht William wieder auf und läßt durch seinen Bruder, einem Rechtsanwalt, mit Scharfblick erklären, daß Fleurette gesetzlich zweimal ihren Henry heiratete: die Papiere der Schiffstrauung waren auf ihn, nicht auf William ausgestellt. Nun ist er endlich frei für Cherry, die er aus dem Filmatelier nach Gretna Green entführt.

Komödie der Eifersucht und permanenten Bigamie: Immer heiratet jemand die Falsche und versucht eine Dritte, das Mißverständnis zur Versöhnung auszubügeln. Die Mechanik der Leidenschaften tritt in der heiteren Marivaudage zutage. Das Revueprinzip der massiven Zerstreuung und verführerischen Ablenkung dringt von der Bühne in die Dramaturgie ein: jede Gefühlsregung hält hier nur so lange vor, wie eine Nummer vorbeirauscht. Die Revueszenen lehnen sich stark an *Gold Diggers of 1935* an: Sechzehn Girls im Silberzylinder mit Stöckchen steppen über eine überdimensionalisierte Tastatur, während erhöht hinter ihnen sechzehn Männer an Klavieren in die Tasten schlagen. Die Handlung (Afrikareise) wird in der Expeditionsnummer gespiegelt: Hier rettet King Kong die weiße Frau aus den Klauen der Wilden, da umtanzen Krokodile das Südsee-Girl auf dem Felsen, während durch die Show eine wider Willen improvisierte Verfolgungsjagd tobt, die als Topos der gelungenen Störung noch beklatscht wird. Das Schlußtableau summiert alle Einzelelemente der Show und kontrastiert der hektischen Kunst das dann friedliche Leben auf englischen Gütern. Die Liebe ist, wie stets im deutschen Revuefilm, um den Preis erkauft, auf die Karriere zu verzichten. Gleichwohl zersetzt das Zerstreuungsprinzip der Revue auch den ländlichen Frieden.

Das Schloß in Flandern (1936)

Von Geza von Bolvary, mit Marta Eggerth,
Paul Hartmann

Gloria Delamare, Revuestar, tritt 1918 in der Show »Paris quand
même« auf, während ihr Lied (»Ein neues Leben fängt an«) als
Schallplatte britische Offiziere im Schlafquartier zu Ypern anrührt,
insbesondere Fred Winsbury. Gloria, die einem albernen Liebhaber entkommen möchte, läßt sich auf eine geheimnisvolle Einla-
dung auf jenes Schloß in Flandern ein, wo ihr als einziger Gast
Winsbury begegnet und phantomhaft verschwindet. Während eines Konzertes in London stellt Gloria Nachforschungen an, um zu
erfahren, daß Winsbury 1918 bei Ypern gefallen sei. Irritiert von der
Erfahrung im Schloß gibt sie nicht auf, bis sich das Verschwinden
von Winsbury nach Durststrecken düpierender Mißverständnisse als ehrenhafter Akt erweist. Und als die alten Kameraden, zum
Gedächtnis an die Gefallenen, wieder im Schloß versammelt sind,
lockt aus dem Nebenzimmer Glorias Stimme Winsbury: »Man
muß vergessen, was war. / Dann ist die Zukunft so klar. / Eines
Tages bricht der Bann. / Ein neues Leben fängt an!«
    Der Wunschproduktion der Männer kann eine Frau sich nicht
ungestraft entziehen, gerade wenn ihr Beruf als Künstlerin diese
Wünsche projektiv hervorbringt. Die Frauen werden schuldig, aber
sind nicht in der Lage, ihre Schuld zu tragen. So müssen die Männer, wenn die Frauen bekennen, einspringen und oft unerkannt
sich mit fremder Schuld belasten. Dies ist ein Muster, das durch
viele Revuefilme sich als Konflikt von Kunst und Leben schleppt.
Nach dem Muster blitzhafter Erfüllung, die schon Taminos Bildnis-Arie beflügelte, duldet Winsburys Liebe weder Hindernis noch
Widerspruch; sie wird anstandslos als Schicksal gesetzt, so stark,
daß der Krieg dagegen wie auch Glorias Kunst verblassen. Dies ist
ein für die Produktionszeit ungewöhnlich fatalistisches Melodram,
das an der Ambiguität, den zauberhaften Zwischentönen von
Carnés *Les visiteurs du soir*, 1942 im okkupierten Paris entstanden,
durchaus sich messen kann. Das verfehlte Leben, die abhanden
gekommene Identität des Offiziers und sein Versuch, sie neu zu

reklamieren, entfalten sich in einem Melodram, dessen schrillen Züge sogleich vom sanften Horror gedämpft werden.

In London wird eine Elektro-Show geboten, deren Sehnsüchte die Science Fiction zurückverwandeln möchte in menschliche Wirklichkeit. Die Girls stampfen zu einer Strawinski nachgeschmierten Musik einen Maschinenrhythmus. Sie tragen schwarze Herzen am weißen Kleid. Ihr Song reimt Herz auf Erz, dann muß die Maske fallen und strahlende Individualität, wiewohl perfekt blondiert und gleichgeschaltet, von der Treppe unisono besungen werden. »Wenn wir keine Seele hätten, wären wir Marionetten!« Choreographisch wird die Phalanxformation der Treppe durchbrochen; jetzt kreisen die Girls im Proszenium um die Eggerth. Graham Greene zählt zu den Bewunderern dieses Films, dessen Ambivalenz der Atmosphäre ihn faszinierte.

Und du, mein Schatz, fährst mit (1937)

Von Georg Jacoby, mit Marika Rökk,
Hans Söhnker, Oskar Sima

Die Provinzsängerin Maria Seydlitz schmeißt ihre Rolle in »Fra Diavolo« hin, kündet ihrem verklemmten Installateur das Verlöbnis auf, als sie vom Finanzmagnaten Liners ein Angebot an den Broadway erhält. Der ältere Herr hat sie turnen gesehen und will sie als Star lancieren. An Bord der »Bremen« droht Maria undurchsichtigen Machenschaften um den Magnaten zum Opfer zu fallen, allein der deutsche Dr.-Ing. Heinz Fritsch nimmt sich ihrer gerührt und weltläufig an. Liners Neffe und dessen skrupellose Schwester, die um ihr Erbe fürchten, falls der Magnat an Maria Gefallen fände, versuchen, die Broadway-Karriere des deutschen »Universalgenies in Gesang, Tanz, Akrobatik und Schauspiel« (so der ILLUSTRIERTE FILM-KURIER) zu durchkreuzen.[3]

Das Universalgenie behauptet sich gegen den rüden Regisseur, den beleidigten Star, die gesamte Entourage aus Neid und Mißgunst spielend. Fritsch, aus nicht ganz interesselosem Wohlgefallen, erscheint in jeder Klemme als Marias Schutzengel und wird dafür, daß er die Flügel für sie spreizt, am Ende durch ihren Verzicht auf die Bühne und Amerika belohnt.

Ein Beispiel, neben *Glückskinder* (1936), *Die drei Codonas* (1940), wie die Kritik der Nazis am kapitalistischen Show-Business als Kapital-Nörgelei inszeniert wird. »Ich bin keine Ware, die sich mit einem Bankkonto kaufen läßt«, erteilt Maria dem Magnaten eine Lektion, die freilich durch dessen Melancholie und Zweckpessimismus unterlaufen wird. »Die Tiere sind gut, nur die Menschen sind schlecht«; so wird aus dem Kapitalisten eine liebenswürdige Schranze, aus seinem Kaufinteresse an Maria eine läßliche Schrulle, die ebensogut in einer der sophisticated comedies, etwa für den Vater einer entlaufenen Erbin, funktionierte. Dafür muß Sima, der in den Propagandafilmen vorzüglich die undeutschen Elemente verkörperte, als gnadenloser Regisseur die Unbill auf sich ziehen. In ihm schlagen die deutschen Erfahrungen mit der Härte des Show-Biz, wie sie das amerikanische Musical unverholen abbildet, zu Buche. Schließlich vermochte nicht einmal Florence Ziegfeld Rökk am Broadway zu halten, die erst nach diesem Ausflug um 1930 ihre Karriere in Europa aufbaute. Wieder wird über Klaviere gesteppt, umfaßt die Revue ein holländisches, ein mexikanisches Bild, schlägt Rökk ihre Räder, weil sie, wie hier manifest wird, das Musical für eine Kombination aus »Oper und Turnen« hält. In politischer Konsequenz dieser Eindeutschungsarbeit wird Publicity und Propaganda für Schwindel gehalten: die Projektionen des NS-Films haben kurze Beine.

Truxa (1937)

Von Hans H. Zerlett, mit La Jana, Hannes Stelzer, E. F. Fürbringer

Die Tänzerin Yester steht zwischen drei Rivalen: dem Drahtseilartisten Truxa, der sie früher liebte, Husen, seinem Nachfolger, dem Truxa seinen Namen und Vertrag überschreibt, und Garvin, der sie um jeden Preis begehrt, den sie aber ablehnt. Der junge Vorstadtartist Husen gerät in Hoboken, New York, an Truxa, den todesmutigen Artisten, der, seiner Karriere müde, den Nachfolger beweisen läßt, daß der seiner Kunst wie der Liebe zu seiner Ex-Geliebten würdig ist. Garvin will beiden die Frau abspenstig machen. Mit Hilfe seiner Illusions-Kunststückchen versucht er, den falschen Truxa vor dem Todes-Salto vom Seil zu bringen, bis ihn der gerechte Tod ereilt und Yester für den mutigen Draufgänger frei wird. Die Buffo-Parallele läßt den Bühneninspizienten, der sich als Sänger entpuppt, Garvins Assistentin für sein Heim gewinnen.

Hannes Stelzer spielt, wie in *Stukas* oder *Venus vor Gericht* (beide von 1941), den forschen Jungen, der setzt und gewinnt. Dem Tüchtigen gehört die Welt; auch wer als Usurpator anfängt, wächst schon in die legitime Macht hinein. Das Artistenvölkchen erweist sich, in aller Schein-Chaotik, als disziplinierte Truppe, in der zwei Männer um eine Frau, in Wahrheit aber um das Kommando buhlen. Hier treten gleich zwei Alte ab, um ihren Platz dem Jungen zu räumen. La Janas Tänze, vorzugsweise auf Trommeln – da bleibt nicht viel Platz für komplizierte Schritte –, sind insofern gewagt, als sie nie eindeutig sich für Isidora Duncan oder Eurhythmie entscheiden. Das Übergewicht der dramatischen Handlung über die Show ist so aufdringlich, daß sogar die spärlichen Varieté-Nummern mit Einstellungen unterschnitten werden, die den jeweiligen Standort der Eifersucht mit Sorgfalt angeben. Im Flamenco in der spanischen Hafenschenke sind die Statisten einfach auf Leinwand gemalt.

Die göttliche Jette (1937)

*Von Erich Waschneck, mit Grethe Weiser, Viktor de Kowa,
Eva Tinschmann, Kurt Meisel*

Wilhelmine Schönborn, leicht betagter Star des Amor-Theaters in der Vorstadt, jodelt allabendlich auf den großen bayerischen Bergen ihres Bauerntheaters, das bei den Berlinern großen Beifall findet. Die singende Mutter will ihre Tochter Jette bei der Oper unterbringen, was ein eifersüchtiger Inspizient und ein gelackter Graf verhindern. Jette darf dem Bank-Konsortium des Königstädtischen Theaters vorsingen, fällt mit der hohen Kunst herein, reüssiert aber schlagend mit lockeren Couplets des Inspizienten, der beiläufig dichtet. Jette wird der Kassenmagnet des schon bankrotten Theaters, bis die Damen der Gesellschaft dieser göttlichen Frechheit mit erwirktem Aufführungsverbot Einhalt gebieten. Das Zwischenspiel im Tiroler Schloß des schwachen Grafen wird von der beherzten Initiative des Inspizienten durchkreuzt, der Jette fürs Theater zurückgewinnt, Direktor wird und die Show »Berlin – wie es Euch gefällt« in Szene setzt.

Eine historische Revue, die mit frechem Wind mehr Staub von Konventionen bläst als mancher damals zeitgenössische Stoff. Die Darstellung Jettes durch Weiser hat in ihrer physischen Direktheit, dem untheatralischen Ton und hinreißenden Schmiß durchaus amerikanischen Zuschnitt. Grethe Weiser ist eine Art Joan Blondell, die in den Musicals wiederum eine »proletarische Ausgabe der Dietrich« verkörperte.[4] Tatsächlich parodiert Weiser in der Probe vor den Herren Direktoren Marlene Dietrich mit großem Talent, das leider in ihren sonstigen Rollen vom Schlage »Herz mit Schnauze« zu kurz kam.

Jettes Karriere ist durch den Skandal entfacht, den sie durch ihre Decouvrierung der Gründerzeit in die Gesellschaft trägt. Die rauschende Finale-Revue zeigt, um welchen Preis Jettes Emanzipation erkauft ist. Während sie singend behauptet »Ich bin die Frau der tausend Männer«, umschwirren sie Tänzerinnen, die im Silberfrack die Männer mimen. Und schließlich gibt es nur einen für sie: den zukünftigen Direktor. So bleibt der Adel blauen Blutes und das Künstlervolk guten Muts, ist der status quo ante der sozialen Rollen wieder festgemauert. Wurde im Musical *Gold Diggers of 1935* die Show geschlossen, weil das Geld fehlte, wird die deutsche Revue geschlossen, weil's an Moral fehlt. Nur die volonté générale des Publikums bricht den Bann der Zensur, die schließlich nur aufgehoben wird, weil sie erstens neidischen Frauen und zweitens der verstaubten Gründerzeit galt. Der sonst topische Konflikt zwischen Kunst und Leben wird hier binnenästhetisch im Namen der niederen Kunst ausgefochten, wobei die Unterhaltung, die dem Volk aufs Maul schaut, über die komplizierte Kunst der Eliten triumphiert.

Gasparone (1937)

Von Georg Jacoby, mit Marika Rökk,
Johannes Heesters, Leo Slezak

Im Phantasieland Olivia geht ein Räuber um, der nicht zu fassen ist. Mal tritt er als Mann von Welt auf, mal als zerlumpter Bandit und läßt doch niemand im Zweifel, daß er der gleiche: Gasparone ist. Den dicken Nasoni, Statthalter und Chef der Polizei, bedrücken die Sorgen der Herrschenden. Die Jagd auf den volkstümlichen Banditen soll die Bevölkerung ablenken von seiner Fähigkeit, die Führung der Staatsgeschäfte mit eigenen Interessen zu verquicken. Sein Sohn ist auch rebellisch; anstatt die vermutlich reiche Erbin zu erobern, wendet er sich lieber Ita, der Tochter des Volkes zu, deren Onkel Olivias Kaffeeschmuggel betreibt. Zum Schluß kriegt jedes Kännchen den rechten Deckel, denn als der Räuber Gasparone wird der Regierungsrat Bondo enttarnt, dessen Dienstauftrag es war, Olivias Korruption hinwegzufegen.

Millöckers Operette wird als Revue modernisiert, um die sich eine zeitgemäße Rahmenhandlung rankt. Man versteht *Gasparone* besser, wenn man ihn aus dem Blickwinkel des Arturo Ui sieht. Wo Brecht die Faschisten als Gangster des Gemüsekartells darstellte, stellen sie sich selbst dar als staatlich lizensierte Räuber. Der in vielen Schmuggler-Opern populäre Traum vom Banditen als dem Mann der Anarchie und Schönheit wird von Heesters mit Charme und Chuzpe genutzt, um diesem Traum eine legale Form zu geben, ihn anzuketten an die Gewalt, die Anarchie spielend zerschlägt. In wessen Namen?

Der Statthalter Nasoni, durch Figur und obsoletes Gebaren der Lächerlichkeit preisgegeben, verliert durch seinen draufgängerischen Gegenspieler nicht zuletzt die Legitimation zu herrschen. Die alten Staatsmänner haben, scheint es, abgewirtschaftet und stehen wie Hindenburg als hölzerner Titan im Wege. Frechheit siegt; insbesondere, wenn ein Bevollmächtigter aus der Hauptstadt eintrifft, um Olivias Notstand auszuräumen. Die Tragödie des Tags von Potsdam wiederholt *Gasparone* als Farce. Um die Polizeitruppen des Statthalters in die Irre zu führen, engagiert Heesters die Revuetruppe Rökks. Der Zusammenhang von Revue und Militärparade wird in einem Bühnenbild vorweggenommen, als den Uniformröcken der Bühnenpolizisten unvermutet Frauen entsteigen. Ein fast surreales Bild, das im Revuefilm isoliert steht, hier abgeschwächt wird, wenn zum Gesellschaftstanz des Finales sich plötzlich die Kulissen zu Spiegelwänden öffnen und die Hektik der Handlung durch einen Walzer harmonisiert wird.

Es leuchten die Sterne (1938)

Von Hans H. Zerlett, mit E. F. Fürbringer, La Jana,
Vera Bergmann

Eine Sekretärin aus Iserlohn, Mathilde Birk, studiert den FILM-SPIEGEL und fühlt sich zur Filmkarriere in Berlin berufen. Mit geträumtem Handstreich springt sie, durch die Weltkarte im Büro, mitten in eine Filmrevue und kommandiert die Garde-Nummer auf der Treppe. Einzige Handlung ist die Entstehung eines Films im Atelier, sind die Mucken und Macken der Filmschaffenden, die typologisch angerissen werden: der olympische Regisseur, der alternde Star, die schrankenlos ehrgeizigen Starlets, das chaotische Studio, in dem nur der überzeugende Regiewille des Spielleiters Ordnung schafft. Ein Star steigt ab, ein Starlet steigt auf, berühmte Darsteller der Tobis versammeln sich zum Feature: Lebensweg eines Schlagers (»Haben Sie den neuen Hut von Frollein Molly schon gesehen?«). Hans Moser spielt Hans Söhnker einen Streich, über eine Riesenbrücke zieht eine Revue von Adam und Eva über Münchhausen bis zum Rennfahrer Caracciola, und der Inspizient hat wieder seine liebe Not im Kampf um Requisiten und bockige Frauen. Für ihn heißt die Revue nicht »Kleine Mama!«, sondern »Sechzig Kinderwagen«. Nachdem das gescheiterte Starlet gesehen hat, daß ein Mann beim Film und dennoch treu sein kann, bequemt sie sich, aufs Heiratsangebot des Beleuchters einzugehen. Der einzige deutsche Revuefilm, der versucht, es mit den »verrückten Hirngespinsten« von Busby Berkeleys Massenornamenten (D. St. Hull) aufzunehmen. Zerlett hat die Produkte der Warner Brothers studiert und versucht, aus einem Objekt den Set zu zaubern: aus einem Flaschenetikett die Kulisse, aus einer Hutkrempe eine Drehbühne. Die Konkurrenzkämpfe um den Arbeitsplatz in der ersten Reihe, die unter amerikanischen Girls beharrlich ausgetragen werden, sind hier im Gegensatz zu anderen Filmen, die das Moment psychischer Stimmigkeit bis zur Unwahrscheinlichkeit vorantreiben, nicht unterschlagen. Zerlett löst die Handlung selbst auf zur Revue, in der die individuellen Stränge sich dem Gesamtkunstwerk des Films, das da entsteht, unterordnen müssen. Dokumentierte der Spielfilm um einen Spielfilm: *Nur nicht weich werden, Susanne* (1934) noch die konkurrierenden Ideologien um den richtigen Realismus – dort noch stark dem proletarischen Film abgeschaut –, räumt dieser Film endgültig auf mit den dekadenten Elementen der Revue. Hier leuchten die Sterne, und selbst die Komparsin darf nach ihnen greifen, um den Preis, zwei Männer zu verlieren.

Menschen vom Varieté (1939)

*Von Josef von Baky, mit La Jana, Attila Hörbiger,
Christl Mardayn*

Der Kunstschütze Jack Carey kündigt zum Ende der Tournee seiner Assistentin Silvia Castellani, die doch seinetwegen sich vom Zauberkünstler Keats trennte. Die Männer, durch Zufall im gleichen Varieté, verweigern des Konkurrenten wegen den Auftritt und werden erst durch den Appell der Artisten bewogen, die Vorstellung nicht platzen zu lassen. Das Elefantenbaby hat Zahnschmerzen, der Inspizient schäkert hinter den Kulissen mit dem Nummerngirl, was die angetraute Inspizientin in Rage versetzt, bis sich eine der McLean-Sisters in Carey verliebt. Alice, der »Captain« der Truppe, ahndet diese Disziplinlosigkeit mit schweren Vorwürfen; freilich nur, um zu erkennen, daß sie selbst – die Mutter, die sich als Schwester der Sisters ausgab – Carey begehrt. So wird ihre Tochter wieder frei für den Musik-Clown, während sie selbst um Carey erst kämpfen muß. Noch stehen eine Kriminalintrige, von allen Seiten entfachte Eifersucht zwischen ihnen, doch wenn der Vorhang fällt, verabschiedet sich der Artist »mit dem strahlenden Lächeln des Siegers, der wieder einmal mehr die unberechenbare Masse Mensch allein durch seine einmalige Leistung besiegte« (ILLUSTRIERTER FILMKURIER).[5]

Um den gelungenen Show-Szenen den Makel der Einlage zu nehmen, hat das Buch eine fadenscheinige Intrige aus Liebe, Scheintod und Kriminalität ersonnen; in Wahrheit drapiert sie den Plot zur zweiten Dekoration. Was an Schaulust sich entfalten kann, gefährdet das Show-Geschäft, vom militärischen Standpunkt aus. Künstlerfilme geben stets brauchbare Staatsmodelle ab, wie sie in der Endphase des Krieges, zum Beispiel im Film *Die Philharmoniker* (1944), kulminieren.

»Ein Artist hat keine Nerven, ein Artist hat Disziplin. Unsere Pflicht zu tun, sind wir angetreten!«, ist die Devise des Captains der McLean-Sisters. In Fragen der Kunst fallen nie Argumente zur künstlerischen Praxis, sondern Parolen zur disziplinierten Präsentation. Die Frage der Schönheit bemißt sich nach dem Grad formaler Korrektheit. Ästhetische Begriffe werden nur in übertragenem Sinn von Schulung und Technik geduldet, so wird die Kunstlosigkeit der Künstler dann offenbar als Illusionismus ihrer Kunst. Der »Beherrscher des Todes« will einen unerhörten Trick ersonnen haben und arbeitet doch bloß mit Platzpatronen. Wo die Disziplin zum Statthalter der Kunst wird, haben Erfindungskraft und Phantasie keinen Spielraum. Bleibt der Kamera nur, über mehr oder weniger ansprechend arrangierte Tänze zu gleiten und die manifesten Schwachstellen der Darbietung diskret mit einem Schwenk zu tarnen.

Hallo Janine (1939)

Von Carl Boese, mit Marika Rökk, Johannes Heesters,
Rudi Godden, Mady Rahl

Im Pariser Revuetheater »Moulin Bleu« brechen um die neue
Hauptrolle Konkurrenzkämpfe aus: wird Yvette, der Star mit Beziehungen, oder Janine, das Starlet aus eigener Kraft, sich durchsetzen? Mit Hilfe einer doppelten Intrige gelingt es, nicht nur der
Revue eines begabten, aber noch unbekannten Komponisten, sondern auch Janine in der Hauptrolle zum Erfolg zu verhelfen. Dabei wird die Intrige der Frauen von der Gegenintrige der Männer
durchkreuzt. Ein Graf tauscht seine Identität mit dem Komponisten, der, als Graf beim Verleger eingeführt, seine Musik-Revue
empfehlen kann. Janine ihrerseits tritt in der Gesellschaft als Marquise de Bastille auf, um den echten Grafen, der Beziehungen zum
Revuedirektor hat, zu umgarnen. Bis zu ihrem triumphalen Finale müssen erst mehrere Herzen geknickt, der eitle Star versenkt
werden und alle verfahrenen Liebschaften im Lot sein. Volkes
Stimme, die dem Jungstar zujubelt, kreiert dann den Titel der Revue.

Die Klassen gefielen sich stets im Rollentausch, das ist ein Komö-
dienfutter, das Mozart oder Lubitsch in aller Schärfe beleuchtet
haben, nie allerdings ohne eine Ahnung der Fragilität der Verhältnisse. Hier herrscht kein Zweifel, kein Erschrecken im Rollenspiel, das reißbrettartig nur passiv die Interessen des Drehbuchs
wahrnimmt: der Kunst der Unterhaltung eine Aura von Natürlichkeit zurückzuverleihen. Der Musiker findet sein Material auf
der Straße, in den Bistros von Montmartre, doch was dann auf der
Bühne inszeniert wird, ist vom Alltagsbewußtsein Lichtjahre entfernt. Denn diese Rollen, die das Leben schreibt, sind auf den Bret-
tern zu dürftig und im Leben zu theatralisch. Die Talentprobe der
Tanzenden sind eher spärlich. Zweifel am technischen Können
sind durch das Bild nicht zu kaschieren, denn stets müssen im Film
Zuschauer Bewunderung zollen, Beifall zitieren: »Die Kleine wird
eine Kanone! Eine großartige Schauspielerin! Wirklich außer-
ordentlich!« Marika Rökk bringt einige Lieder von Kreuder zu

Gehör, darunter: »Ich brauche keine Millionen / Mir fehlt kein Pfennig zum Glück / Ich brauche nichts weiter als nur: Musik, Musik, Musik«. Dem Tüchtigen die Bahn – aber genau das Gegenteil zeigen die Bilder, daß zum Talent Protektion, Gefälligkeit, Claqueure und viel Geld gehören, damit es sich entfaltet. Wieder steppt Rökk über weiße, ja samtbezogene Klaviere, die sich aus der Versenkung wie in *Broadway Melodie of 1936* erheben. Fast obligatorisch mündet die turnerische, nahezu roboterhafte Anstrengung in ein Walzerbild. Eine silberne Treppe mäandert durchs Bild, zwar klettert die Kamera im Kran empor, aber in die Szene nur hinein, ohne sie durch Schnitte aufzulösen. Daß die Revue eine kollektive Arbeit ist, tritt entgegen dem stets beschworenen Ensemblegeist nie zutage. Einzig Janine scheint der Erfolg zu verdanken, die, in Harmonie mit der höheren Klasse, ihre Kunst in den Dienst ihrer Liebe zum Grafen stellt. Die Marquise de Bastille war nur fingierte Rolle, die Bürger zu denunzieren, um dem Adel anheimzufallen. Marika Rökk, empört darüber, daß nicht ihr Gatte Jacoby, sondern Boese Regie führte, war auf das Ergebnis gleichwohl stolz. »Mit *Hallo Janine* konnte der Staat später Staat machen.«[6]

Wir tanzen um die Welt (1939)

Von Karl Anton, mit Charlotte Thiele, Carl Raddatz,
Irene von Meyendorff, Lucie Höflich

Die Chefin einer Revue-Truppe, Jenny Hill, hat mit ihren Girls internationalen Erfolg, den ihr der Konkurrent, mit dem sie einst liiert war, neidet. Mit allen Mitteln versucht der Gegenspieler, die Moral der Truppe zu lockern. Schließlich setzt sein Agent, der die Girls nicht durch höhere Angebote abspenstig machen kann, auf Harvey Swington, einen abgetakelten jungen Sänger, der Norma, den Captain der Girls, erotisch kirre machen soll. Es gelingt dem Widersacher Jenny Hills, drei Mädchen aus der Mannschaft zu brechen. Die Neuen sind nur Ersatz und stiften Unfrieden. Eva, der Flügelmann, ist in Norma verliebt und verdrängt sogar ihr

Herzleiden, nur um tapfer weiterzutanzen. Durch allerlei Intrigen soll Norma diskreditiert werden, bis Swington seine Chance der Bewährung erhält. Bei einem Theaterbrand rettet er die Girls; Jenny Hill, die als Generalistin die Truppe inspiziert, befiehlt trotz derangierter Verfassung der Girls den Auftritt, den Eva, ihrem Leiden erliegend, am Telefon auf dem Totenbett verfolgen darf. Nun wird Swington ihr Nachfolger und Normas Flügelmann. Die Girls hat Jenny Hill »in eiserner Disziplin erzogen, und als sie älter wurden, haben sie als Girl-Truppe die Welt erobert. Fleiß, Kameradschaft, Verantwortungsfreude – das ist das Geheimnis ihres Erfolges auf allen großen Varietébühnen Europas«[7], so beschrieb der ILLUSTRIERTE FILMKURIER den quasi militärischen Geist des Films, der nach dem Polen-Feldzug zu Weihnachten ins deutsche Kino kam. Statt einer Vielfalt von Szenen gibt es hier nur immer einen Auftritt: den Gardemarsch der Mädchen in Uniform, mit angesetzten Trompeten, die Treppe herunter. Revueprinzip: der kostümierte Gleichschritt, der in der Schlachtordnung der Phalanx unbeirrbar vorwärtsschreitet, gleich ob in Kopenhagen oder Lissabon.

Ein anderes Engagement annehmen, heißt »desertieren«, die Erkennungsmelodie der Truppe lautet: »Tanzen und jung sein / Siegen und jung sein / Lachen und jung sein / Das sind wir, das steht auf unserem Panier!« Zu diesem Text intoniert die Musik einen Marsch. Noch auf Reisen, im Speisewagen, tragen die Mädchen ein uniformes Kostüm, das die Kargheit preußischer Mädchenstifte verrät. So ähnlich könnten die KdF-Revuen, die Truppenbetreuung durch Blitzmädel an der Westfront ausgesehen haben.

Der einzige deutsche Revuefilm, der sich auf Gefühlskonflikte, die in Liebesbeziehungen verhaftete Loyalität der Girls untereinander einläßt, um den Preis, Liebe unter Frauen als läßliches Durchgangsstadium auf dem Weg zur prästabilierten Harmonie der Geschlechter darzustellen. Das Metronom, das in der ersten Einstellung der Musik den Takt schlägt, wird im Verlauf des Films zum Schrittmacher marschierender Stiefel.

222

Traummusik (1940)

Von Geza von Bolvary, mit Marte Harell, Lizzi Waldmüller,
Werner Hinz, Beniamino Gigli

Am Konservatorium zu Rom ist Abschlußprüfung: Michael Donato dirigiert Teile seiner noch unvollendeten Oper »Odysseus' Heimkehr«. Seine Kollegin Carla Holm, mit der er gemeinsam Karriere machen will, singt die Penelope. Aber zum gemeinsamen Engagement wird es nicht kommen. Carla wird als Mimi neben Gigli an die Mailänder Scala verpflichtet, während Michael in einem zweitrangigen Cabaret unterkommt. Carla wird die Geliebte des Operndirektors, der ihr zum Gefallen Michaels Werk, dessen Modernität er verabscheut, gleichwohl an einen Musikverlag empfiehlt. Michael, empört vom Opportunismus seiner einstigen Kollegin, stürzt sich ins niedere Unterhaltungsgewerbe und reüssiert unter einem Pseudonym als Schlagerkomponist, der nicht einmal mehr Hemmung zeigt, seine E-Musik für Revuen auszuschlachten. Dann nimmt die Staatsoper Budapest seine alte Oper zur Uraufführung an. Michael entsagt der Revue, Carla singt die Penelope und Odysseus darf in Ithaka Einkehr halten.

Revuefilm, der die Versuchungen des dekadenten Jazz mit dem Erfolgsversprechen der ernsten Musik abwehrt. Jazz und Revue stehen dabei für Flexibilität, das Unverfestigte der Körper; wo aber deren Auflösung droht, brauchen die Faschisten einen Panzer, um ihren Körper bei der Stange zu halten. Nicht zuletzt deshalb realisiert im Tanz der deutschen Revue sich so wenig Freiheit, wird so viel lustlose Disziplin geübt. Mit dem Penelope-Stoff ist zugleich der Verzicht und die trostlose Hoffnung der Frau auf eine eigenständige Karriere thematisiert. Sie singt und interpretiert Kunst, während der Mann kreativ komponiert, und die Trennung von beiden zieht notwendig den Absturz in die Katastrophe nach sich. Erst sein Werk zu singen, garantiert ihr die Überwindung des Trennungstraumas der Geschlechter und das Glück der Dienenden.

Die Revueszenen fallen aus dem ansonsten engen Rahmen, in ihrer Phantastik der Schauplätze (vom Fernsehstudio bis nach Cuba) lassen sie noch den Reiseplan des Odysseus erahnen, der seinerseits ja willentlich so viele Umwege zu Penelope unternahm. Die Revuebilder sind aus einem Spaziergang entlang der Modelle entwickelt, springen von der kleinen Imitation in die große Szene. Wie die amerikanischen Musicals überdimensionieren sie oft ein Requisit der Medien, wie Radio, Instrument oder Grammophon. So bemerkenswert wie der Schnarchkünstler in der *Broadway Melodie of 1936*, operiert hier eine groteske Lachkünstlerin am Mikrophon.

Kora Terry (1940)

Von Georg Jacoby, mit Marika Rökk, Josef Sieber, Will Quadflieg

Bei der Premiere im Varietétheater Odeon verfehlt Kora Terry in einer tanzakrobatischen Nummer mit ihrer Zwillingsschwester Mara einen Schritt, und Mara verletzt sich. Die leichtlebige Kora hat eine Tochter, um die allerdings Mara sich kümmert. Beide Schwestern umsorgt Tobs, ein verunglückter Artist, der sich im Auftrag der verstorbenen Eltern der Kinder wie eine Amme annahm. Während Mara sich schonen muß, verführt Kora den Kapellmeister Varany, den Mara gerade verpflichtet hatte, sich wieder der ernsten Musik und, wenn er will, dann ihrer anzunehmen. Bei einem Gastspiel im zwielichtigen Algier gerät Kora, die eine militärisch wichtige Zeichnung entwendet hat, in die Hände skrupelloser Männer, die sie erpressen. Mara verursacht, im Wahn ihr zu helfen, Koras tödlichen Sturz von der Treppe. Tobs nimmt die Schuld auf sich; Mara tritt fortan als die bessere Kora auf. Aber die finsteren Erpresser lassen sie nicht aus den Augen. Ein fingiertes Telegramm lockt sie zur Tochter der verstorbenen Schwester, wo sie, des Landesverrats überführt, die Todesstrafe erwartet, bis das Zeugnis von Tobs und Varany, der endlich zur ernsten Musik fand, sie rettet.

Mischung aus »Show-and-Crime«-Genre, wie der österreichische Film *Premiere* (1937), wobei es weder um eine Motivation für

Maras Identitätswechsel geht (unerfüllte Mutterliebe?), noch um die vaterländische Spionage-Affäre (fehlgeleiteter Patriotismus?). Marika Rökk spielt in einer Doppelrolle beide Terry-Sisters. Wiewohl im Doppelgängermotiv die Frivolität von der Naivität besiegt wird – mithin erneut ein Stück Dekadenz überwunden –, zeigt sich doch im inszenierten Bild insgeheimes Einverständnis mit dem lockeren Charakter der showmanship der Kora. Daß sie der Star ist, belegt der eingedeutschte Terminus der »Stimmungskanone«. Jedoch muß Kora zu Tode stürzen (so wie La Jana in *Menschen vom Varieté* erst angeschossen werden muß), um mit ihr den Wunsch nach Leichtlebigkeit abzutöten, aber die Bilder verführen doch zur Sympathie mit ihr, gegen die Maras Gutherzigkeit verblaßt. Die kessen Frauen sind eben besser als die keuschen, in diesem Widerspruch zum Dialog, ja zur rigiden Produktionsideologie des Revuefilms, setzt sich das ökonomische Interesse am Film gegen sein moralisches durch.

Die Revue enthält wegen der Doppelrolle regielich komplizierte Szenenauflösungen. Neben dem Kopf-auf-Kopf-Tanz der Sisters gibt es die obligate bayerische Tanzeinlage und eine scherenschnitthafte Bauchtanznummer, die Lotte Reinigers niedliche Erfindungen mit Walt Disneys verklemmter Sexualität bereichert.

Über die Probleme der Besetzung, die über die Kameratechnik hinausgingen, berichtete Peter Kreuder, der Filmkomponist: »Für manche Einstellungen, bei denen beide Zwillingsschwestern im Bild zu sehen waren, brauchten wir ein Double für sie. Ein Mädchen, das ihr möglichst ähnlich sehen sollte und nur von hinten oder im Halbprofil gezeigt wurde. Es gab eine Doppelgängerin, sie war im KZ. Es gelang uns, sie aus dem KZ zu holen, und nach Beendigung des Films schafften wir es, daß sie nicht ins KZ zurück mußte. Was heute aus diesem Mädchen geworden ist, weiß ich nicht.«[8]

Immer nur Du (1941)

Von Karl Anton, mit Johannes Heesters, Dora Komar,
Fita Benkhoff

Die Sänger Loni Carell und Willi Hollers, Operettenstars, führt
das gemeinsame Engagement der Produktion von »Immer nur Du«
zusammen. Gemäß dem Theaterglauben – Krach auf der Gene-
ralprobe garantiert den Premierenerfolg – kommt es zwischen dem
Paar zur Auseinandersetzung; denn Hollers versucht, seinen Ton
im Schlußduett lauter als ausgehandelt zu singen. Loni Carell will
sich die Show nicht stehlen lassen und hält, nicht faul, ihm den
Mund zu. Währenddessen verständigt sich das Buffo-Paar, ihre
jeweiligen Agenten, Frau Bummel und Herr Zeisig, auf eine Ver-
söhnungsstrategie für seine Herrschaft. Hochzeit soll den Sänger-
streit beenden; die Künstler lassen unter falschen Versprechungen
sich auf den Ehestand ein. Nach mannigfachen Prüfungen, die er-
litten, und Widerständen, die gebrochen werden müssen, besingt
Loni Hollers schließlich ihren Verzicht: Die Künstlerin Carell tritt
ab.

Dieser Revuefilm verdeutlicht in seinen Nummern, daß sein
Prinzip über das Schauvergnügen hinaus Hochzeitsphantasien feiert. Ob im Rokoko-Salon, im Jahrmarktsbild oder im Harems-
bild, immer muß der Mann die Versöhnung mit der Frau herbei-
prügeln, was noch sein unbrutalstes Mittel ist, die Konkurrenz
weiblicher Künstler auszuschalten. »Eine Sängerin ist eine Hausfrau, die nicht singen kann, weil sie keine Sängerin ist«, wird alo-
gisch geschlußfolgert. Der Komödien-Topos von der Widerspenstigen Zähmung wird verschärft zur Lähmung des Widerstands.
Die Schuld am Zerwürfnis der Geschlechter, die den Grabenkrieg
der sophisticated comedies im Revuefilm zur offenen Schlacht erklären, tragen zunächst die untergebenen Agenten, die selbst nie
dazu kommen, sich interesselos zu lieben. Auf diese Art fällt auf
die Reinheit der Gefühle des edlen Paares kein Schatten, strahlt
die Kunst, realitätsgesättigt, um so heller – denn wie die Ehe hoffnungslos zerstritten ist, klappt endlich die Musiknummer vom
Zankduett. Die Sängerin wird vom Scheidungsanwalt ihres Man-

nes so massiv bedroht, daß sie die Bühnenlaufbahn aufgibt, um sich der Karriere einer begabten Hausfrau zu ergeben. Die Revuebilder, vom Karussell zum Land der Liebe, spiegeln wider, was dies Genre ausdrückt: den Tanz ums goldene Bett.

Die große Liebe (1942)

Von Rolf Hansen, mit Zarah Leander, Viktor Staal, Paul Hörbiger

Oberleutnant Paul Wendlandt, Afrikaflieger, wird zur Berichterstattung nach Berlin beordert. Hier lernt er die Varietésängerin Hanna Holberg kennen, von der er sich gleichwohl nach der ersten Nacht, auf höheren Befehl, wieder trennen muß. Wo Hanna aber leidend zivile Untreue vermutet, herrscht militärische Loyalität. Jede Minute kann der Krieg ihn abberufen; da muß die Liebe groß, und nicht kleinmütig sein. Mit wachsender Eifersucht beobachtet Rudnitzky, Hannas Hauskomponist und musikalischer Begleiter, ihre Gefühlsverstrickung, die er in seinem Sinne lösen möchte. Noch von der Hochzeitsfeier wird Wendlandt an die Front zurückgerissen. Auch ein römisches Intermezzo ist nicht von Dauer: die Sowjetunion wird überfallen. Aber Hanna weiß jetzt, wo ihr Platz ist. Ihre Kunst gehört der Truppenbetreuung in Frankreich. Rudnitzky gibt sein Werben und Intrigieren auf, als Wendlandt abstürzt. Hanna eilt ins Lazarett und sieht ihr Glück genesen.

Helmut Regel zufolge ist *Die große Liebe* der meistgesehene deutsche Film, den bis 1943 rund 27 Millionen Zuschauer besucht hatten.[9] Dieser Erfolg ist zweifellos Zarah Leander zuzuschreiben, die, abweichend von ihrem Rollenklischee, einmal nicht das leidende Muttertier zu spielen hat, das für sein Kind jedwede Erniedrigung der Kunst hinnimmt. Hier ist sie strahlend, passioniert und sphinxhaft: als Ersatz-Dietrich »sternbergisiert«, nannte sie der Filmhistoriker Hull. »Mein Leben für die Liebe« und »Ich weiß, es wird einmal ein Wunder geschehen«, die legendären Lieder stammen aus diesem Film.

Die große Liebe nimmt das Revueprinzip des Krieges: die permanente Unterbrechung, den permanenten Aufschub, in die Personen hinein. Abgesehen von zwei kurzen Revuebildern (die übliche Masse von Kavalieren in Zylindern) auf dem Theater, erscheint nun die Kriegswirklichkeit auf zivilen Schauplätzen zwischen Berlin, Rom und Paris als Revuebild. Ob das Büro des Musikverlegers, die Bildtapeten der Wohnung Hanna Holbergs oder die Via Appia: immer scheinen die Räume zu Ideallandschaften stilisiert, zu Räumen, in denen neben kalter Pracht nur stolze Trauer herrscht. Der heroische Gestus des Aufschubs und Verzichts bestimmt die Dramaturgie. Und zwar noch bis in die Chargen, wenn Grethe Weiser als Leanders Zofe im Luftschutzkeller den Bohnenkaffee an sich reißt mit der Bemerkung, so weit ginge die Volksgemeinschaft doch nicht. Dieser Lacher befreit den Zuschauer vom Druck, der ihn belastet; das Lachen aber über ihn, das ihm die Filmfiguren vorführen, fesselt ihn sogleich.

Zielgehemmte Erotik im Fronteinsatz muß auch der Heimat Triebaufschub auferlegen. Während der Offizier aber in allen Wirren den kühlen Kopf bewahrt, muß der verhängte contactus interruptus für die Frau sich als neurotische Störung auswirken. Das ist Strafe im dramaturgischen Sinn und Glück im Darstellerischen zugleich. Denn man muß nur sehen, wie Leander – im Gegensatz zum Robotertum Marika Rökks und dem jungfräulichen Melodram Söderbaums – ihre neurotisch gezeichnete Sinnlichkeit gegen alle Propagandaintentionen ihrer Auftritte behauptet.

Fälschlicherweise hat man Zarah Leanders Lieder als Durchhalte-Lieder bezeichnet, was für die Nach-Stalingrad-Produktionen zutreffender wäre. »Davon geht die Welt nicht unter, die wird ja noch gebraucht!« – diese Hyperbel gilt weniger der Untergangsvision, sondern eher der grandiosen Verheißung, und speist sich aus naivem Größenwahn einer Kolonialmacht, die 1942 schon Rittergüter für den Friedensschluß verteilt.

Diesem melodramatischen Beitrag zur psychologischen Kriegsführung in der Heimat ist die beißende Persiflage *The More The Merrier* (USA, 1943) vergleichbar, in der ein Flugzeugingenieur in geheimer Mission die große Liebe zwischen Front und Heimat stiftet.

Wir machen Musik (1942)

Von Helmut Käutner, mit Ilse Werner, Viktor de Kowa,
Grethe Weiser, Georg Thomalla

Karl, erfolgloser Opernkomponist, schlägt sich mit Harmonie-
lehre-Unterricht an der Musikschule durch, wo er Anni, Kunst-
pfeiferin und Mitglied der Damenkapelle »Die Spatzen« kennenlernt. Sie hat die Lektion gelernt, gut genug, um ihre Harmonie
ins Haus des Mannes zu bringen. Sein Preis ist die Aufgabe der
hohen Kunst, sein Lohn: Erfolg als Barmusiker. Er orchestriert
die Noten, die sie heimlich komponiert. Sein Glück, daß sich ihr
Stimmchen als zu schwach erweist, so kann Anni als Küchenmaus
mit Schürze und Schrubber attraktiver erscheinen denn als »Spatz«
im Revuegewand. Seine Oper »Lucrezia« fällt mit Pauken und
Trompeten durch, während ihre unwissentlich kooperativ komponierte Revue reüssiert.

Die Revue wird ausdrücklich »Notenparade« genannt, auch
»Musik-Schau«, das heißt, selbst wo der Begriff brav eingedeutscht
wird, klebt das Bild davon fest am amerikanischen Vorbild. Fast
schon stereotyp tanzen die Girls auf einer gigantischen Klaviarta-
statur, schweben Rauschgoldengel vom Schnürboden und prägen
sich Zeichen der Notenschrift auf jedes Requisit. Die Harmonie
der Dominantakkorde muß auch im Heim des Künstlers herrschen. So setzt sich in der Unterwerfung der konkurrierenden
Künstlerin die Revue als Reinlichkeitsrevue fort, die im Takt ihren
Haushalt harmonisiert. Die Regelverletzung wird hier nicht nur
als Kunstfehler geahndet, sondern als moralische Verfehlung.
Käutners Komödie bedient sich des Musters der screwball comedy, die einen bissigen Geschlechterkampf inszeniert, dessen Realismus sich stets an der Unversöhnlichkeit bemaß. Dieser Film verfügt über ein undeutsches Maß an Malice und Schnoddrigkeit im
Dialog, bis sich herausstellt, daß sie nur Sympathie auf den eindeutig unbegabten Mann lenken, der seiner Frau die Früchte ihrer Arbeit: Inspiration und Witz wegnehmen will. Selbst die Kamera bewegt sich in lockerem Plauderton, klettert mühelos
Fassaden hoch und läßt sich von de Kowa direkt ansprechen. Der

aber spricht den Zuschauer an und streut eine Bemerkung über Verdunkelung bei Luftalarm ein, bevor er weiterklimpert. Das ist ein Indiz, warum der vorgeführte Genrewechsel von der E-Musik zur U-Musik hier geradezu zwingend geboten scheint: wo der Krieg an Unterhaltungswert verliert, muß die Kunst an seine Seite treten.

Hab' mich lieb (1942)

Von Harald Braun, mit Marika Rökk, Mady Rahl, Viktor Staal, Hans Brausewetter

Die recht eigenwillig improvisierende Revuetänzerin Monika Koch wird wegen ihrer Extratouren vom Direktor des Varietés entlassen. Sie muß ihr Zimmer aufgeben und weiß in einem Mieter des Hauses durch kindlich-kokettes Anschmiegen, dessen Ritterlichkeit zu provozieren. Dieser junge Ägyptologe läßt sich, unerfahren wie er es der Altertumswissenschaft schuldig scheint, zur Verlobung hinreißen. Doch sein kluger Freund durchkreuzt den Plan. Mit seiner Finte, Monika moralisch zu diskreditieren, versucht er zu verschleiern, daß er selbst Absichten hegt. Dafür wäscht ihm Monikas Freundin den Kopf, was allerdings verschleiern soll, daß sie ihrerseits sich, unverhofft, mit dem Ägyptologen arrangiert hat. Selbst der Direktor muß Monikas Talent und Tugend anerkennen: sie spielt fortan die Hauptrolle der Revue.

»Ich möchte so gerne / Ich weiß nur noch nicht was?! / Mein Herz möchte dieses, mein Verstand möchte das! / Mein Herz sagt: Tu doch das, dann wirst du glücklich sein, / Und mein Verstand sagt dazu immer wieder: nein!« – dieses Couplet, das die Zerrissenheit besingt, erklingt im Radio, als just beide Männer, die um Rökk herumscharwenzeln, in ihrem Schlafzimmer auf ihren Anblick doch verzichten müssen. Aber die Dichotomie zwischen Herz und Verstand wird hartnäckig nur behauptet, wo die Dramaturgie, die ihre Figuren niemals aus den Klauen läßt, längst entschied, daß sie nie dürfen, was sie sich wünschen.

Die Tänzerin wird ein Star durch Clownerien. Inmitten der hehren Römer-Revue stolpert sie von einem faux pas in den anderen. Ihre Drolerien schmeißen die Premiere; doch kann mit ihrem Unvermögen gleich eine zweite Bedrohung: die Kritik diskreditiert werden, die derlei Eskapaden zum Erfolg hochlobt. Der Schaden der Frau ist für den Spott auf die Presse gut genug, die für ihren fadenscheinigen Kunstverstand, der quer zu Rökks robustem Talent liegt, hier die fällige Quittung erhält.

Die rechten Worte auf den Weg gibt hier immer der falsche; so wie der Ägyptologe die Tänzerin erzieht, so rückt deren Freundin dem zukünftigen Mann den Kopf zurecht, damit die Paare, wenn sie zusammenfinden, ihre Harmonie als makellos prästabiliert empfinden. Das Glück, so erzieherisch dosiert und gefahrenlos vorweggenommen, entleert das Happy End, das seinen Sinn verliert, wo der Film seine Figuren, nach derart massiven Verhaltenskorrekturen, nur noch in die Erstarrung schickt. Wenn so viele Künstlerinnen am Ende der Revuefilme von der Bühne abtreten, heißt das auch: sie wurden starr vor Eheglück, unfähig fortzutanzen.

Eine valentineske Form von Alltagskritik wird Rökk in den Mund gelegt, wenn sie Trost beim Altertumswissenschaftler sucht und sich an seinen Hals lehnt: »Das Leben könnte so schön sein – wenn es schöner wäre.« Wie sorgfältig derlei Entwürfe zur Verbesserung des zivilen Traums im Propagandaministerium korrigiert wurden, zeigt sich an der erzwungenen Titeländerung des später vom Propagandaministerium verbotenen Films *Das Leben kann so schön sein* (1938), der ursprünglich lauten sollte: »Das Leben könnte so schön sein«, doch zog der Konjunktiv, die Wunschform Zweifel nach sich an Erfüllbarkeit; und Zweifel führte zur Kritik.

Karneval der Liebe (1943)

*Von Paul Martin, mit Johannes Heesters, Dora Komar,
Hans Moser*

Peter Hansen, Tenor des Theaters an der Wien, hat es eilig, von
der Probenbühne zum Standesamt zu kommen. Seine erste Ehe
mit Marina, einer Sängerin, ging nach vier Wochen in die Brüche,
nun soll die Chortänzerin Kitty Hansens Frau werden. Marina
aber hat, auf eigenen Füßen, Karriere gemacht und ist als Hansens Partnerin verpflichtet worden. Ihr Auftritt durchkreuzt die
überstürzte Hochzeit. Die Exgatten möchten die Scheidung rückgängig machen, werden aber von den Angehörigen der neuen Braut
auseinandergerissen. Nach viel Klamauk und Wirbel mit vorge-
spiegelten Rollen und vertauschten Interessen gelingt es, die neue
Verpflichtung abzuschütteln und eine alte Ehe neu zu schließen.
Während eines Gastspiels in Köln entdeckt Marina den Hoch-
zeitsschwindel und entfesselt aufs neue den Karneval der Liebe.
Das Rad wird jedoch zurückgedreht – je weiter der Krieg voran-
schreitet. Nicht mehr Bäumchen-wechsel-dich, mechanische
Marivaudage und Ermunterung zum Partnertausch steht auf der
Tagesordnung der Komödie, sondern: die Ahndung des Seiten-
sprungs, in dem ein Zipfel ziviler Ängste, wie sie zwischen Front
und Heimat herrschten, sichtbar wird. »Zwei Herzen im Duett /
soll man nie wieder trennen«, wird gesungen, verlangt. Im *Karneval der Liebe* ist es nicht mehr die Luftschaukel der Gefühle, in die
der Film einsteigt, sondern die Raupenbahn im Rückwärtsgang.
Das drosselt auch das Tempo der Komödie, die hier mit schlep-
penden slow-burn-Effekten arbeitet: Spätzündern. Jede Finte, jeder falsche Frack, jede getäuschte Identität dient einzig zur
Demütigung der Frau, die sich ihren Mann zurückerobern muß,
d.h. für ihren Ausflug ins selbständige Künstlerleben bestraft werden muß. Diese Botschaft wird so wichtig, daß darüber die Show-
Elemente vernachlässigt werden. Markierte Dekorationen, wie im
dritten Bild, bezeichnen den Verfall der Revue zum dürftigen Dekor für eine überfrachtete Handlung.

Liebespremiere (1943)

Von Arthur Maria Rabenalt, mit Hans Söhnker, Kirsten Heiberg,
Fritz Odemar, Margot Hielscher

Mitten in den Filmaufnahmen der Operette »Zauber der Nacht«
wirft die Diva Jeannette das Handtuch. Den Komponisten, der
unverschämt um sie wirbt, stößt sie vor den Kopf mit ihrem Wunsch
nach einem Kind: ohne Ehemann. Auch ihre Freundin versucht,
sich gegen ihren Mann aufzulehnen; was würde er, der Rechtsanwalt sagen, wenn sie erwarte, daß er seine Karriere für ihre Laufbahn aufgäbe? Die Frauen teilen eine Wohnung, und der Grabenkrieg, der die anti-eheliche Haltung der Frauen (so wörtlich
benannt) unterminieren soll, beginnt. Der Rechtsanwalt verbündet sich darauf mit Axel, dem Komponisten, der sich auf die Herausforderung einläßt, die Diva heiratet: um sie zu demütigen. Am
Ende steht eine neue Operette, in der die Diva wieder als Star auftritt und alle Künstler in den Wunsch einstimmen: »Heute Nacht
wollen wir den Teufel tanzen sehen!«
So wild kommt es nicht; der alte Revuedrill scheint dahin, die
Parade ist aufgelöst in den formierten Gesellschaftstanz, der Chor-
gesang weicht der Diseuse, die sich als Leander-Ersatz mystifi-
ziert. Das Militärische macht dem Mondänen Platz. Dieser Stil-
und Funktionswechsel im deutschen Revuefilm entspricht in etwa
dem Übergang von den Musicals der Warner Brothers zu denen
der MGM. Nicht mehr den Arrangements der Girls gilt das Augenmerk, sondern eher der Ausstattung, den Arrangements des
Raumes. Das Eingangsbild der *Liebespremiere*, das eine manhattan-
hafte Society auf einer Freiterrasse versammelt, ist durch die Ab-
rundung der ehemals eckigen Linien bestimmt. Die Schwarz-
Weiß-Kontraste werden weich und fließend, unterstützt durch eine
enorm fluide Kameraarbeit. So dreist wie in diesem Film ist das
Stilprinzip des Art Déco, das der Ausstatter Van Nest Polglase für
die Musicals der RKO entwickelte, im deutschen Revuefilm nie
kopiert worden.

Der weiße Traum (1943)

Von Geza von Cziffra, mit Olly Holzmann
und Wolf Albach-Retty

Ein Bühnenbildner entdeckt auf der Eisbahn eine unerhört begabte Läuferin und versucht, sich ihr als vermeintlicher Schüler zu nähern. Natürlich spielt er, nebenbei, Eishockey und weiß die Beschämung des Schülers als Meister der Liebe wettzumachen. Es gelingt ihm, seinen Star in eine Eisrevue zu lancieren, den unbegabten, aber protegierten Star des Mäzens auszustechen, den eifersüchtigen Onkel der Eisprinzessin und weitere Widrigkeiten aus dem Weg zu räumen und den Star seines Herzens zum glänzenden Erfolg zu führen.

Der weiße Traum muß, statt auf dem Heimatboden der Träumenden Fuß zu fassen, sich in der terra cognita der Revueländer ansiedeln und ihren standardisierten Räumen zwischen Spanien, Ungarn und Manhattan. »Je mehr die Monotonie den Werktag beherrscht, desto mehr muß der Feierabend aus seiner Nähe entfernen«, so dechiffrierte Kracauer 1930 die Traumbilder der Angestelltenkultur.[10] Je tiefer aber 1943 deutsche Truppen sich in fremde Räume fraßen, je deutlicher die Eindeutschung europäischer Länder zu Reichsprovinzen wurde, desto deutlicher wurde auch deren Provinzialisierung.

Im Unterschied zu anderen Revuefilmen fragmentiert *Der weiße Traum* seine Bilder nicht zu Momentaufnahmen, sondern läßt die Revue als Traumsequenz durchlaufen, die spielend über alle Grenzen fährt. Die Kamera von Schneeberger, der seine Erfahrungen mit bestürzenden Bildern der Berg-Filme einbrachte, vollführt die waghalsigsten, elegantesten Kreiselfahrten. Oft scheint die Kamera im Bildmittelpunkt sich selbst beschleunigend zu drehen, wo nur das Revuebild um die Kamera gedreht wird. So entsteht eine Irrealisierung des Raumes, ein Ballett der Kamera mit der Materie, das die Sehnsucht nach Schwerelosigkeit fesselnd zu illustrieren vermag.

»Seit wann hat eine Revue eine Idee?«, fragt Albach-Retty spöttelnd den Regisseur, um selbst die Regie mit illusionären Ideen in die Hand zu nehmen. Denn das erklärte Interesse des Films ist es,

Mißverständnisse und Konflikte der Handlung nur so weit anzu-
spielen, daß ihr stereotypes Muster erkennbar wird. Dann wird,
was ablenkt, beigelegt. Der Plot ist vorsätzlich als Nebensache, die
Show als Star behandelt. Ähnlich wie in *Wir machen Musik* gibt es
eine Ansprache des Publikums, die aus dem Rahmen der Komödie fällt. Der Entertainer im Eisstadion rät seinem Publikum, mit
Lachen statt mit Kohlen zu heizen. Hier gibt die Filmindustrie einen Rat im weißen Alptraum: dem Winter von Stalingrad.

Akrobat schö-ö-ön (1943)

*Von Wolfgang Staudte, mit Charlie Rivel, Clara Tabody
und Karl Schönböck*

In einer Dachkammer haust Charlie, der kleine arbeitslose Artist,
zusammen mit Monika, seiner Partnerin, und führt ein traurig ver-
kanntes Leben. Als Monika vom Varieté als Partnerin des Star-
Sängers Orlando engagiert wird, bleibt für Charlie nur die Rolle
des Bühnenarbeiters, die er so unangemessen ausfüllt, daß man
ihn als Nachtwächter des Theaters abschiebt. Wenn alles schläft,
besteigt Charlie die Bühne und trainiert am Trapez für den großen
Auftritt. Durch Vermittlung einer neuen Partnerin ergibt sich die
Chance – die Direktion will Charlies Nummer einschieben. Aber
selbstversunken verpatzt der Clown den Auftritt, bis die Drehbühne, falsch bedient, das Revuebild mit dem singenden Star ab-
serviert und Charlie, entgeistert, dem Publikum vorführt. Er überrascht nicht zuletzt sich: mit einem gewaltigen Erfolg.
   Die ironisierte Aufstiegsromanze vom verkannten Artisten zum
berühmten Clown, von Charlie zu Rivel, steckt im alten Revue-
kostüm »A Star Is Born«. Staudte verbindet die Poesie des Elends
und akrobatische Artistik mit dem Glanz der Show-Lust, obgleich
er strenggenommen keinen Revuefilm, sondern den Schwanengesang auf den deutschen Revuefilm inszeniert. Clara Tabody ist
ein begabter Ersatz für Marika Rökk, und wenn nicht die bessere
Tänzerin, dann die elegantere Turnerin, die ihren Step noch auf

Dachterrassen übt, und zwar ohne die Angestrengtheit einer Kür; einfach, weil sie die Beine nicht stillhalten kann. Auf der Probe mit Orlando bricht eine Diskussion über die Rollen aus. Der Star sei Sklave, das Publikum sein König. Die öffentliche Meinung ist die Macht, die noch sein Privatleben beherrscht, was die *Broadway Melodie of 1936* als exzessiv anprangerte. Also spielt der Star auf der Bühne auch die Rolle, die ihm die Presse zuschreibt.

Wenn zum Schlußtableau der Revue Orlando die Freitreppe im alten Ufa-Stil herabschlendert, auf der ihn Girls umschwirren wie Motten das Licht, schiebt Staudte dieses »Traumbild« (so ausdrücklich benannt) mittels der Drehbühne in die Kulissen ab, während sein Star hechelnd versucht, im Bild zu bleiben. Dieser komische Akt ist eine Kritik an den heruntergekommenen Arrangements, dem anachronistischen Glanz der Gesellschaftsschichten, den die Revuefilme stets aufs Neue entfachen, um ihn vorm Erlöschen zu bewahren.

Die physische Komik, die der Clown in seinen Alltagsnummern um sich herum entfaltet, sind kleine subversive Akte, in denen Charlie wie einst Buster Keaton beharrlich sich gegen alle Hierarchien behauptet. Über die Arbeit von Rivel sagte Kracauer 1932 in einer Glosse, »Akrobat schön!« betitelt, »die gewohnte Ordnung wird bagatellisiert und die scheinbare Bagatelle in die Mitte gerückt«.[11] Was so viele Revuefilme in ihren Tanznummern nie erreichten, ist im Vorschein der Artistik hier zu sehen: eine Bewegungsfreiheit, die sich dem Raum nicht marschierend unterordnet, sondern ihn schrittweise und behend erfährt.

Es lebe die Liebe (1944)

Von Erich Engel, mit Lizzi Waldmüller und Johannes Heesters

Das Berliner Apollo-Theater bereitet eine neue Revue vor, doch Manfred, der Hauptdarsteller, der zu Filmaufnahmen in Barcelona weilt, lehnt alle Partnerinnen ab, die ihm sein Direktor vorschlägt.

In Barcelona entdeckt Manfred Manuela del Orta, den Star des »Trocadero«. Es gelingt ihm, sich in ihren Finale-Auftritt hineinzudrängen und sie als Partnerin für Berlin zu gewinnen. Manuela wird aber krank und kann den Vertrag nicht erfüllen. Nach einem Jahr reist sie unter dem bürgerlichen Namen Maria Marten nach Berlin. Sie kommt im Ballett des Apollo-Theaters unter, doch Manfred erkennt sie nicht wieder. Seine freche Zudringlichkeit wehrt sie zunächst schlagend ab – um seinem Werben doch anheimzufallen. Nun zeigt Maria, daß in ihr noch Manuela steckt. Sie erkämpft sich ihren Weg zur Bühne zurück und erreicht, daß sie, an Manfreds Seite, ihr Künstlerleben führen kann.

Die Kehrseite des Komödien-Topos von der Widerspenstigen Zähmung ist die Domestizierung promisker Wünsche. Hier soll der Mann von der Frau erzogen werden, auf andere Frauen zu verzichten – bemerkenswerterweise, ohne daß die Frau auf den Mann um den Preis ihrer Kunst verzichten müßte. Der Entschluß, ein anderer Mensch, das heißt ein monogamer Mann zu werden, bleibt demnach im deutschen Film stets im falschen Frack, der neuen Frisur und einem angenommenen Namen stecken. Die Revue auf der Bühne verdeckt in ihren hektischen Kostümwechseln auch, daß ihre Künstler nur Puppen mit eingeschraubten Gefühlen sind, zwar austauschbar, aber nicht zu verändern.

Durch welche Medien der Gefühlsaustausch gesteuert wird, gibt Heesters singend zu erkennen: »Mein Herz müßte ein Rundfunksender sein, *dann* könntest du mich hören«. Der Gegenschuß zeigt ein auffallend junges, vorwiegend weibliches Publikum, in dem die Zuschauer von 1944 sich selbst erblicken durften. In diesem Revuebild »Die Welt gehört mir« tanzen die Girls nicht mehr auf den Klaviertasten, sondern auf der Radiotastatur, während der aufgezogene Vorhang enthüllt, daß in den Röhren: Musiker sitzen. Eine naive Übersetzungsarbeit der ansonsten unüberschaubaren Technik des Massenmediums Rundfunk, witzig zur Not: aber auch die Sehnsucht der Nazis ansprechend, das Rad der Geschichte zurückzudrehen, Kunst an allen Orten, wo sie dekadent scheint, in schöpferische Natur zurückzuverwandeln. Vom Musiker in der Radioröhre ist es nur ein Schritt zum Kirchenfenster, das aus Sonnenlicht, zum Haus, das aus dem deutschen Wald gebaut wird (siehe *Der ewige Wald*, 1936). Die Kunst, in welchem Medium der Revuefilm sie auch thematisiert, unterliegt stets der Metamorphose in den Ursprungsmythos.

Die Frau meiner Träume (1944)

Von Georg Jacoby, mit Marika Rökk, Wolfgang Lukschy und Walter Müller

Der Revuestar Julia Köster ist theatermüde und entkommt den Fängen eines neuen Kontrakts nur durch die Flucht nach Tirol. Als ihr Zug wegen Sprengarbeiten auf freier Strecke stehenbleibt und sie, nur mit dem Pelz über der Unterwäsche, den Weg über Stock und Stein antritt, läßt sie sich von zwei rivalisierenden Ingenieuren auf einer Berghütte retten. Nun wird die Küche ihre Bühne und der Oberingenieur, Peter Groll, der ohnehin nach der Frau seiner Träume sucht, ihr Partner. Doch für ihr Glück, unerkannt geliebt zu werden, muß Julia noch etliche Erniedrigungen durchmachen, bis schließlich der Mann, der sich ihr in den Bergen verweigert, im Theater dann ihr Meister werden darf. Die Kunst hat sie wieder; doch ihr erstes Engagement ist jetzt die Ehe.

Die Schauplätze der Revue, die sich Rökk im Flic-Flac und Springen erobert, liegen in Italien, Spanien und Japan und zeigen dem Zuschauer einen phantastischen Blick auf die dem Reich verpflichteten Mächte. Wenn Rökk die Bauarbeiter in der Werkskantine ansingt, wird zwar eine Erbsensuppe versprochen, tatsächlich ein Wassersüppchen ausgelöffelt und sogleich gesungen, um vom Hunger und der prekären Versorgungslage von 1944 abzulenken. Wo *Der weiße Traum* noch riet, mit Lachen statt mit Kohlen zu heizen, muß hier die Stimmung mit Musik temperiert werden. »Schau nicht hin, schau nicht her / schau nur geradeaus und was dann auch kommt / mach dir nichts daraus«, so lautet die Devise des Gesangs, in den die Arbeiter einstimmen, dessen Refrain sie mitschunkeln sollen. Der Fanatismus der Faschisten scheint gebrochen, Fatalismus macht sich breit. Das Trostlied ruft dem

. Zuschauer ein »Carpe diem!« zu, noch in der Sonnenfinsternis. Besonnte Apathie und verschwimmender Glanz regieren die Revue, wo einst mitreißendes Tempo und unbeirrbarer Aufschwung den Ton angaben. »Das große Weltgetriebe« ist der letzte Reim, den man 1944 auf »Liebe« finden konnte und, trotz seiner scheinbaren Ferne, der nächstliegende.

Wieder einmal soll aus der großen Künstlerin die kleine Hausfrau werden, wobei »klein« in der Ästhetik faschistischer Weiblichkeit stets den höchsten der erreichbaren Werte darstellt. Die Künstlerin muß eine zweite Sozialisation: von der »Frau ohne Herz«, der »Modepuppe« zur »lieben Frau« durchlaufen. Die Demütigung, die dazu vonnöten ist, klappert das ganze Register der Komik ab: Prügel, Stürze, das Untertauchen im Wasserbottich, nichts bleibt Julia erspart. Die verbalen und visuellen Sexualmetaphern (Sprengung von »Hügel C 5«, den Groll »bearbeitet«) zielen eindeutig darauf, weiblichen Widerstand zu brechen.

Nicht ohne Charme greift Marika Rökk in ihren Nummern chaplineske Elemente auf. So taucht sie nach dem Sturz vom Motorrad im Kostüm des derangierten Tramps auf, imitiert mit Hilfe von Radiergummis den Brötchentanz aus *Gold Rush* (1925) – auch da wird intensiv gehungert – und tanzt im Revuebild mit einer Weltkugel, die nach Berührung mit dem Erdboden zerplatzt. Auch *Der große Diktator* (1940) schaute ins Studiofenster herein.

Wie faschistisch ist die Feuerzangenbowle

Fast die Hälfte aller NS-Filme gehören, laut Albrechts Untersuchung (1969) zum Genre der H-Filme: den Filmen mit »heiterer Grundhaltung mit nur latenter politischer Funktion.« Meine These, daß diese Einschränkung auf politische Latenz für die Masse der faschistischen Unterhaltungsfilme nicht gilt, ist nicht originell. Neu ist nur ihr Ansatz, die Produktionsideologie (aus den Köpfen der Filmemacher in die Zuschauer) vermittelt anzuzeigen. Sie steckt weniger in den Dialogen, »schlimmen« Sätzen oder wüsten Abbildern des Faschismus. Sie steckt in ihren Kunstmitteln, die nicht an sich faschistisch sind, aber in solchem Sinn funktionalisiert werden. Ich gehe davon aus, daß die manifest politischen Filme mit den vermeintlich nur latenten, also die Propagandaschinken mit den Zerstreuungskomödien strukturell verwandt sind. Bis in die Bildgestaltung läßt sich das gleiche Arrangement, mit dem die Produktionsideologie von der Leinwand in den Kopf des Zuschauers getragen wird, nachweisen.

Ich möchte versuchen, diesen Zusammenhang anhand einer Komödie aufzuzeigen, die mit hartnäckiger Regelmäßigkeit im deutschen Fernsehen ausgestrahlt und von der Ansage als *der* Klassiker des deutschen Filmlustspiels vorgestellt wird, als hätte es Lubitsch nie gegeben. Es handelt sich um die Terra-Produktion von 1944, *Die Feuerzangenbowle*, Regie: Helmut Weiß, mit Heinz Rühmann in der Rolle des Doktors und des Schülers Pfeiffer.

Als der Film herauskam, lag die Wende Stalingrad ein Jahr zurück, waren die Alliierten in Sizilien, das Warschauer Ghetto vernichtet, Hamburg und Berlin zerbombt und die deutsche Wehrmacht um die Hälfte dezimiert. Seit zwei Jahren war Goebbels' Erlaß in Kraft, während des Krieges das Produktionsprogramm umzustellen auf Filme »überwiegend unterhaltenden Inhalts«. Die Fluchtbewegung aus der Wirklichkeit war damit staatliches Programm geworden. Welche Formen nahm sie an im Film?

Je näher das Ende des Faschismus rückte, desto greifbarer wurde die Ferne, in die sein Film sich fortstahl. 1944 ersteht als Ersatz für Gegenwärtigkeit die Verklärung der Jugendzeit im Wilhelminismus von 1913. Die Söhne erbauen sich an den Streichen ihrer Väter, weil die Väter ihnen ihre eigene Jugend stahlen, um die Söhne als Soldaten in den Krieg zu schicken. Was als heitere Komödie wirken soll, bezeugt nur die tiefste Melancholie, deren Motto der Filmschluß anspricht. Einer aus der Altherrenrunde sagt es, stellvertretend für die Zivilbevölkerung: »Wahr sind nur die Erinnerungen, die wir in uns tragen, Träume, die wir spinnen und die Sehnsüchte, die uns treiben.« Dieser so beschauliche Satz verrät den akuten Mangel an positiv erfahrener Wirklichkeit von 1944, der aber eingebunden bleibt in die Filmerfahrung der Komödie, die an der Zeitgeschichte nichts zu lachen findet.

Die Fabel dieses Films ist bekannt genug. Ich greife nur typische Züge, Einstellungen und Situationen heraus und versuche, sie in die allgemeine Dramaturgie des faschistischen Films einzuordnen. Mir ist klar, daß ich damit den Stellenwert der komischen Passagen zugunsten der politischen mindere. Aber dieser Perspektivwechsel soll ein Licht darauf werfen, was im Faschismus als unterhaltend gilt und wirkt.

Das Motiv der *Feuerzangenbowle* beruht nicht allein auf der Stammtisch-Nostalgie, der weltfremde Schriftsteller Dr. Pfeiffer (Heinz Rühmann) müsse Lebenserfahrung auf der Schule, die ihm abging, nachholen, weil ihm das »schönste Stück Jugend« fehle. Hier klingt wieder die Mangelerfahrung der Jugend von 1944 an, die sich mit sentimentaler Erinnerung aus zweiter Hand: ihrer Väter, begnügen muß. Der Komödienanlaß beruht auf dem barocken Motiv des Innewerdens von ›Ich habe nicht gelebt‹: ubi sunt, hieß es einst. Dieses Motiv wird 1944 zu einem Katastrophendämpfer funktionalisiert, der die Erkenntnis vom verpaßten Leben zur Ersatzerinnerung an die gute alte Zeit ummünzt. Die Rückverwandlung Rühmanns vom reifen Mann zum Schüler wird durch Abdecken der Maske in Überblendungen demonstriert. Wo die mittlere Generation im Krieg steht, müssen die ganz Jungen sich alt und die Alten sich künstlich kindlich machen. Die Infantilisierung jener Unterhaltungsfilme schlug nicht nur in ihren Inhalten durch. Sie wird an den Darstellern gleichsam als soziales Leitbild verfestigt. Diese Überblendung hat ihre Geschichte.

Im *Ewigen Wald* (1936) waren es die Kirchenfenster-Rosetten, die sich zu Sonnenlicht verwandelten, die Dom-Pfeiler in Baumstämme, die Soldatenbeine in Baumschulen. Im *Ewigen Juden* (1940) diente die Überblendung der vermeintlichen Enttarnung der Salonjuden im Berliner Westen als Ghettojuden. Immer operiert das faschistische Bild mit der Behauptung des Ewig-Gleichen, seiner Sehnsucht nach dem unerreichbaren Ursprung. Jedes Ding gilt ihm erst nach seiner Rückverwandlung als Natur. Der Zwang, aus jedem Bild qua Überblendung sein Urbild vorscheinen zu lassen, will den evolutionären Fortschritt um jeden Preis rückgängig machen. Er soll die Zivilisation und Industrialisierung widerrufen, die Materie beleben, den Mann verjüngen und die Geschichte in Natur verwandeln. Es zeigt in dieser Bildoperation sich der Zwang, der Teil der Sozialpsychologie der Faschisten ist: nämlich ihre Eroberungsarbeit mit der Schlagkraft des Jugendmythos zu rechtfertigen und durchzusetzen.

In der Prozedur der *Feuerzangenbowle* beschwört der Film einen Geist der Tradition, ohne ihn zu benennen, damit aus ihm der Zauberbann des Vergangenen und nichts weiter ersteige. Jede Vergangenheit scheint glücklicher als die Gegenwart. Hier sollen die dummen Streiche der alten Schüler Tradition bilden für die neuen Streiche der jungen Schüler. Die kommende Generation wird festgelegt auf überkommene Dummheit, deren Verweigerung das Absprechen der Reife nach sich zieht. Die Alten bieten, da sie kein schlechtes Beispiel mehr geben können, guten Ratschlag feil, wie La Rochefoucauld einst aphoristisch sagte. Der Ort der Sehnsucht, die Schule, dem die lange Rückblende gilt, dient durch die gebotene Art der Erinnerungsarbeit als ein Ort des asozialen Lernens, an dem ein »Denkverbot« verhängt ist. Ausdrücklich spricht dies der Direktor dem pfiffigen, aber angepaßten Rühmann gegenüber aus, dessen Verletzung des Verbots nicht eben groß ist. Noch die Schauspieler verkörpern mehr als ihre Rollen, nämlich jene infantile Haltung aus Überalterung, sie wirken wie der Volkssturm aus Neu-Babelsberg.

So wie sich der Schriftsteller zum Schuljungen rückverwandelt, so müssen seine erotischen Beziehungen, die auch für 18jährige von 1944 über das pubertäre Stadium hinausgewachsen sind, auf freundschaftliche, ja familiäre Beziehungen reduziert werden. Auf den ersten Blick scheint diese Diskrepanz von Anspruch und Erlaubtem natürliches Futter für Komödien zu sein. Diese Reduktion zeigt aber deutlich, daß in der Schlußphase des NS-Films die Libido der Figuren nur inzestuös gebunden denkbar ist. Liebe zwischen reifen Menschen gilt als Katastrophenfall (siehe *Kolberg*). So wird Rühmanns Geliebte aus der Großstadt, Marion, bei Ankunft am Schulort als Tante vorgestellt und Rühmanns Schülerliebe, Eva, als Schwester ihrer Mutter angesprochen. Dies ist mehr als Rühmanns schmeichelnde Komödiantenlist. Dies deckt die Bezeichnung der öffentlich sanktionierten Form erotischer Beziehungen auf. Die Frauen im NS-Männerstaat darf man im Mutterkult verehren, die Geliebte steht außerhalb der Familienbande und muß von der Bruderhorde abgewehrt werden *(Die Degenhardts)*. Gleichaltrige Frauen, die Schar der Schülerinnen, die Rühmann im Karzer besuchen, werden von ihm als »Gänse und Schafe« zurückgewiesen. Aufschlußreich für den öffentlichen Triebhaushalt von 1944 ist die Szene mit der nackten Figur an der Wandtafel – der Schuldirektor wettert »sittliche Entgleisung«, betretenes Schweigen. Die Peinlichkeit der Lage erfährt ihre Abfuhr durch die vorgebrachte Entschuldigung eines Schülers: Man sei mit der Zeichnung nicht fertig geworden, es hätte ein Junge werden sollen. Prompt gibt das Vexierbild der Karikatur den Umriß eines Epheben zu erkennen. Die Spannung und der Witz beruhen auf dem Tabu, weibliche Sexualität vor Jugendlichen abzubilden. Die Lösung aber erweist sich als Notlösung. Denn warum sollten sich männliche Schüler gleichgeschlechtlich abbilden, wenn die soziale Bedingung des Witzes: rigide Verfestigung der Geschlechterrollen von 1913 bis 1944, nicht fortbestünde?

Die NS-Filmproduktion ließ nur jene Komik zu, die sich über das Asystematische mokiert, um die sozialen Außenseiter durch Lächerlichkeit zu diskriminieren. Auf dieser Linie der Verdrängung des Wunsches nach weiblicher Sexualität durch die Vollendung des Abbildes als männliches Wesen liegt auch Rühmanns atavistische Geste, dem Liebesbrief seiner Eva gegenüber. Als ihn der alte Ponto im Unterricht beim Lesen ertappt, die Aushändigung verlangt, ißt Rühmann diesen Brief auf, bevor noch

Ponto mehr als »Tausend Küsse. Großes E. Punkt« hat lesen können. Sodann gibt er den Brief als Brief eines Freundes aus. Der Verdrängungsgewinn mag komisch sein, aber er ist beträchtlich. Die Abwehr der Frau ist um den Preis ihrer Verleugnung erkauft.

Es wirft ein Licht auf den Erschöpfungszustand des Lustspiels, daß dieser »Klassiker« nur ein Remake eines früheren Films ist, dessen Gehalte (Schulsatire) und Techniken sich abheben vom Aufguß zu Kriegsende. Ich meine den Film *So ein Flegel*, den R.A. Stemmle gleich zu Beginn der NS-Herrschaft (1934) ebenfalls mit Rühmann drehte. Dies ist die *Feuerzangenbowle* à la Weimar, genau der gleiche Stoff von Spoerl, dessen Machart allerdings noch der traditionellen Filmkomödie der Republik verpflichtet ist. Es gibt statt der ideologischen Überblendung von 1944 hier den alten Verwechslungstopos von den Zwillingen Pfeiffer (ein Motiv von Terenz bis Goldoni). Sie tauschen zwar ihre Rollen, behalten aber ihre soziale Identität des Anderen bei. Die Zwillinge infantilisieren sich nicht in diesem Verwirrspiel. Der Filmschnitt erfolgt aufs Stichwort; visuelle Gags beherrschen das Lustspiel von 1934, wo 1944 lahmer Wortwitz regiert. So lamentiert Oskar Sima, ein Lehrer, Rühmann befände sich kaum auf einwandfreiem Fuß; schon zeigt der Gegenschnitt, wie Rühmann mit selbigem Fuß übers Treppengeländer setzt. Ein dürftiger, immerhin visueller Spaß, der auf einer Anschluß-Technik beruht, die noch bis in die 40er Jahre gebräuchlich war.

Feuerzangenbowle 1944: im Gespräch der Lehrer über die neue Generation räumt Paul Henckels politische Konzession ein: »Eine neue Zeit muß neue Methoden zeigen. Disziplin muß das Band sein, das die Schüler bindet wie die jungen Bäume.« Da tritt neben die verschärfte Disziplinierung der Jugend der faschistische Traum ihrer Rückverwandlung in Natur zutage. Liebeneiners Film *Die Entlassung* von 1943 (laut Albrecht ein politischer Film) legt dem verbannten Bismarck in Friedrichsruh die Worte in den Mund: »Es wäre schön, die Menschen wie die Bäume zu ziehen.« Wie erwähnt, schon der *Ewige Wald* schwenkte von friderizianischen Soldaten zur Baumschule, träumte das Ordnungsideal vom vollkommen ausgerichteten Staat als zweite Natur.

Noch Rühmanns Travestie der trockenen Chemie-Stunde steckt voller konformer Elemente, deren Darbietung lächerlich sein darf, deren Gehalt sich aber an der zeitgenössischen Indoktrination ausrichtet. So, wenn er über die Chemie des Ackerbodens doziert, die sich an der Geopolitik Friedrich II. orientiert oder an den Entdeckungen Justus Liebigs, die zur chauvinistisch interpretierten Naturgeschichte pervertiert werden. Das Drehbuch stammt von Heinrich Spoerl, der seinen unverwüstlichen Roman selbst für den Film herrichtete. Seine ideologische Konformität, die in das Lustspiel systemstabilisierende Dialoge einbrachte, kam nicht von ungefähr. 1939 ergriff Spoerl, als Goebbels seine Filmrede in der Kroll-Oper hielt, neben Liebeneiner das Wort. Ich kenne diesen Vortrag nicht, seine Botschaft aber lebt in der *Feuerzangenbowle* fort.

Das Fernsehen nutzt nun seit langem die Popularität der Komiker Rühmann und Moser aus, ohne einen Gedanken auf die Wirkung ihrer Filmstoffe zu verschwenden. Die NS-Komödie dient ihm als Vehikel, Propagandafilme aus dem Dritten Reich, die im zivilen Gewand einherschleichen, durch den Kanal zu bringen. Die Sparte des Nazi-Unterhaltungsfilms, an programmintensiven Terminen angesetzt, machte zeitweilig schon 10% des Gesamtangebots an ausgestrahlten Spielfilmen aus. Das ist viel: besonders bei der abwiegelnden und irreführenden Ansage von derlei Filmen. Eine Ansage als Blitzableiter, das ist auch attraktiv für ein Gewitter.

Die Überläufer ausliefern

Deutsche Filme 1945

Überläufer strecken, angesichts der feindlichen Übermacht, die Waffen. Sie sind aber mehr als kampfesmüde Defätisten, denn sie verlassen aus eigener Kraft und Einsicht den Graben und wechseln die Fronten. Nicht dem Schicksal, sondern dem Stärkeren ergeben sie sich. So aussichtslos die allgemeine Lage scheinen mag, so wenig einsichtslos ist sie dem einzelnen, der überläuft. Für seinen Entschluß, Würde und Vernunft nicht zu verlieren, riskiert der Deserteur seinen Kopf. Überläufer gelten als moralisch zwielichtige Charaktere, denn sie beweisen Mut zum legitimen Verrat. Überläufer sind Filmhelden in Anatole Litvaks *Decision Before Dawn* (1951) und Konrad Wolfs *Mama, ich lebe* (1976). Im Militärgericht macht man mit ihnen kurzen Prozeß, wie Beispiele aus der deutschen Wortgeschichte belegen: »Auf Insubordination und auf Überläuferei war die Todesstrafe gesetzt«, Häusser, Deutsche Geschichte[1]; »An der Weigerung, die Überläufer auszuliefern, scheiterte das Friedensgeschäft«, Mommsen, Römische Geschichte.[2]

Der Theater-, Opern- und Filmregisseur Oscar Fritz Schuh gab in seinen Erinnerungen dem militärischen Begriff eine politische Note, wenn er vom Oberhaupt der Hansestadt Hamburg behauptete: »Bürgermeister Krogmann war ein Überläufer; beinahe über Nacht hatte er sein Herz für die Nazis entdeckt.«[3]

In der Geschichtsschreibung zum deutschen Film wird der Begriff zwar dem militärischen Bereich entlehnt, doch seiner politischen Dimensionen beraubt. Überläufer waren demnach Filme, die von einem System in das andere wechseln konnten, wobei die Zäsur zwischen Krieg und Nachkrieg lag. Der Nachkrieg vollendete in dieser rein technischen Definition, was die Kriegsproduktion zu beenden nicht imstande war. Alfred Bauer führte die »Überläufer« als Filme ein, »die vor dem 8. Mai 1945 (Kriegsende) begonnen, hergestellt oder zensiert wurden und erst nach dem Kriege in Deutschland zur öffentlichen Vorführung gelangten«.[4]

246

In ungenauer Anlehnung an Bauer formulierte Karlheinz Wendtland in seiner Sammlung »Geliebter Kintopp«, die Überläufer waren »bei Kriegsende noch in Arbeit und wurden nachträglich von anderen Gesellschaften fertiggestellt. Die meisten Filme beendete die ostzonale DEFA.«[5]

Laut den Angaben in Bauers »Deutscher Spielfilm-Almanach 1929-1950« sind von den 72 Filmen, die zwischen dem 1. Januar und 8. Mai 1945 »begonnen, hergestellt oder zensiert wurden«, 35 Überläufer, also die Hälfte der Filme.[6] Keineswegs war die DEFA die einzige Firma, die Überläufer zu Ende produzierte. An diesem Geschäft waren mit gleichen Interessen die Firmen der Bavaria, Wienfilm, Forstfilm u.a. beteiligt. Es gibt aber in der vorliegenden Filmgeschichtsschreibung noch keinen systematischen Aufschluß über die Verteilung jener Interessen, Fertigungsintention, Benutzung alter Dialogbücher oder neu geschriebener.

Um das Gros der Überläufer-Filme von den erklärten »Frontverharrern« abzugrenzen: Nicht-Überläufer waren 1945 jene Filme, die von den Filmkommissionen der Alliierten Militärregierungen für eine öffentliche Vorführung in Deutschland verboten wurden, wie zum Beispiel Veit Harlans *Kolberg*, Helmut Weiß' *Quax in Fahrt*, Philip Lothar Mayrings *Wir seh'n uns wieder*. Diesen Filmen wurde mit dem Alliierten-Verbot ihre inhärente Propaganda-Absicht bescheinigt: jenen Überläufern dagegen wurde mit der Freigabe zur Endfertigung nach dem Kriege die Abwesenheit von jeder Propaganda-Absicht bezeugt. Der militärische Begriff verkehrt sich filmtechnisch ins Paradox: Die Verdächtigen bleiben, die Unverdächtigen laufen über.

Überläufer sind Übergangsfilme. Das war an den kritischen Einübungen in das System 1933 wie zum Zeitpunkt der kritischen Auflösung jenes Systems zu spüren. In den Überläuferfilmen von 1945 zerbrach die mühsam aufrechterhaltene Kongruenz von Propaganda-Intention und Kunstmitteln. Das Drehbuch, das bislang durch Vor- und Nachzensur die Durchsetzung der Propagandalinie ermöglicht hatte, löst sich defätistisch auf. Die Durchhaltefilme wie *Kolberg* fallen der Erstarrung anheim wie die Komödien (z.B. *Ein toller Tag*) der Auflösung. Die Filmgenres im Produktionsjahr 1945 schlitterten nicht nur an den Zensurmechanismen vorbei, sondern auch an den Instanzen der künstlerischen Selbstkontrolle der Autoren, Regisseure und Schauspieler. Angesichts der nicht mehr drohenden, sondern schon eingetretenen Niederlage des Deutschen Reiches trug die Phantasieproduktion des Mediums Film die Dramaturgie der Resignation, der Vergeblichkeit, des Defätismus prägend in sich. In jeder Hinsicht herrschte »Bombenstimmung«: Sowohl die Angst wie die Heiterkeit waren durch Hysterie überformt. Ein Bürgermeister Nettelbeck (Heinrich George) in *Kolberg* will sich mit der Bevölkerung in der zerbombten Stadt ins Erdreich eingraben. Die Komödien wie *Spuk im Schloß* und *Freitag, der 13.* wählen als Schauplatz Verliese, Höhlen und Kammern. Da alle Wünsche und Gefühle auf das Ergreifen des Tages (»Carpe diem!«, sagten die Römer) zielten, wurde die Erlebnisdauer des Tages folglich kürzer und vom Zwangsrhythmus der Nacht ersetzt.

Oscar Fritz Schuh schrieb über die Produktionsform des Filmes *Ein toller Tag*: »Der Figaro-Film wurde in der Ufa-Stadt, in Babelsberg, gedreht. Fast jeden Tag gab es Bombenalarm. So konnten wir überwiegend nur morgens ein bis zwei Stunden arbeiten, dann heulte die Sirene. Meist dauerte es einige Stunden. Da die Ufa keine richtigen Luftschutzbunker, nur Splitterschutzgräben hatte, wurden wir irgendwo ins Grüne gefahren, wo es weniger gefährlich war. Nachmittags um drei Uhr pflegten wir zurückzukommen und noch ein paar Einstellungen zu drehen. Oft waren sie unbrauchbar, weil die Schauspielerinnen nach den Strapazen des Alarms zu überanstrengt aussahen. An dem Film wurde fast ein Jahr gedreht. (...) Den Schauspielern drohte nach Beendigung der Aufnahmen Dienstverpflichtung. Es war daher nicht nur ein Gebot der Klugheit, sondern der Selbsterhaltung, gewissermaßen ›Dienst nach Vorschrift‹ zu machen, ein Bummeltempo zum Ruhme der Ästhetik anzuschlagen.«[7]

Die norwegischen Widerstandskämpfer gegen die deutschen Besatzer malten als Sabotage-Aufforderung auf jedes Produkt eine mahnende Schildkröte auf. Die Filmregisseure in Babelsberg unterminierten ihre Produktionsaufträge durch selbstverhängte Sabotage: »Bummeltempo«. Ob nun »zum Ruhme der Ästhetik« oder nicht vielmehr zu deren progressiver Erstarrung, steht noch dahin.

Der Drehbuchautor Erich Kästner konnte der Produktions-
dramaturgie des Bombenalarms in Berlin mit einer Filmtruppe
nach Tirol entgehen. In seinem Tagebuch »Notabene 45« berichtete er von fragenden Gutstöchtern: »Sie wollten wissen, wieso die
Regierung, kurz vor dem Zusammenbruch, Filme drehen lasse.
Sie begriffen nicht, wozu Goebbels noch Filme brauche. Sie fanden die Sache ganz einfach unsinnig. (...) ›Nur noch eine Frage:
Werdet ihr den Film überhaupt drehen?‹ – ›Das ist eine Frage zuviel.‹«[8]
So führen noch die wirklichkeitsfernsten Komödien auf die Realität des Jahres 1945 zurück. Die Filmproduktion läuft nicht leer,
doch mit unterschobenen Inhalten. Nicht nur die Filme laufen
nach Kriegsende über; schon die Inhalte und Formen liefen vor
Kriegsende über: jedenfalls in den Komödien. Denn auf der weißen
Fahne der Kapitulation, die heftig geschwenkt wird, ist kein politisches Signifikat einer Überzeugung eingeschrieben; außer jenem,
der Politik, die Feind-und-Freund-Bilder konfrontiert, zu entrin-
nen. *Der große Fall* und *Ein toller Tag* – programmatisch unpro-
grammgemäßer könnte man die herrschende Produktionsabsicht
in Filmen aus dem Jahre 1945 kaum beschreiben. Die Tragik des
großen Falls war begleitet von der Farce des tollen Tags.
Er ist Zoologe, und sie ist Gymnastiklehrerin. Beide führen einen Nervenkrieg um die kleine Wohnung, die sie dringend mieten müssen: in *Vier Treppen rechts* (Kurt Werther, Ufa) ist, was wie
eine Liebe aussehen soll, bloß strategische Vorspiegelung und
zunächst ein Zwang zur Mietgemeinschaft. Sonst läge das Paar
wider Willen auf der Straße. Das ist die Alltagserfahrung im Früh-
jahr 1945 der Ausgebombten, Ausgewiesenen und der Flüchtlinge. Mietherr der Komödie ist ein Ex-Rittergutsbesitzer, seiner Be-
sitztümer schon ledig, der hier den legitimen Kuppler für das
widerspenstige Paar abgeben darf. Bei allen Spielregeln des Lustspiels wird doch die Neurose mitverfilmt, unter der das Glück zu
haben ist: Es ist ein Diktat der Vermieter, sonst gäbe es keine Wohnung. Erst so wird aus dem Schein der Verliebtheit Liebe. Ein
Zwischenschnitt auf die überkochende Milch vollzieht den Wandel. Drei Treppen aufwärts verfolgt die Kamera das streitende Paar,
im vierten Stock erfolgt dann der Versöhnungskuß. Ein Schwenk

nach rechts auf den Klingelknopf: »Ende«. Aber welche Tür täte sich nach diesem Ende auf, wenn nicht die zum Abgrund? Die Komödie geht mit den Mangelerscheinungen ruppig um. Ständig ironisiert sie die eigenen Mängel an Kunstmitteln. Vom Dachgarten der kleinen, begehrten Wohnung sieht man im hastigen Panoramaschwenk bloß eine gemalte Stadtkulisse. Je illusionistischer der Dekor in diesen Filmen, desto realistischer die Auseinandersetzungen unter den Figuren, die hart ihre individuellen Rechte beanspruchen.

Eine reizende Familie (Erich Waschnek, Berlin-Film) spiegelt einen häufigen Tatbestand der Lebenswelt: Wie wird man mit den kinderreichen, doch vaterlosen Familien fertig? Kein Wort dazu, wie dieser Schar von sieben Vollwaisen das Elternpaar abhanden kam. War es eines friedlichen Todes gestorben oder im Bombenhagel, etwa als »Volksverräter« oder »Defätisten«? Noch merkwürdiger in diesem Film ist der Umstand, daß niemand über den Verlust zu trauern scheint, noch je an die Eltern durch ein Bild, eine Begebenheit erinnerte. Der Reiz der Familie ist zunächst ihr Wildwuchs, dann ihre Leerstelle: der Vater. Diese Stelle besetzt ein Tierarzt, dessen Assistentin die älteste Schwester des Kinderclans ist. Man akzeptiert den Fremden aus Not. Ein Zimmer im weitläufigen Haus muß vermietet werden. Der Mann nistet sich ein, baut seine Autorität, ermuntert vom Vormund der Familie, aus. Nicht die chaotische Familie ist reizend, sondern die Schwester, die das Rollenspiel der Mutter übernimmt. Dazu fehlt ihr nur eines, die Legitimation als von einem Mann geliebte Frau. Das ist die Kammer, die in der Figur frei blieb und so dringend besetzt werden mußte, damit der Mangel, vermutlich durch Einwirkung des Krieges verursacht, weniger schmerzlich spürbar wird.

Die Geschwisterhorde, unter der man in Kinderrollen schon Stars des deutschen Nachkriegsfilms findet: Sonja Ziemann und Gunnar Möller, muß gezähmt und unterworfen werden. Denn ihre harmlosen Streiche sind Attentate auf die Autorität des Mannes, der ins Haus tritt. Als kupplerischer Helfer tritt Paul Henckels in der Rolle des Professors der Veterinärmedizin auf, der Vormund der Waisenkinder. Als die Knaben auf dem Dachboden chemische Experimente unternehmen und Rauch dabei erzeugen, greift

Henckels als gütiger Herr ein: »Solange es um Kohle und nicht um Atomzertrümmerung geht, macht nur weiter!« Ein komisch beschwichtigender Satz, in dem der Eingriff der endfertigen Filmfirma hörbar wird. Vermutlich hat hier die DEFA mitgeschrieben, um mit einem Satz situationeller Unverhältnismäßigkeit die Kinder des Nachkrieges, die *Eine reizende Familie* sahen, zur Friedfertigkeit zu mahnen.

Indem er die Vorbesitzer durch erfundene Gruselgeschichten vergraulte, drückte der Kaufinteressent (Fritz Kampers) den Preis für ein altes Wasserschloß. Drei junge Männer, ein Fotograf, ein Journalist und ein Kunstexperte, inszenieren die alte Geschichte neu, und dabei schlägt ihre Phantasie auf den damaligen Erfinder, das Opfer von heute zurück. In der Komödie *Freitag, der 13.* darf sich jeder, der auftritt, die gröbste Unwahrscheinlichkeit erlauben, denn der Titel allein ist ein Freibrief für Unsinn und Unwägbarkeit. Die Fabel bringt ins Lot, was schief lag. Einer der Regisseure des Komplotts ist der junge Graf Axel (Albert Hehn), der mit seinem neuerworbenen Wasserschloß die Stieftochter des Vorbesitzers erobert. Erich Engels' Film, für die Terra gedreht, führt Rückzugsgefechte auf verlorenem Terrain.

Viele Gesichter werden verdächtigt, im Dunkeln, im Abseits. Kaum je ein Film zu seiner Zeit verfügte über so viele Reißschwenks, die Räume schnittlos erfaßten und damit deren Dimensionen verwischten. Räume gibt es vielmehr auf Gesichtern, die undeutlich im Kerzenlicht erscheinen. Die Flure, Gemächer und Verliese des abgelegenen Schlosses sind schwer auszuleuchten. Man erfährt gleichsam nur einen Schattenriß der Räume in Notbeleuchtung. Fita Benkhoff und Rudolf Fernau, einst einander als Bar-Tender und Bar-Dame verbunden, wurden von Kampers als Diener und Gesellschaftsdame engagiert. Aber sie verfügen über ein Geheimnis, die verborgene Bar im Keller des Schlosses.

Die Dramaturgie des bombensicheren Verstecks bestimmt den Film. Die Figuren sind Höhlenbewohner. Nur das Dunkel verschafft ihnen einen Rest von Geborgenheit. Da verschwinden Männer hinter Falltüren und in geheimen Gemächern. Nach der Polizei ruft keiner. Ein Alptraum wird durchlitten. Dann erscheinen die verschwundenen Männer wieder auf der Bildfläche. Sie

hatten sich bloß im »Grauen Salon« für ihren Coup der morali-
schen Beschämung versteckt. Am Ende muß Kampers seinen mit unlauteren Mitteln erhan-
delten Besitz ohne den erwarteten Gewinn um 200% nun zum
Einkaufspreis wieder abgeben. Die Komödiengesetze stellen die
alte Ordnung wieder her, bestrafen aber auch jene, die sich enor-
men Besitz anmaßen. Die Rittergutsbesitzer (*Vier Treppen rechts*)
und die Wasserschloßbesitzer *(Freitag, der 13.)* werden ihrer sozialen Legitimation enthoben. Geheimer Held des Gruseldramas
wird der Diener, der große Träume von krimineller Energie hat.
Rudolf Fernau, ewig auf die Rollen des Bösen *(Dr. Crippen an
Bord,* 1942*)* festgelegt, darf hier sein Rollenklischee ironisieren. Die
drei jungen Männer, die in die abgelegene Schanze des Wasser-
schlosses wie *ein* »deus ex machina« eindringen, sind weder Fotograf noch Journalist noch Kunstexperte. Sie werden als solche nur
bezeichnet. Sie geben sich als solche aus, ohne wirklich Ermitt-
lungen zu führen. Ihre Rollen sind des Genrezwangs entledigt, soziale Glaubwürdigkeit zu verbürgen.

Aufweichungen an allen Linien und Fronten. Fast scheint es, die
Filmindustrie hätte am Ende sich selber nicht mehr ernst genommen und vorsätzlich ausprobiert, wie weit sie gehen darf, den Pro-
duktionsauftrag durch provokanten Leichtsinn zu untergraben.
Nicht allein die Ratlosigkeit des Regimes trug Schuld an dieser
Tendenz zur Selbstauflösung. Erst die Kritiklosigkeit der Kunst-
schaffenden ermöglichte diesen phänomenalen Dispens von her-
kömmlichen Genre-Regeln. Nicht nur Wolfgang Staudtes Film
Frau über Bord (Tobis) ist dafür symptomatisch. Die Tendenz, die
in den Überläufer-Filmen herrschte, hat Erich Kästner in seinem
Tagebuch als Haltung des Tages wie folgt ausgedrückt: »Die Lust
ist zäher als das Gewissen. Wenn das Schiff sinkt, fällt der Kate-
chismus ins Wasser.«9

Der Gruselfilm *Spuk im Schloß* (Hans H. Zerlett, Bavaria) ist ein
schon defätistischer Film, der sich darum bemüht, Anschluß an
längst verlorene, womöglich demokratische Traditionen zu gewinnen. Er verhöhnt den Wahn der Ahnenforschung, ironisiert
die mittelständischen Traumberufe (Lektor, Galerist, Architekt),
spielt in historischer Verdeckung auf das Exil an. Zudem mokiert

er sich über die lang geübten Techniken der propagandistischen Phantasieproduktion. Hier tritt ein professioneller Illusionist auf. Die komischen Mittel des Films sind bis zur Selbstaufgabe erschöpft. Ein Reporter fällt durch den running gag des Niesens auf. Ein Mann weiß nicht recht, wie er seine Frau ausziehen soll. Der Spuk wird durch Überblendungen und allerorts wehende Gardinen dargestellt.

Bezeichnend für diese ästhetisch lächerliche, politisch aber ernste ›Féerie‹ ist das sonst in NS-Filmen tabuisierte Auftreten des Todes als Allegorie. In dem Kriegspropaganda-Spielfilm *Stukas* (1941) wurde er nur mit Worten beschworen, in dem Volkssturm-film *Die Degenhardts* (1944) tritt er im allegorischen Gemälde auf. In *Spuk im Schloß* erscheint der Tod in leibhaftiger Gestalt, um mitternachts den Todesreigen anzuführen, in den die Gastgesellschaft auf dem Schloß hineinplatzt. Ihr Erschrecken schlägt nicht in Erkenntnis um, sondern ihre Selbsterkenntnis angesichts der Katastrophe in Entsetzen. Diese Überläuferkomödie resümiert manifeste Propagandainhalte in einer Form, die einem Abschied gleichkommt. Der Film ist geprägt von seinem exorzistischen Charakter, der komisch bannen soll, was im März 1945 als Produktionsideologie für die Unterhaltungsfilme schon verflogen schien.

»Bummeltempo« nannte der Regisseur Schuh die Haltung seines Teams, das nach dem vorrevolutionären Theaterstück »La folle journée« von Beaumarchais den Film *Ein toller Tag* drehte. Dem Film fehlt jeder erzählerische Rhythmus. Wie der in Wahrheit von der äußeren Bomben-Dramaturgie geprägt wurde, hatte Schuh berichtet. Der Befund schlägt sich innerästhetisch nieder. In den Bildern herrschen Tableau, Windstille und Erstarrung vor. Schwerfällig liefern die Staatstheaterschauspieler ihre Repliken an der Rampe ab. Doch allein die Wahl des Stoffes, der die bürgerliche Revolution von 1789 vorbereiten half, ist eine gezielte Überläufer-Aktion. Die Auflösung fester Bindungen in Promiskuität ist nachgerade ein Vorsatz des Stückes wie wohl auch des ihm nacheifernden Filmes. *Ein toller Tag* ist ein Nachtfilm wie die anderen, in denen der Mangel an sozialen Bindungen, an verbindlicher Ordnung als maßgebend aufscheint.

Im Glitzerkleid als die Sängerin Elinor Gyldenborg hat Anneliese Uhlig in *Ruf an das Gewissen* (Karl Anton, Tobis) einen düsteren Auftritt. Da geht es um Platzangst, Rauschgift, den Orient und dem Dr. Mabuse verwandte Figuren. Gustav Dießl spielt einen Nervenarzt mit polnischem Namen. Das Filmlicht stellt ihn in verdächtige Schatten. Das Klima der partiellen Verdächtigung schlägt um in die totale Verstrickung. Alle könnten den Mord an der Sängerin begangen haben. Die Belastungsfigur gilt dem Kollektiv in diesem Film des triumphierenden Fatalismus. Katzenjammer steht vor der Katastrophe aus Schuldsuggestion und Verblendung. Das Lieblingslied der Sängerin in diesem Film geht so: »Ach, es ist so dunkel in des Todes Kammer / tönt so traurig, wenn er sich bewegt / Und nun aufhebt seinen schweren Hammer / Und die Stunde schlägt.« Die Melodie mag für den *Ruf an das Gewissen* komponiert worden sein. Der Text war alt. Er stammt von Matthias Claudius und heißt: »Der Tod«.

Töne gab es für den Tod, Bilder schwerlich, sieht man einmal von Harlans *Kolberg* ab. Neben dem Requiem auf das Reich stand dessen Kehraus. Die einen schluchzten, die anderen swingten. Wer in den Melodramen von 1945 im Chor weinte, durfte in den Komödien blühenden Unsinn zum besten geben. Wer sich erinnert an das schwere Leid: »Ach, es ist so dunkel in des Todes Kammer«, darf an die schrägen Töne des leichtfertigen Songs denken: »Mein Freund Hans-Guck-in-die-Luft hat keine Ahnung von der Liebe!« (in *Der große Fall*, Karl Anton, Tobis).

Die Überläufer-Filme sind ausgestattet mit dem Dekor der frühen fünfziger Jahre. Das überrascht weniger, wenn man sich erinnert, daß die Überläufer der ersten Phase von 1933 ungeniert Bauhaus-Möbel in den Film-Set schleppten. Denn die richtigen Überläufer haben ihren Ausgangspunkt, sieht man sie in Aktion, schon verlassen, ja: verraten. Sie sind Produkte der Kampfpause wie der Windstille. Ihr weißer Fleck ist eine weiße Fahne, deren Geschichte noch nicht beschrieben, noch nicht gewürdigt wurde. Die Überläufer sind ein Genre, das am Ende der eigenen Linien vor dem Graben gegnerischer Gesetze des Genres steht. So fordern sie die Theorie heraus.

Ende gut, alles gut
Eine Nachbemerkung

Ich habe die Theorien von Bergson, Freud und Plessner zu Rate gezogen, mich in Filmarchiven eingenistet, bin herumgereist, um seltene Kopien in düsteren Bunkern anzusehen, habe in einigen Ländern, ich gebe es zu, Vorführer mit Zigaretten uns Schnaps gewonnen, unermüdlich Rollen in den gefährlich sich unter höchst brennbarem Material biegenden Schneidetisch einzufädeln. Ich habe mich in geschlossene Rentnervorführungen zwischen Frankfurt/Main, München, Wien und Berlin hineinbegeben und wurde dort erzogen, nicht über die Sitzreihe zu klettern, wenn ich im Saal eine vertraute Person entdeckte. Wir haben viel zusammen gelacht, an den falschen Stellen, und diskutiert, am rechten Ort.

Als ich begann, dieses Buch zu konzipieren, galt es als befremdlich, daß ich mich mit gewisser Hartnäckigkeit einem so seichten Thema widmete. Die Kollegen wandten sich lieber den wirklich schlimmen Propagandafilmen zu, den Goebbels-Reden, der Babelsberger Filmmaschinerie und ihrer vermeintlich anhaltenden Wirkung. Nachdem ich in einer Vorführung für Wiesbadener Schüler aufmerksam die Reaktionen protokolliert hatte und einer klugen, einsichtigen Diskussion mit dem Lehrerkollegium beiwohnte, hörte ich auf dem Schulhof, wie unerschrocken das Horst-Wessel-Lied aus *Hitlerjunge Quex* gepfiffen wurde. Das war doch nur ein Lied. Immerhin ging es zündend in die Sinne ein, wo die Analyse den Kopf hängen ließ.

Daß ich nach ungebührlich langer Zeit des Verbergens dieses Manuskript doch noch dem Licht der Kritik aussetze, verdanke ich meinen Freundinnen und Freunden. Ich nenne diese nicht, sonst machte man am Ende sie haftbar für meine Irrtümer. Denn durchaus ist denkbar, daß an der einen oder anderen Stelle Anny Ondra von links auftrat, wo ich sie im rechten Bildfeld ortete, oder, daß Theo Lingen die Vertikale seines Körpers doch einmal verließ, um sich in die ausufernde Horizontalität des weniger vornehmen Hans Moser zu begeben. Hat man über die Hälfte der filmischen Gesamthinterlassenschaft des deutschen Faschismus durchwühlt und überlebt, gibt es nur sehr wenige Gründe, diese danteske Reise wieder und wieder zu unternehmen. Ein Kollege bemerkte denn einmal zu Recht, sich in jene Höhlen zu begeben sei die Vorhölle der Filmkritik. Heute ginge es mit dem Studium von Videokopien schlicht einfacher, schneller und sicher genauer. Ich habe mich aber dieses Hilfsmittels in der Regel begeben. Geschult habe ich mich an den vielfältigen, ungewichtigen Schriften von Siegfried Kracauer. Dieser Autor lehrte mich durch sein beispielgebendes Werk, jedwede Form von Politik in einer Politik der Form zu suchen. So macht man sich leichter unabhängig vom Gegenstand, von den Methoden, die als kurrent und verbindlich gelten.

Kracauers schulenbildende Untersuchungen sind hinlänglich bekannt. Nicht ihnen möchte ich das Motto zu diesem Nachsatz entnehmen, sondern einem Werk von Vladimir Nabokov, der zum Eingang in seinen Roman »Transparent Things« schrieb: »Wenn wir uns auf ein vorgegebenes Objekt konzentrieren, gleich in welcher Lage, kann schon der Grad an Aufmerksamkeit uns unwillkürlich dahin bringen, in die Historie jenes Objektes einzusinken. Neulinge müssen lernen, die Materie nur zu streifen, wenn ihnen daran gelegen ist, die Materie genau auf dem Niveau des Augenblicks zu halten. Transparente Dinge, durch die Vergangenheit durchscheint.«[1]

Damit ist eine mögliche Form der Darstellung, der Darstellbarkeit von Filmkomödien im Dritten Reich entworfen, die an sich zu entwerfen ich mir versage. Nur soviel sei gesagt: Was an politischer Theorie verbreitet wurde, ist in den Text selber eingegangen. Eine von der Materie abgelöste Erörterung scheint mir nicht möglich, auch wenig wünschenswert. Statt einer Theorie der Filmkomödie ist unter der Hand eher eine Theorie des Abschieds entstanden. Um diese Abtrennung von Körper und Begehren, von Vorsatz und ihn ersetzender Wirklichkeit scheint es in den Trauerspielen zu gehen. Mißachtet man aber, bei Strafe des Zugewinns an beiläufiger Erkenntnis, die Gesetze des Genres, so werden Verbindungslinien sichtbar, die dogmatischen Blicken sich entzogen.

Eine nennenswerte Ausnahme bildet das Buch von Stephen Lowry »Pathos und Politik. Ideologie in den Spielfilmen des Nationalsozialismus«[2]. Wie man hier liest, kennt auch diese Forschung Tendenzen. Nachdem viele Jahre der Panoramablick vorherrschte, der ideologische Probleme ebenso schnell wie unscharf berührte, kommen nun die Ränder in den Blick. Statt der gerissenen Schwenks die Einzelbildschaltung, um es bildlich auszudrücken, was sich für die Einsicht in die Komplexion der Lage positiv auswirkt. Neuere Studien belegen es. Klaus Kreimeiers Untersuchung einer Firmengeschichte[3] und Wolfgang Jacobsens Erkundung eines Studios[4] arbeiten mit einer Summe von Querschnitten, um das, was als monumental gilt, mikroskopisch darzubieten. Stephen Lowry legt seine Dissertation als Detailuntersuchung an, die für das erkenntniskritisch leidige Problem, Ideologie in NS-Filmen, neue Lösungen bereithält. Diese Arbeit zeichnet sich durch unabhängiges Denken, Genauigkeit und Mut zu Perspektiven aus. Das ist auf einem Terrain, auf dem sich vorzugsweise Synthetiker tummeln, eine auffällige Leistung.

Lowry trennt nicht Ideologie und Ästhetik nach dem vernutzten Inhalt-Form-Muster, noch beschränkt er die herkömmliche Frage, was Propaganda sei, was bloß Unterhaltung, auf die Filmgenres. »Vielmehr muß Ideologie, soll sie wirksam sein, auf Menschen eingehen. Sie muß schon vorhandene Wünsche, Phantasien, Gedanken und Gefühle ansprechen, um sie zu verarbeiten und für ihre Zwecke umzulenken.«[5] Das ist der Zusammenhang in der ästhetischen Arbeit, wie er für die gesamte Kulturindustrie, besonders für die Filmproduktion, unter Regimedruck gilt. Ob sichtbar, ob subkutan, Propaganda muß mit Hergebrachtem rechnen, was sich augenfällig in den Übergangsperioden zeigen läßt. Das Produktionsjahr 1933 war ein transitäres Jahr, der *Hitlerjunge Quex* zehrt ästhetisch von den Filmen der linken Weimarer Tradition; das Jahr 1944 ist eine andere Transitstation, in dem sich Unterwanderungsmotive zur ästhetischen Opposition verdichten.

Der Autor spart nicht mit Seitenhieben auf die Forschung. Man muß es deutlich sagen: »In manchen Fällen muß man vermuten, daß das Lesen von Filmprogrammen das Anschauen von Filmen völlig ersetzt hat.«[6] Gemeint sind Cinzia Romani (»Le Dive del Terzo Reich«, Roma 1981) und Francis Courtade und Pierre Cadars (»Le cinéma Nazi«, Paris 1972). Beide Bücher wurden in ihrer deutschen Übersetzung schwer beschädigt. Noch deutlicher wäre, klar zu stellen, daß manche Autoren (wie die hier genannten) in ihren Analysen von anderen stärker abhingen als einzuräumen sie willig waren. Aber derlei zu konstatieren, mag in einem Dissertationsverfahren noch riskant sein. Lowry weiß mit Sicherheit, wo der zentrale Widerspruch in der bisherigen Beurteilung des anrüchigen Themas liegt. Seine Forschungskritik ist pertinent und unerschrocken. Es klafft die Schere zwischen der NS-Ideologie und der NS-Wirklichkeit wie zwischen Modernisierung und Anti-Modernismus. Isoliert man fragmentierte Elemente des Einen, verfälscht man die Bilanz im Ganzen. Anders gesagt, es wird fortan nicht wissenschaftlich überzeugend sein, die politischen Filme jener Jahre von den sogenannten unpolitischen abzuspalten.

Mag man in vielen der von Lowry untersuchten Filme (*Die goldene Stadt* von Veit Harlan; *Die große Liebe* von Rolf Hansen; *Romanze in Moll* von Helmut Käutner, und andere) vorrangig auch den ideologischen Befund der »Stillegung« bemerken, darf dabei nicht übersehen werden, daß jeder der Filme einem Lenkungsprozeß zuvor wachgehaltener Wünsche unterlag. Die greifbaren Rollenclichés wirken in der schlechten Regel der Anschauung als typisch »faschistisch«, doch in der ästhetischen Arbeit werden sie oft gebrochen, konterkariert, unterlaufen, auf die Gefahr hin, vom Filmminister ganz verboten zu werden (Filme von Hansen, Pewas und Käutner). Lowry zeichnet den Prozeß der gelenkten Wünsche nach, den Weg, den sie vor aller Domestizierung gehen. Das ist der Weg von der Mobilisierung zur Immobilisierung, wie er prägend für die Dramaturgie aller Filme im Faschismus war. Mag Zarah Leander in der *Großen Liebe* auch die Durchhalte-Sirene des Systems sein, das Publikum sah gleichzeitig, daß die Innenausstattung des Films mit Bauhausmöbeln ein Stück Sachlichkeit gegen den Sentimentalismus rettete. Vielleicht nur ein Stück, das bezeichnenderweise in bisheriger Forschung übersehen wurde, doch für den Befund des »Gespaltenen Bewußtseins« spricht.

Wie in den bahnbrechenden Arbeiten von Jacobsen und Kreimeier stellt Lowry den Zusammenhang von Wirtschaft und Phantasie als Abhängigkeitsverhältnis her. In früheren Untersuchungen waren das stets nach den Disziplinen »politischer Wirtschaft«
und »cineastischer Ästhetik« getrennte Sparten. »Pathos und Politik« bietet einen Erkenntnisfortschritt im Umgang mit jenen Filmen, ohne allerdings auf das merkwürdige und auch anstößige
Nachleben mancher Streifen in den Nachmittagsprogrammen
heute einzugehen. Das wäre eine Dimension, die unter dem Begriff politischer Entwirklichung zu fassen wäre, sagen wir am Beispiel des Montagsprogramms im verflossenen DDR 1, in dem auf
den »heiteren« Spielfilm der kaum weniger heitere Karl-Eduard
von Schnitzler folgte. Erstaunlich ist die ungeteilte Popularität dieser Filme in den Nachfolgestaaten des Dritten Reiches. Das SAT 1,
Ö 1, Bayern III und ZDF senden diese Filme regelmäßig. Die
lebensgeschichtliche Dimension jener Programmierung hat Klaus
Schlesinger in seiner Novelle »Die alten Filme« gültig beschrieben (Rostock 1979). Auf derlei Zeugnisse verfällt die Filmtheorie
nicht eben häufig.

Von dem Autor Lowry wünscht man sich eine vergleichende
Strukturanalyse der Hollywood-Komödien mit den deutschen und
italienischen Komödien aus dem Faschismus. Denn wie sein Buch
andeutet, ist die Verwandtschaft dieser Bilder und Genres näher
als die Sprache der Theorie zugibt.

Die Frage der Genres habe ich kürzlich behandelt in meinem
Beitrag zur »Geschichte des deutschen Films«.7 Der galt einer
Gesamteinschätzung, in dem ich mich von der viele Jahre vor-
herrschenden Tendenz löste, die Sekundärsoziologie von Filmgeschichte nachzuschreiben. Leider gab dieser Ansatz Gelegenheit zu mißgelaunter Insinuation, ich machte »auch die Infamie
antijüdischer Propagandafilme noch zu einem bloßen Genre dieses Kinos. Abgesehen davon beginnt Karsten Witte seine Geschichte des Films im Nationalsozialismus nicht wie üblich ...«8
Nein, davon ist nicht abzusehen. Das ist eine Lektion in Political
Correctness, die sich weigert, die Instrumentalisierung des Blicks
in Jud Süß als Moment einer politischen Verschiebung zu lesen.
Die Geschichte der Filmtheorie ist im Prinzip normativ mit der

Fragestellung befaßt, eben der Frage: Wie *soll* man Filmgeschichte schreiben? Mir sagt die Frage, die einem Appell gleichkommt, wenig. Aber noch die allerjüngsten Versuche zur Gesamteinschätzung des Films im Nationalsozialismus machen kurzen Prozeß, indem sie umstandslos diese Filme ausnahmslos zu nationalsozialistischen Filmen ernennen. Das sind die allerjüngsten Versuche im Sinne der Publikationsdaten. Neu sind diese Positionen nicht.[9]

Mein Buch ist sichtlich ein Fragment. Warum bricht die zentrale Untersuchung mit den Worten »der Krieg« 1939 ab? Warum gibt es keine Bibliographie, wie es sich gehört? Nun, außerwissenschaftliche Gründe brachten mich, als ich an diesem Manuskript schrieb, davon ab, es im Sinne meines Vorhabens fertigzustellen. Wer weiterführende Literatur sich aneignen möchte, dem sei Prinzlers Bibliographie in der »Geschichte des deutschen Films« vorgeschlagen. Mit Ungeduld erwarte ich das Buch meines Freundes und Kollegen Eric Rentschler: »The Ministery of Illusion«.[10] Viele Teile unserer Texte haben wir miteinander diskutiert, hier erweitert, dort verworfen. Beide Bücher haben Gewinn daraus gezogen. Welchen, mögen die Lesenden selber erkunden.

Ich breche hier einfach ab und schließe mit dem Fragment einer Unterhaltung zweier Intellektueller, die Shakespeare allerdings als Vasallen und Gesellschafter seiner Komödie »Ende gut, alles gut« einschätzte.

»(Lafeu): Man sagt, es geschehn keine Wunder mehr, und unsre Philosophen sind dazu da, die übernatürlichen und unergründlichen Dinge alltäglich und trivial zu machen. Daher kommt es, daß wir mit Schrecknissen Scherz treiben, und uns hinter unsre angebliche Wissenschaft verschanzen, wo wir uns vor einer unbekannten Gewalt fürchten sollten.

(Parolles): In der Tat.«[11]

ENDE

Anhang

Anmerkungen

Major Tellheim nimmt Minna von Barnhelm in Dienst

1 Joseph Goebbels: »Der Film als Erzieher. Rede zur Eröffnung der Filmarbeit der HJ«, Berlin (12.10.1941). Zitiert nach Gerd Albrecht: Nationalsozialistische Filmpolitik. Eine soziologische Untersuchung über Spielfilme des Dritten Reichs, Stuttgart 1969, S. 430.

2 In Hans Schweikarts (1895-1975) biographischer Selbstanzeige zu seinem Aufsatz »Wie wird das Fernsehen dem traditionellen Drama und der Theateraufführung gerecht?« fehlen die Jahre 1938 bis 1945, wie auch jeder Hinweis auf seinen Film *Das Fräulein von Barnhelm*. Vgl. Vierzehn Mutmaßungen über das Fernsehen. Hg. von Anna Rose Katz, München 1963 (dtv, Bd. 170). Schweikart war auch »von 1937 bis 1941 Anwärter auf die Mitgliedschaft in der NSDAP und seit 1935 in der SS«. Vgl. Jürgen Spiker: Film und Kapital. Der Weg der deutschen Filmwirtschaft zum nationalsozialistischen Einheitskonzern, Berlin/West 1975, S. 299. – Ich erspare es mir, an dieser Stelle einen möglichen Vergleich zur bundesdeutschen Version *Heldinnen* (Regie: Dietrich Haugk, 1960) und zur Defa-Verfilmung der *Minna von Barnhelm* von Martin Hellberg (DDR, 1962) zu ziehen.

3 FRANKFURTER RUNDSCHAU, Fernseh-Vorschau (Autoren-Kürzel ›mwr‹), 24.5.1978.

4 David Stuart Hull: Film in the Third Reich. Art and Propaganda in Nazi Germany, New York 1973 (paperback edition), S. 203.

5 Vgl. Boguslaw Drewniak: Das Theater im NS-Staat. Szenarium deutscher Zeitgeschichte 1933-1945, Düsseldorf 1983, S. 162f.

6 Drewniak 1983, S. 48.

7 Ernst Suter: »Lessing politisch gesehen«, in: ZEITSCHRIFT FÜR DEUTSCHKUNDE, 1938, S. 415. Zitiert nach: Literatur und Dichtung im Dritten Reich. Eine Dokumentation von Joseph Wulf, Reinbek 1966 (rororo-Taschenbuch), S. 401f.

8 Joseph Goebbels: »Rede in den Tennishallen Berlin«, 19.5.1933. Zitiert nach Albrecht 1969, S. 442.

9 Edmund Th. Kauer: Der Film. Vom Werden einer neuen Kunstgattung, Berlin 1943, S. 240.

10 Schweikart 1963, S. 19.

Filmkomödie im Dritten Reich

Vorbemerkung

1 Jean Pivasset:»Ideologie, Politik und Filmkunst«, in: Theorie des Kinos. Hg. von Karsten Witte, Frankfurt a. M. 1972, S.319.

2 Ulrich Reyher:»Massenmedien und subversive Sehnsucht. Thesen zur Konstitution des Massengeschmacks in der bürgerlichen Gesellschaft«, in: Das glückliche Bewußtsein. Anleitungen zur materialistischen Medienkritik. Hg. von Michael Buselmeier, Darmstadt 1974, S. 19-47.

3 Dieter Prokop: Soziologie des Films. Neuwied 1970, S. 110 f.

4 Vgl. Albrecht 1969, S. 104-111. Albrecht, der die Schwankungsbreite zwischen den Gattungen für nicht signifikant hält, versagt sich der politischen Lektüre seiner Listen.

5 Goebbels, zitiert nach Albrecht 1969, S.480.

6 Jürgen Petersen:»Der Film«, in: DAS REICH (16. Februar 1941) Nr. 7. Zitiert nach Erika Martens: Zum Beispiel DAS REICH, Köln 1972, S.150.

7 Hans Karbe:»Gedanken anläßlich des erstaunlichen Erfolges von ›Ich klage an‹«. In: Der deutsche Film (Oktober/November 1941) Nr. 4/5, S. 24.

Die Monopolisierung alten Glücks

1 Goebbels' Rede im Kaiserhof am 28.3.1933, zitiert nach Gerd Albrecht: Film im Dritten Reich. Eine Dokumentation. Karlsruhe 1979, S. 26-31.

2 Goebbels, vgl. Anm. 1, S.27. Gemeint sind die Filme SA-Mann Brand und Hans Westmar (beide von 1933).

3 Vgl. Max Ophüls: Spiel im Dasein. Eine Rückblende. Stuttgart 1959, S. 157-162.

4 Siegfried Kracauer: Von Caligari zu Hitler. Eine psychologische Geschichte des deutschen Films, Frankfurt a.M. 1979, S. 428. (=Schriften, Band 2. Herausgegeben und übersetzt von Karsten Witte).

5 Ignazio Silone: Die Schule der Diktatoren, Zürich 1943. Die Entwicklung von Ersatzstoffen war ein Teil des Autarkieprogramms, das u.a. scheiterte, weil sich die Herstellung der Ersatzstoffe: Kunstseide, Azetat, künstliches Gummi und synthetischer Treibstoff als teurer erwies als die Naturprodukte selber.

6 Dolly Haas in einer Talk-Show zur Retrospektive »Exil« der Berliner Filmfestspiele 1983, von der Stiftung Deutsche Kinemathek ausgerichtet.

7 Luise Ullrich durfte sich als Ladenbursche verkleiden, um die Eigenschaften ihres Geliebten in der »Sicherheit« der Gleichgeschlechtlichkeit zu prüfen, vgl. Das Einmaleins der Liebe von Carl Hoffmann (20.9.1935). Marika Rökk schlüpft in Heißes Blut (20.3.1936) aus Liebe zu ihrem Pferd in ein Jockey-Kostüm und tanzt als junger Bursche mit der Konkurrentin

um den gleichen Mann, die sie erst bezirzt, dann beschämt, als sie ihre Mütze abnimmt, die aufgesteckten Haare aufschüttelt und dann gleich anschmiegsam, doch noch nicht im weiblichen Kostüm, mit »ihrem« Oberleutnant tanzt. Die bildliche Repräsentanz signalisiert hier: Uniform zu Uniform, die symbolische: Herz zu Herz.

8 Thomas Mann: Tagebücher 1933-1934. Herausgegeben von Peter de Mendelssohn, Frankfurt a.M. 1977, S. 297.

9 Grete Garzarolli: Filmkomparsin Maria Weidmann, Berlin 1933. Zu den Dreharbeiten des Films *Ein Lied für Dich* vgl. besonders S. 193-201.

10 Vgl. Hans Dieter Schäfer: Das gespaltene Bewußtsein. Deutsche Kultur und Lebenswirklichkeit 1933-1945, München 1981, S. 131.

11 Goebbels, zitiert nach Albrecht 1979, S. 28.

12 Goebbels, zitiert nach Albrecht 1979, S. 16.

Die Kunst will ins Freie

1 Zitiert nach Schäfer 1981, S. 116.

2 Kategorien, die Alexander Kluge: »Zur realistischen Methode«, in: Gelegenheitsarbeit einer Sklavin, Frankfurt a.M. 1975, S. 196, entlehnt sind.

3 Zitiert nach Schäfer 1981, S. 116.

4 Theodor W. Adornos Gedanke in seiner Einleitung in die Musiksoziologie, Reinbek 1968, S. 33.

5 Ernst Bloch: »Gauklerfest unterm Galgen«, DIE NEUE WELTBÜHNE, 29.7.1937; zitiert nach E. Bloch: Vom Hasard zur Katastrophe. Politische Aufsätze aus den Jahren 1934-39 Frankfurt a.M. 1972, S. 240.

6 Der Künstler will Privatmann werden und muß sich diese Sehnsucht dennoch durch die Kunst verdienen. Schlüssigste Dramaturgie eines so auferlegten Sinneswandels ist die Doppelrolle, die beide Interessen in einer Person vereinigt. In Carl Lamacs Film *Ich liebe alle Frauen* (30.8.1935) spielt Kiepura einen delikaten Sänger, der ein singender Delikatessenhändler (»Gurkenkönig«) werden soll. Zu Jan Kiepura vgl. Viktor Klemperer: L.T.I., Leipzig 1968, S. 42.

7 Kluge 1975, S. 213.

8 Goebbels, zitiert nach Albrecht 1979, S. 267.

9 Verlautbarung der Reichsfilmkammer, Nov. 1933, zitiert nach Albrecht 1979, S. 270.

10 Goebbels, zitiert nach Albrecht 1979, S. 268.

Divergenz und Linientreue

1 Ernst Bloch: Vom Hasard zur Katastrophe. Politische Aufsätze aus den Jahren 1934-1939, Frankfurt a.M. 1972, S. 14.

2 Vgl. zu *Der Ammenkönig* das Urteil von E.W. und M. M. Robson: »The way the Nazis expose themselves in *Der Ammenkönig* is almost childish in its innocence. Try as they may, they cannot disguise their aims, their desires, their wishfulfilments. They cannot disguise the need of a Nazi State for the breeding of children on a stud basis.« In: E.W. und M. M. Robson, The Film Answers Back, London 1939, p. 246.

3 Vgl. zum weiteren Zusammenhang Horst Kurnitzky: Triebstruktur des Geldes. Ein Beitrag zur Theorie der Weiblichkeit, Berlin 1974.

4 Vgl. dazu Albrecht 1969, S. 12-33.

5 Peter Szondi: »Fünfmal Amphitryon: Plautus, Molière, Kleist, Giraudoux, Kaiser«, in: ders., Lektüren und Lektionen, Frankfurt a.M. 1973, S.163.

6 Szondi 1973, S. 166.

7 Pierre Cadars und Francis Courtade: Le Cinéma Nazi, Paris 1972, p. 262.

8 Thomas Mann: Tagebücher 1935-1936. Herausgegeben von Peter de Mendelssohn, Frankfurt a.M. 1978, S. 180.

9 George B. Shaw, zitiert nach David Stuart Hull 1973, p. 85. Wie genre-tüchtig der Pygmalion-Stoff ist, zeigt sich auch daran, daß Shaws Komödie 1938 nun mit uneingeschränkter Billigung des Dramatikers vom britischen Regisseur Anthony Asquith (und Ko-Regisseur Leslie Howard in der Hauptrolle des Prof. Higgins) verfilmt wurde, der 1925 mit Shaw, H.G. Wells und Julian Huxley zu den Begründern der Londoner Film-Society gehörte. In den 5oer Jahren wurde Shaws Stoff zum Musical »My Fair Lady« und dieses Musical zum gleichnamigen Film (1964) fortentwickelt.

10 Siegfried Kracauer: »Die kleinen Ladenmädchen gehen ins Kino«, in: ders., Das Ornament der Masse, Frankfurt a.M. 1963, S. 280.

11 Siehe Sirk on Sirk, London 1971, p. 78. Mit seinem frühen Film war Sirk nicht zufrieden: »The German version was technically not so good. *April* was only a B-picture«, a.a.O., S. 38f.

Eingedeutschter Amerikanismus

1 Siehe Kracauer/Schriften Bd. 2, S. 489. Das Drehbuch bzw. der Vospann-credit von *Straßenmusik* bezieht sich – unbeschadet meiner Entlehnungs hypothese – auf ein gleichnamiges Theaterstück von Paul Schurk, das ich nicht kenne. Thomas Mann hat es im Züricher Theater gesehen und als »gut gespieltes Wiener Stück« bezeichnet, vgl.Mann 1977, S.413.

2 Hans Barkhausen: »Die NSDAP als Filmproduzentin«, in: Zeitgeschichte im Film- und Tondokument, bz.v. G. Moltmann und K.F. Reimers, Göttingen 1970, S. 152. Der Aufsatz ist verdienstvoll und zuverlässiger im historischen Bereich als in ästhetischen Urteilen. Von Gronostay heißt es, er habe für Joris Ivens' Film *Tote Wasser* die Musik geschrieben. Mag sein, daß Gronostay sie komponierte, aber nicht für Ivens, der einen solchen Film nie drehte und im übrigen die Mitarbeit von Hanns Eisler vorzog.

3 Diese Widerspüchlichkeit hat Hans Dieter Schäfer in Sichtung der All-
tagsmanifestationen von Kultur im Nationalsozialismus anhand von Zeit-
schriften, Tagebüchern, Briefen und der Reklame eigentlich erst recht entdeckt. Die reichen Belege von Schäfer ergänze ich, d'accord mit seinen
Thesen, um Belege aus der Filmproduktion. Zum Thema »Amerikanismus«
vgl. Schäfer 1981, bes. S. 128-132.

4 Schäfer, 1981, S. 136.

5 Vgl. Albrecht 1979, S. 24. Der Film *Allotria* geriet in Vergessenheit und
wurde wie sein Regisseur erst 1974 wiederentdeckt, als das National Film
Theatre in London Willi Forst eine Retrospektive widmete. Das Echo bei
Filmhistorikern war unverhältnismäßig groß. Schon 1972 schrieb John
Gillett dem Regisseur Forst das Format von Max Ophüls zu und lobte die
Kameraführung in Forst-Filmen als »highly sophisticated style, conti-
nually panning with his characters«. (Gillett: Germany, a Lost Decade,
London 1972, unpaginierte Broschüre). Nigel Andrews widmete Forst eine
übertriebene Ehrenrettung: »... one of the European cinema's unjustly
neglected masters.« (FINANCIAL TIMES, May 3rd, 1974). Vgl. auch die
Erinnerungen des Komponisten Peter Kreuder: Nur Puppen haben keine
Tränen. Ein Lebensbericht. Bergisch-Gladbach 1973. S. 220-222.

6 Schäfer 1981, S. 129. Auch das von Schäfer ermittelte Datum »bis Mitte
1940« ist ein Beleg für das von ihm erforschte »Gespaltene Bewußtsein«
der Alltagskultur 1933-1945. Denn offiziell hatte Goebbels schon 1939 die
generelle Einfuhr von Hollywood-Filmen ins Reich mit dem ideologischen Argument unterbunden, daß die USA jetzt offen antifaschistische
Filme produzierten. Anatol Litvaks *Confessions of a Nazi Spy* (Fox, 1939)
machte den Anfang. Wahrscheinlicher ist, daß Goebbels der deutschen
Filmindustrie das Abspielmonopol auf dem Markt Europa sichern wollte,
wozu jener Markt mit kriegerischen Mitteln erst erobert werden mußte.

7 DAS SCHWARZE KORPS, vom 28.11.1936. Zitiert nach Andreas Meyer in
seiner Filmkritik »Glückskinder«, MEDIUM Nr. 1/1975, der diese Songs als
»durchaus subversiv« einschätzt.

8 Frieda Grafe und Enno Patalas: Im Off. Filmartikel, München 1974, S. 221.

9 Vgl. zu *Black Fury* die Einschätzung von Andrew Bergman: We're in the
Money. Depression America and its Films, New York 1971, S. 105-108.
Der Film lief unter dem Titel *In blinder Wut* am 14.2.1978 im 3. Programm
des Hessischen Fernsehens.

10 Hans Mayer: Außenseiter, Frankfurt a.M. 1981, S. 145. Seitenidentisch mit
der Erstausgabe Frankfurt a.M. 1975.

11 Vgl. Anmerkung 7.

12 Schäfer notierte für 1944 eine Auflage von Spoerls Roman »Wenn wir alle
Engel wären« im 325. Tausend. Vgl. Schäfer 1981, S. 111.

13 Zitiert nach Joseph Wulf: Theater und Film im Dritten Reich. Eine
Dokumentation, Gütersloh 1964, S. 368. Andererseits kam es zu Attacken
wegen seiner Anzüglichkeit. Der amerikanische Filmhistoriker Hull hält

Wenn wir alle Engel wären für »the best comedy of year (...). Its racy situations would have curled the hair of an american censor.« Hull 1973, S. 104. Goebbels zählte diesen Fim zu den »besten deutschen Filmen«, zitiert nach Erwin Leiser: »Deutschland erwache!« –Propaganda im Film des Dritten Reiches, Reinbek 1968, S. 11-15.

14 Carl Froehlich wurde 1939 Präsident der Reichsfilmkammer. Hinweis auf Spoerls Rede bei Wulf 1966, S. 290.

15 Als politische Botschaft des Films von Carl Froehlich an sein Publikum resümieren die Autoren: »se méfier des étrangers, même italiens« und betonen »La solidité à toute épreuve des Teutonnes et des couples alle-mands.« Courtade/Cadars 1972, p. 288.

16 *Das Veilchen vom Potsdamer Platz*, in: DER DEUTSCHE FILM, Berlin, Nr. 6, Dezember 1936. Dem Film wurde, vermutlich im Jahre 1961 zur Zeit des Mauer-Baus in Berlin, ein neuer Vorspann hinzugefügt, der mit sentimentalem Antikommunismus und militanter Westberlin-Apotheose behauptet, der Film habe diese »Berliner Jöre zum deutschen Begriff« gemacht. Auch diese Wendung lese ich als einen späten Reflex jener faschistischen Entstofflichung der Körper, um diese widerstandsfrei in die Erstarrung qua Nominalismus zu treiben.

Mädchen für alles und nichts

1 Goebbels Rede in der Kroll-Oper 1937, zitiert nach Albrecht 1979, S. 60. Auf Goebbels' paradoxe Situation, zur Kritik des NS-Filmprogrammes zunächst einen »exzentrischen« Standpunkt (d. h. nach dem von ihm ver-hängten Verbot der Kunstkritik) als Film-Kritiker einzunehmen, machte Kurt Denzer aufmerksam: Untersuchungen zur Filmdramaturgie des Dritten Reiches, Phil. Diss. Kiel 1970 (mechan. vervielfältigt), S. 234f.

2 Goebbels, s. Anm. 1, S. 49.

3 Der Begriff »Libido-Maschine« ist Félix Guattaris Aufsatz »Die Couch des Armen« aus: Mikropolitik des Wunsches, Berlin 1977, S. 83, entlehnt. Zuerst als »Le divan du pauvre« in: COMMUNICATIONS Nr. 23, Paris 1975, S. 96.

4 Goebbels, s. Anm. 1, S. 49.

5 Goebbels, Rede vor der Reichsfilmkammer am 15.2.1941, zit. nach Albrecht 1979, S. 77.

6 Goebbels, s. Anm. 1, S. 48.

7 Goebbels, s. Anm. 1, S. 33.

8 Goebbels, s. Anm. 1, S. 59.

9 Goebbels, s. Anm. 5, S. 86.

10 Goebbels, s. Anm. 5, S. 90.

11 Goebbels, Rede am 28.2.1942; zit. nach Albrecht 1979, S. 122f.

12 Goebbels, s. Anm. 1, S. 60.

13 Goebbels, s. Anm. 5, S. 78.
14 Vgl. Schäfer 1981, S. 116.
15 So das Urteil von Courtade/Cadars in: Le Cinéma Nazi, deutsche Ausgabe, München 1975, S. 225. Die Übersetzung unterschlägt, höflicherweise, die gehässigen Bemerkungen der Autoren, die Gründgens einmal mehr als »notorischen Päderasten« kritisieren und der Hauptdarstellerin einen »Stutenkiefer« nachsagen (Le Cinéma Nazi, p.223). Holba dagegen stellt an *Capriolen* die Bezüge des Films zu amerikanischen Vorbildern heraus. In: Gustaf Gründgens: Filme. Wien 1978, S. 12.
16 Bei der Zensurvorlage 1937 war der Film 2979 m, d.h. 109 min. lang. Die Kopie im Deutschen Institut für Filmkunde, Wiesbaden/Frankfurt a.M., hat eine Länge von 83 min., ist also um 26 min. oder ca. 1000 m beschnitten. Was daran fehlt, ist aus den Unterlagen der FSK (Freiwillige Film-Selbstkontrolle, Wiesbaden) nur ungefähr zu rekonstruieren. Der Film, nach 1945 von den Alliierten verboten, wurde vom Rechtsnachfolger der Astra-Filmproduktion 1951 der FSK eingereicht. Eliminiert werden sollten die militaristischen Tendenzen, die Szenen im besetzen Ausland (Flandern) und die erotisch anstößigen Stellen, wozu für die FSK-Kommission auch jene Szene zählte, in der Günther Lüders fensterln geht. Daß die von der FSK abgenommene Fassung 2898 m, d.h. 106 min. lang ist, also um 23 min. wiederaufgefüllt wurde, erklärt sich dadurch, daß die Produktion – nota bene: mit den gleichen Darstellern der alten Produktion – eine Rahmenhandlung um den *Etappenhasen* drehte und 1952 diese Fassung im »Großeinsatz« mit 50 Kopien startete.
17 Vgl. Albrecht 1979, S. 24. Erik Ode verfilmte 1956 das Remake.
18 Ernst Bloch: »Die Frau im Dritten Reich«, in: DIE NEUE WELTBÜHNE, 4.2.1937; und in Bloch 1972, S. 129-136.
Die Bloch-Zitate dieses Kapitels sind sämtlich jenem Aufsatz entnommen.

Unter Sonderlingen

1 Schäfer 1981, S. 121 und S. 124. Letzteres Zitat aus den DEUTSCHLAND-BERICHTEN vom Juli 1936, S. 882.
2 Heinrich Spoerl: Der Maulkorb, München 1965, S. 44.
3 § 75, Strafgesetzbuch für die preußischen Staaten, Berlin 1859. Karl Peters machte auf die »Maulkorb-Bestimmungen« des politischen Heimtückegesetzes von 1934 aufmerksam, das vor allen den traf, der »unwahre oder gröblich entstellte Behauptungen tatsächlicher Art« aufstellte, die »staats- und parteischädigenden Charakter hatten«. Siehe Karl Peters: »Die Umgestaltung des Strafgesetzes 1933-1945«, in: Deutsches Geistesleben und Nationalsozialismus, Tübingen 1965, S. 169-170.
4 Heinrich Spoerl: Der Maulkorb. Bühnenmanuskript, Berlin 1940, S. 86. Das Drehbuch tauscht nur einige Szenen zwischen Wohnung, Polizei-

revier und Stammtisch aus und behält den Dialog der Bühnenfassung bei.
5 Zitiert nach dem Roman Der Maulkorb, a.a.O., S. 131.
6 Carl Dreyfuß: »Zur gesellschaftlichen Lage des Films«, in: NEUE BLÄTTER
FÜR DEN SOZIALISMUS, 4 (1933), S. 93. Über Dreyfuß berichtete die
Schauspielerin Marianne Hoppe, vgl. das Porträt von Marianne Hoppe
in: TRANSATLANTIK Nr. 4/1982, S. 80.
7 Vgl. die Andeutungen zum Thema, das auszuführen ich nicht imstande
bin, im Kapitel ›Divergenz und Linientreue‹ und auch Ernest Bornemann
(Hg.): Psychoanalytische Geldtheorien, Frankfurt a.M. 1975.
8 Der Stoff wurde auch vom Dramatiker Heiner Kipphardt bearbeitet als
Komödie: »12 Stühle«. Mel Brooks benutzte den sowjetischen Roman als
Vorlage zu einer grellen Komödie Twelve Chairs (1970), deren Witz sich
darin erschöpft, antisowjetisch zu sein. Der Roman ist als Taschenbuch
erschienen, Frankfurt a.M. 1968, Ullstein-Buch Nr. 2643. Der Roman
kennt kein persönliches Happy-End. Nach der bewegten Reise durch die
Sowjetunion, von Moskau bis zur Krim, die für die Protagonisten ein
Erfahrungsfeld wird, durch die Errungenschaften der Revolution zu
reisen, bringt der Erbe seinen Komplizen mit dem Rasiermesser um.
Happy-End, vielleicht im politischen Sinne? Die Erbschaft fällt an den
Staat und dient dazu, den Arbeitern und Bauern ein Klubhaus zu errich-
ten. Ich deute diese Handlung nur an, um auf die Konfliktvermeidung
und Konfliktlösung qua sentimentaler Versöhnung in der Film-Version
von 1938 hinzuweisen.
9 Alois Melichar komponierte nicht nur die Musik für die Komödien
Capriccio und Nanon, sondern auch für die Propagandafilme Mein Leben
für Irland, Kameraden und ... reitet für Deutschland (alle von 1941).

Paradies-Vorstellungen

1 Siehe zu diesem Abschnitt den Aufsatz von Ernst Bloch zur »Original-
geschichte des Dritten Reichs« in: Bloch 1972, S. 291-318, der in seiner
Konzision der Ableitung historischer wie religiöser Heilserwartungen
Kompendien der politischen Wissenschaft ersetzt.
2 Herv. vom Verf. – Goebbels' Rede zur Jahrestagung der Reichskulturkammer und der NS-Gemeinschaft »Kraft durch Freude« am 27.II.1939,
zit. nach Albrecht 1979, S. 68.
3 Vgl. Herbert Holba: »Frauenheld, seitenverkehrt. Über Bel Ami von Willi
Forst« In: F. (Zeitschrift für Film) 1. Jg. Nr. 2 (April 1978), S. 13-20. 1954
wurde »Bel Ami« unter Louis Daquin in Österreich neu verfilmt, unter
sowjetischem »Protektorat« und von »europäischem Fertigungsniveau«,
wie H.P. Straschek schrieb (in seinem Handbuch wider das Kino, Frankfurt a.M. 1975, S. 270). So, wie jenes Niveau Mitte der 60er Jahre im
deutschsprachigen Film beschaffen war, mag »europäisch« hier als Aus-

zeichnung gelten. – Diese französische Produktion blieb in Frankreich, wo der Algerien-Krieg sich abzeichnete, vermutlich wegen des kolonialen Seitenthemas vier Jahre lang verboten. Vgl. dazu Christian Zimmer: Cinéma et Politique, Paris 1974, pp. 269-272 und p. 295.

4 Courtade/Cadars zu *Bel Ami*, in Courtade/Cadars 1972, pp. 270-272.

5 Axel Eggebrecht: Der halbe Weg. Zwischenbilanz einer Epoche, Reinbek 1975, S. 311.

6 Robert und Bertram, Text von Gustav Roeder, erschienen in Leipzig o. J., Reclams Universalbibliothek, Bd. 3915. Uraufführung der Posse war 1956 in Dresden. Die erste Verfilmung ist von Max Mack (1915) mit Ernst Lubitsch unter den Hauptdarstellern; die zweite Verfilmung (1928) ist von Rudolf Walter-Fein, mit Harry Liedtke und Fritz Kampers in den Hauptrollen. Hull, Film in the Third Reich, a.a.O., p. 158f., spricht von einer Nachkriegsverfilmung, über die nichts zu eruieren war. Zur Struktur-veränderung von Roeders Text und Zerletts Film siehe auch Dorothea Hollstein: Antisemitische Filmpropaganda, München 1971, S. 48-53.

7 Hans H. Zerlett zu seinem Film *Robert und Bertram* 1939 in einem nicht-identifizierten Zeitungsausschnitt. Deutsches Institut für Filmkunde, Wiesbaden-Biebrich/Frankfurt a.M.

8 Als die ARD 1976 *Anton der Letzte* ausstrahlte, waren 59 % der Fernseh-geräte eingeschaltet. Das war die zweithöchste Erfolgsquote. Vor Hans Moser lag nur Dustin Hoffman im Film *The Graduate/Die Reifeprüfung*, bei dessen Ausstrahlung im gleichen Jahr die ARD 61 % als Einschalt-quote registrierte. Zum Emo-Film *Anton der Letzte* siehe auch Walter Fritz: Geschichte des österreichischen Films, Wien 1969, S. 234, und Georges Sadoul: Histoire générale du cinéma, Paris 1954, Tome VI, pp. 28-29, der sich, ohne Übersetzung des Films ins Politische, an der »niaise stupidité conventionelle« der Dramaturgie reibt.

9 Herbert Ihering: Von Josef Kainz bis Paula Wessely. Schauspieler von gestern und heute, Heidelberg, Berlin, Leipzig 1942, S. 193.

Gehemmte Schaulust

1 Meyers Lexikon Bd. 10, Leipzig 1929, S. 255.

2 Siegfried Kracauer: »Girls und Krise«, in FRANKFURTER ZEITUNG, 27.5.1931.

3 Siegfried Kracauer: Das Ornament der Masse, Frankfurt a.M. 1977, S. 51.

4 Gabriele Tergit: Käsebier erobert den Kurfürstendamm. Roman, Frankfurt a.M. 1978, S. 99.

5 Heinrich Mann: Ein ernstes Leben, Frankfurt a.M. 1968, S. 104f.

6 Sämtliche Zitate zu den Hiller-Girls aus: Maria Milde, Berlin – Glienicker Brücke, Berlin (West) 1978, S. 22f. und S. 20.

7 Dieter Prokop: »Zeichenproduktion« in: LITERATURMAGAZIN Nr. 8, Reinbek 1977, S. 42.

8 Joachim Schumacher: Die Angst vor dem Chaos, 2. Aufl. Frankfurt a. M. 1972.

9 Wilhelm Alff: Der Begriff Faschismus, Frankfurt a. M. 1971.

10 A. Müller-Hennig, 1936. Zitiert nach Joseph Wulf: Musik im Dritten Reich. Eine Dokumentation, Gütersloh 1963, S. 268.

11 Hanns Johst: Maske und Gesicht. Reise eines Nationalsozialisten von Deutschland nach Deutschland [Gedruckte Widmung: Für Heinrich Himmler in treuer Freundschaft.], München 1935, S. 182.

12 Ebd.

13 Ernst Günther: Geschichte des Varietés, Berlin (DDR) 1978, S. 151.

14 Ebd.

15 Arthur Maria Rabenalt: Tanz und Film, Berlin 1960, S. 27.

16 Otto Bergholz: Gefilmter Tanz, Berlin o.J. (nach 1938), S. 6 (= FILM-SCHRIFTEN, Heft 1).

17 Konstantin Irmen-Tschet: »Objektiv am Objektiv. Filmschaffende berichten von ihrer Arbeit«, in: FILMWELT Nr. 43/44, Berlin, 25.11.1942.

18 Rabenalt, 1960, S. 23f.

19 Karl Münch: Im Krieg und in der Liebe, Düsseldorf 1978, S. 60.

20 Hans-Jürgen Syberberg: Hitler, ein Film aus Deutschland, Reinbek 1978, S. 145.

21 Protokoll der Ufa-Vorstandssitzung vom 17.1.1939 Nr. 1350/7, Bundesarchiv Koblenz, Bestand R 109 I/1033 b, f. 76.

22 Hinkel an Herrn Reichsminister, Brief v. 12.12.1944, Bundesarchiv Koblenz, Bestand R 109 II/vorl. 20, o.p.

23 Marika Rökk: Herz mit Paprika, Berlin 1974, S. 112.

24 Vgl. Klaus Theweleit: Männerphantasien Bd. 1, Frankfurt a. M. 1977, S. 276.

25 Claude Lévi-Strauss: Traurige Tropen, Frankfurt a. M. 1978, S. 83f.

26 Ebd., S. 279

27 Albrecht, Stuttgart 1969

28 George L. Mosse: Die Nationalisierung der Massen. Deutsche Ausgabe, Frankfurt a. M. und Berlin 1976, S. 240.

29 Bergholz o.J., S. 6.

30 Leni Riefenstahl: Hinter den Kulissen des Reichsparteitag-Films. München 1935, S. 28.

31 Schumacher 1972, S. 269.

32 Theweleit 1977, Bd. 1, S. 552. Vgl. hierzu auch den meine Behauptung theoretisch fundierenden Aufsatz von Richard Dyer, »Entertainment and Utopia« in: MOVIE No. 24, Spring 1977.

Revue als montierte Handlung

1 Theodor W. Adorno: Einleitung in die Musiksoziologie. Zwölf theoretische Vorlesungen, Reinbek 1968, S. 320 f.
2 Zitiert nach Franz-Peter Kothes: Die theatralische Revue in Berlin und Wien, Wilhelmshaven 1977, S. III.
3 ILLUSTRIERTER FILMKURIER, Berlin 1936, Nr. 2576.
4 Wolfgang Schivelbusch: »Schwierige Arbeit bis zum Glamour. (Vom Realismus des Hollywood-Musicals)« in: FRANKFURTER RUNDSCHAU, Nr. 192 vom 21.8.1971.
5 ILLUSTRIERTER FILMKURIER, Berlin 1939, Nr. 2924.
6 Marika Rökk: Herz mit Paprika, Berlin 1974, S. 133.
7 ILLUSTRIERTER FILMKURIER, Berlin 1939, Nr. 3018.
8 Peter Kreuder: Nur Puppen haben keine Tränen. Ein Lebensbericht. Bergisch-Gladbach 1973, S. 233.
9 Helmut Regel: »Zur Topographie des NS-Films« in: FILMKRITIK, 1966, Nr. 1.
10 Siegfried Kracauer: Die Angestellten. Schriften Bd. 1, Frankfurt a.M. 1971, S. 287.
11 In Siegfried Kracauer: Straßen in Berlin und anderswo, Frankfurt a.M. 1964, S. 139.

Die Überläufer ausliefern

1 Häusser, zitiert nach: Jacob und Wilhelm Grimm: Deutsches Wörterbuch, München 1984, Band 23, S. 377f.
2 Hans Mommsen, zit. nach: Jacob und Wilhelm Grimm, ebd.
3 Oscar Fritz Schuh: So war es – war es so? Notizen und Erinnerungen eines Theatermannes, Berlin 1980, S. 54.
4 Alfred Bauer: Deutscher Spielfilm-Almanach 1929-1950, Neuausgabe München 1976, Vorwort, S. XIV.
5 Karlheinz Wendtland: Geliebter Kintopp. Sämtliche deutsche Spielfilme von 1929-1945. Mit zahlreichen Künstlerbiographien. Jahrgang 1943, 1944 und 1945, Berlin, o.J. (1988), S. 186.
6 Vgl. Bauer 1976, S. XIV.
7 Schuh 1980, S. 74f.
8 Erich Kästner: Notabene 45. Ein Tagebuch, München 1989, S. 60f.
9 Kästner 1989, S. 18.

Ende gut, alles gut

1 Vladimir Nabokov: Transparent Things. Novel, London 1972, p. 1.
   Übers. K. Witte.
2 Tübingen 1991.
3 Klaus Kreimeier: Die Ufa-Story, München 1992.
4 Wolfgang Jacobsen: Babelsberg, Berlin 1992.
5 Lowry 1991, S. 1.
6 Lowry 1991, S. 29.
7 Karsten Witte: »Blendung und Überblendung. Film im Nationalsozialismus«, in: Wolfgang Jacobsen, Anton Kaes, Hans Helmut Prinzler (Hg.):
   Geschichte des deutschen Films, Berlin/Stuttgart 1993.
8 Joachim Paech: »Wie soll man Filmgeschichte schreiben?« in: epd Film
   Heft 9, 1993, S. 22.
9 Gerhard Schoenberner: »Ideologie und Propaganda im NS-Film: Von der
   Eroberung der Studios zur Manipulation ihrer Produkte« in: Uli Jung
   (Hg.): Der deutsche Film. Aspekte seiner Geschichte von den Anfängen
   bis zur Gegenwart, Trier 1993. Und Günter Netzeband: »Träume und
   Alpträume 1933-1945« in: Axel Geiss/Filmmuseum Potsdam (Hg.):
   Filmstadt Babelsberg. Zur Geschichte des Studios und seiner Filme,
   Berlin 1994.
10 Havard University Press, 1996.
11 William Shakespeare: Ende gut, alles gut. Übers. Wolf Graf Baudessin.
   Dramatische Werke. Erster Band/Komödien, Berlin 1939, S. 812.

Textnachweis:

»Was noch fällig ist«: FRANKFURTER RUNDSCHAU, 10.2.83.
»Zu schön, um wahr zu sein: Lilian Harvey«:
   DIE ZEIT Nr. 27, 24.6.77.
»Wiener Brut«: DIE ZEIT Nr.16, 15.4.88.
»Adieu, Bel Ami«: FRANKFURTER RUNDSCHAU, 13.8.80.
»Major Tellheim nimmt Minna von Barnhelm in Dienst«:
   NEUE RUNDSCHAU, 96. Jahrgang, Heft 1, 1985.
»Filmkomödie im Dritten Reich«: Inauguraldissertation
   im Fachbereich 10/Neuere Philologien der
   Johann Wolfgang Goethe-Universität zu Frankfurt a.M.,
   Diss.Druck unter dem Titel »Filmkomödie im Faschismus«,
   Frankfurt a.M. 1986.
»Gehemmte Schaulust« in: Wir tanzen um die Welt.
   Deutsche Revuefilme 1933-1945, München 1979, Hrsg. Helga Belach.
»Revue als montierte Handlung« in: Wir tanzen um die Welt, a.a.O.
»Wie faschistisch ist die Feuerzangenbowle«:
   epd Kirche und Film Nr. 7, Juli 1976.
»Die Überläufer ausliefern« in: Das Jahr 1945.
   Filme aus fünfzehn Ländern, Berlin 1990, Stiftung Deutsche Kinemathek.
Sämtliche Texte wurden vom Autor überarbeitet.

Abbildungsnachweis:

Frontispiz: Ilse Werner, Carl Raddatz in *Wunschkonzert*
   Stiftung Deutsche Kinemathek, Berlin
S. 279: Willy Fritsch, Käthe Gold in *Amphitryon*
   Bundesarchiv-Filmarchiv, Berlin